LE VENDEUR
DE SARIS

RUPA Bajwa

LE VENDEUR DE SARIS

ROMAN

Traduit de l'anglais (Inde) par
Claude et Jean Demanuelli

Traduit avec le concours du
Centre national du livre

Par ailleurs

Rupa Bajwa est née à Amritsar en Inde du Nord, en 1976. *Le vendeur de saris* est son premier roman. Écrit en anglais, traduit dans une dizaine de langues, il a reçu plusieurs prix internationaux.

Depuis, Rupa Bajwa se consacre à l'écriture. Vivant elle-même seule à Amritsar, en marge des codes traditionnels, elle s'est identifiée à chacun de ses personnages et met en scène avec talent l'ambiguïté de la société indienne.

Titre original :
The Sari Shop

Éditeur original : Viking, an imprint of Penguin Books, London

À la mémoire de deux hommes
qui me sont tout particulièrement chers :
Sardaar Piara Singh Goraya
et Harvinder Jit Singh Goraya

PREMIÈRE PARTIE

1

Ramchand avait laissé passer l'heure : il avait fallu les vociférations d'une dispute dans la rue en dessous pour le tirer du sommeil en sursaut. Il se frotta les yeux, sortit de son lit et s'approcha de la fenêtre. À travers les barreaux rouillés, il regarda les deux hommes qui s'affrontaient. L'un était un laitier, qui rentrait de sa tournée matinale. De grands bidons en zinc (qui brillaient comme de l'aluminium), vides maintenant, étaient attachés de chaque côté de sa bicyclette, et l'un d'eux avait heurté un passant dans la rue étroite. Une dispute s'était ensuivie, et les deux hommes, le visage rouge, s'invectivaient copieusement.

Encore à moitié endormi, Ramchand se brossa les dents à côté de la fenêtre, appuyé contre le mur. Il regarda l'altercation jusqu'au bout, c'est-à-dire jusqu'au moment où les spectateurs, d'abord intéressés, puis lassés, tentèrent de calmer les deux hommes. C'était là un rituel ; abandonner avant l'intervention des badauds quand on était engagé dans une dispute en pleine rue revenait à perdre la face. Les deux belligérants reprirent leur chemin. Après quoi, Ramchand oublia tout bonnement de se préoccuper de l'heure. Il continua pendant un long moment à regarder par la fenêtre, l'œil vide, l'esprit encore embrumé de sommeil. Il faisait froid. Il avait l'impression d'avoir la tête autant que les membres complètement gelés. Il se déplaçait au ralenti.

Quand il jeta enfin un coup d'œil au petit réveil rouge sur la table et comprit qu'il était en retard, forcément il était trop tard. Il se lava et s'habilla à la hâte, semant ses affaires un peu partout, s'ébouillantant en voulant faire chauffer de l'eau pour sa toilette sur le poêle à pétrole, se débattant avec les boutons de sa chemise et répandant de l'huile pour les cheveux sur le sol déjà sale. Quand il en eut terminé, ce fut pour découvrir qu'il avait égaré le lourd cadenas en fer et la clé qui était restée dessus. Il les trouva trônant juste sous son nez au beau milieu de la table, après avoir passé un quart d'heure à les chercher. Il se précipita dehors et prit la direction de la boutique, mi-courant, mi-marchant dans les rues étroites et encombrées du bazar, fendant la foule, évitant à grand-peine *rickshaws* et charrettes de légumes. Il sentait ses doigts de pied transpirer dans ses chaussettes de laine grise.

À dix heures du matin, le bazar bourdonnait d'activité. Le *halwai* était déjà installé devant la confiserie Mishthaan, préparant ses *jalebi*, petits tortillons de pâte à beignets qu'il faisait frire dans l'huile d'un grand chaudron. Toutes les boutiques étaient ouvertes, et tous les vendeurs, Ramchand en était bien conscient, déjà en place, essayant d'écouler leurs marchandises, un sourire figé, attentif, plaqué sur leurs visages luisants, fraîchement lavés.

La partie ancienne d'Amritsar, la vieille ville située à l'origine à l'intérieur des remparts, regorgeait de bazars – des petits, dont seuls les résidents connaissaient l'existence, où l'on vendait des bracelets et du tissu vraiment bon marché mais auxquels on n'accédait qu'à pied par de minuscules ruelles, et des grands, les bazars principaux aux rues plus larges et légèrement plus propres.

Les bazars d'Amritsar étaient des endroits animés, où, tous les jours de l'année, on faisait du commerce, on marchandait les prix, on ouvrait les boutiques le matin, on les refermait le soir. Comme s'il en avait toujours été ainsi et qu'il en irait de même jusqu'à la fin des temps.

Pas le moindre espace libre, mais un fouillis de vieilles bâtisses de brique rouge, d'immeubles d'un autre âge en béton gris, de boutiques, d'enseignes, d'innombrables temples minuscules aux carrefours, de rues envahies d'humains, de vaches, de chiens errants, de charrettes de fruits et légumes. Pas de grille, les pas de porte donnaient directement sur la rue. Les bâtiments délabrés s'appuyaient les uns contre les autres, comme des boîtes en carton collées. Leurs terrasses s'imbriquaient sans aucun mur de séparation – impossible de savoir où l'une finissait et où commençait l'autre. Ici et là, on apercevait une trouée dans les entassements de constructions : une ruelle étroite forçait un passage entre les murs récalcitrants et s'enfonçait péniblement au milieu de la maçonnerie pour aller en rejoindre une autre, tout aussi étroite, à son extrémité. Il fallait des années pour se familiariser avec le dédale des ruelles, des passages et des raccourcis de la vieille ville.

L'argent, l'encombrement et le bruit menaient sans relâche une sarabande effrénée en ces lieux, interdisant à toute autre activité, éventuellement plus reposante, de se développer. Les remparts des origines n'existaient plus, depuis longtemps écroulés, mais leur fantôme continuait à séparer la vieille ville de la nouvelle, qui s'étendait à l'extérieur des murs.

La boutique où travaillait Ramchand était l'une des plus anciennes. Sagement nichée entre les meubles Talwaar et les tissus Chanduram, dans l'un des principaux bazars enfouis au cœur de la ville, elle était dotée d'un parking pour les clients qui venaient en voiture. Les boutiques de ce bazar, plus spacieuses, plus anciennes qu'ailleurs, avaient traditionnellement bonne réputation et pouvaient compter sur une clientèle fidèle ; les propriétaires étaient tous des gens respectés, dans le négoce depuis des générations.

Une grande enseigne d'un vert passé au-dessus de l'entrée du magasin annonçait SEVAK SARI HOUSE en lettres rouges agrémentées de fioritures et calligraphiées à l'ancienne, en anglais et en panjabi. Enseigne quelque peu trompeuse, dans la mesure où la boutique ne vendait pas que des saris. Au rez-de-chaussée, on trouvait aussi des tissus de confection pour hommes, dans des tons plutôt tristes de marron, de bleu et de noir. Mais rares étaient ceux qui venaient là pour acheter de quoi faire faire un costume ou une chemise. Il y avait d'autres boutiques, plus grandes et mieux achalandées, entièrement consacrées aux vêtements pour hommes, comme le magasin Raymond, par exemple, à deux rues de là. C'est pourquoi le rez-de-chaussée de la Sevak Sari House avait l'air poussiéreux et abandonné. Les saris se vendaient au premier.

C'était le premier étage, avec ses rayons où s'entassaient cotonnades du Bangladesh, *kanjeevarams* scintillants, soieries de Bénarès, crêpes, mousselines, satins, qui vibrait d'une vie entêtante et riche de couleurs et de soies, et qui attirait clients et profits. Et c'est son énorme succès qui avait valu à la Sevak Sari House sa réputation de meilleure boutique de saris d'Amritsar. Les coupons pour costumes et chemises du rez-de-chaussée, écrasés sous l'arrogance chatoyante du premier étage, faisaient vraiment triste figure.

Il y avait aussi un second, auquel les clients n'avaient pas accès. On y trouvait un vaste dépôt et un petit W-C qu'utilisaient Mahajan et les employés du magasin. Ceux-ci étaient au nombre de six au rayon saris, et parmi eux figurait Ramchand.

*
* *

Ramchand hésita un instant devant l'entrée du magasin, les paumes moites de transpiration en dépit de la fraîcheur de décembre, à l'idée que la colère de Mahajan n'allait pas tarder à s'abattre sur lui. Il jeta un coup d'œil à l'intérieur : Mahajan était au téléphone. Mettant l'occasion à profit, Ramchand traversa le rez-de-chaussée au pas de course, sous l'œil réprobateur de son patron.

Un Ganesh était installé au pied de l'escalier qui menait au premier. Habituellement, Ramchand s'arrêtait devant l'idole, mains jointes, yeux clos, avant de s'incliner cérémonieusement et de monter à l'étage. Mais, ce jour-là, il emprunta les marches en bois branlantes sans demander son reste. Son cœur battait la chamade dans sa poitrine. D'un instant à l'autre maintenant, il allait se faire arrêter et réprimander par Mahajan. Il réussit pourtant à gravir l'escalier sans encombre. Arrivé sur le petit palier, devant la grande porte vitrée qui menait à la section saris, il essaya de reprendre son souffle. Puis il se débattit avec ses chaussures, sautillant d'un pied sur l'autre dans l'espoir de s'en débarrasser, ses efforts se soldant par des coups sourds sur le plancher.

C'est alors que montèrent du rez-de-chaussée les beuglements de Mahajan : « Qu'est-ce que tu cherches à faire ? Démolir la boutique ? Tu es en retard, et tu croyais peut-être que je ne m'en apercevrais pas ? Tu me crois aveugle ? ou idiot ? Tu penses qu'une boutique, ça se mène comme ça ? Que tu peux aller et venir à ta guise ? Tu te prends pour un roi ou quoi ? *Raja Ramchand*, c'est ça ? Il faudrait peut-être qu'on t'envoie une escorte et un *bagghi* pour aller te chercher tous les matins ? »

Ramchand s'immobilisa et attendit. Silence. Puis il enleva ses chaussures avec précaution, se prenant à souhaiter que ses pieds ne sentent pas aussi fort. Il s'était pourtant lavé et avait mis des chaussettes propres, mais rien n'y faisait. Il savait que l'odeur ne ferait qu'empirer d'ici à la fin de la journée. Il rangea soigneusement ses souliers sur l'étagère en bois contre le mur, sur le rayon réservé aux employés. Les autres étaient destinés aux sandales délicates, aux *chappals kolhapuri*, aux chaussures à semelles compensées ou à talons aiguilles des clientes. Ramchand se lissa les cheveux et arrangea un peu sa *kurta*, histoire de faire oublier l'odeur que dégageaient ses pieds, et pénétra dans la pièce.

Il gagna la place qui était la sienne et s'assit, jambes croisées. Aménagée à l'ancienne, la boutique était dépourvue de comptoirs. Le sol était entièrement occupé par d'épais matelas recouverts d'un drap blanc, sur lesquels les vendeurs, installés face aux clients, roulaient et déroulaient sans fin des mètres et des mètres de tissu coloré.

« *Namaste*, Ramchand Bhaiya. Encore en retard ? » le salua d'un grand sourire Hari, qui était assis non loin de lui. Insouciant, toujours gai, l'air effronté, Hari, le plus jeune des employés, se faisait souvent houspiller par Mahajan.

Toutefois, ces séances, pour le moins désagréables, n'avaient pas sur lui le même effet que sur Ramchand : elles le laissaient de marbre. Mieux encore, elles avaient le don, quand la journée était un peu morne, de lui remonter le moral. « Ça entre par une oreille et ça sort par l'autre », disait-il invariablement, un grand sourire aux lèvres, une fois que Mahajan avait consacré un temps et une énergie considérables à lui faire connaître le fond de sa pensée. En raison de son statut d'employé subalterne, de son inexpérience et de son peu de goût pour le métier, on lui avait laissé le rayon des saris ordinaires et des saris fantaisie, dont la vente ne réclamait ni talents particuliers ni connaissance approfondie des tissus. Il s'écoulerait beaucoup de temps avant qu'on lui confie une autre tâche. Ce qui ne l'inquiétait guère.

Ramchand lui rendit son sourire.

« Qu'est-ce qu'on peut y faire, *yaar* ?

— On l'entendait te crier dessus, même avec la porte fermée.

— Qu'est-ce qu'on peut y faire, *yaar* ? répéta Ramchand, d'un ton plus sombre cette fois-ci.

— T'en fais pas, le rassura Hari. De toute façon, tu lui as rendu un fier service, à notre Mahajan. Y a des gens, s'ils peuvent pas aboyer après quelqu'un de bonne heure le matin, ils arrivent pas à digérer leur petit déjeuner. Maintenant, cette canaille n'aura pas ce genre de problème, dit-il en s'esclaffant de sa propre plaisanterie. Parce qu'il fait partie de ces gens-là, notre Mahajan », ajouta-t-il, avec un clin d'œil à l'adresse de Ramchand, avant de s'esclaffer à nouveau. Puis de pousser un soupir théâtral.

Gokul était tranquillement occupé à plier des saris en rectangles bien nets. Il était chargé des crêpes les plus chers et, pendant la saison des mariages, donnait également un coup de main pour les *lehngas* et les saris de fête. C'était un homme d'une quarantaine d'années à l'air grave, qui prenait son travail très au sérieux. Mahajan pensait le plus grand bien de son expérience et de son dévouement, ce qui ne l'empêchait pas de le chapitrer à l'occasion. Environ dix ans plus tôt, l'établissement avait décidé de faire aussi le *chunni*. Car il y avait beaucoup de *sardaarnis*, matrones vénérables aussi bien que jeunes femmes, appartenant à de vieilles familles sikhes, qui, en venant acheter un sari, demandaient, pleines d'espoir, s'ils avaient aussi des *chunnis* en magasin. Le sari était pour elles une nécessité, parce qu'il était à la mode, mais leur vraie tenue, c'était le *salwaar kameez*. Et c'est ainsi qu'après des demandes répétées, accompagnées de compliments pour la Sevak Sari House, une maison de confiance, vraiment, et de commentaires sur la difficulté de trouver des *chunnis* de première qualité par les temps qui couraient, Bhimsen et Mahajan, après s'être longuement concertés, avaient décidé de faire cet article.

Quant à Gokul, il avait décidé de se spécialiser dans le *chunni*. Pas question de trouver chez Sevak l'article bas de gamme. On y vendait avant tout des saris, et s'il fallait y ajouter les *chunnis*, on ne proposerait que ce qui se faisait de mieux. Ils avaient tous deux mètres cinquante de long et la largeur requise. Aucune *sardaarni* digne de ce nom n'aurait toléré un voile plus court ou plus étroit : bons pour les hindoues ou les très jeunes filles, ces voiles-là. Au même titre que la longueur, la qualité était une priorité. Il y avait des articles en pure mousseline de soie, d'autres, très beaux, en soie blanche, qui, une fois teints, pouvaient être assortis à n'importe quel *salwaar kameez*, et des *odhnis* bordés d'or en rose, rouge et bordeaux, des *chunnis* blancs rehaussés de broderies de couleur claire pour les veuves de bonne famille, des pièces colorées brodées dans le style *phulkari* traditionnel, achetées, celles-là, par les femmes sikhes, pour le trousseau de leurs filles, et bien d'autres encore. Et Gokul était l'expert en la matière, capable de répondre aux questions de n'importe quelle cliente.

16

Pour autant, il n'était pas homme à plastronner. Il craignait Mahajan et passait son temps à dire à Hari de veiller à ne pas s'attirer les foudres de son patron.

Gokul leva les yeux vers Hari et lui dit : « Tais-toi donc, Hari ! On n'a pas idée de traiter Mahajan de canaille, et tout fort encore ! Tu parles trop. Un de ces jours, ils t'entendront et te mettront dehors. Tu as la langue trop bien pendue. Et ce n'est pas elle qui t'aidera à gagner ta vie, mon garçon. »

Tout ça avec le sourire. Gokul avait un petit visage bienveillant, et son crâne en forme de dôme était parsemé de touffes de cheveux. Ramchand lui adressa, à lui aussi, un pâle sourire. Juste à côté, Chander était en train de déverrouiller un placard. La totalité des murs de la boutique était soit couverte de rayons, soit aménagée en solides placards encastrés où l'on gardait sous clé les articles les plus chers ou les plus délicats. Pendant que les autres parlaient, Chander ne releva pas la tête une seule fois. C'était un homme grand, taciturne, doté d'une pomme d'Adam très marquée. Il lui arrivait fréquemment de ne pas venir travailler, et il opposait aux remontrances de Mahajan, à ce propos ou à d'autres, un silence résigné. C'est le regard perdu dans le vague qu'il essuyait toutes les insultes que ce dernier lui jetait à la tête, tout en se mordant la lèvre inférieure, et sans jamais répondre aux questions hystériques de l'autre.

Les deux employés les plus âgés, Shyam et Rajesh, travaillaient dans l'établissement depuis bien plus longtemps que n'importe lequel des autres vendeurs. Shyam avait des cheveux grisonnants, un visage maigre et les deux dents de devant très écartées ; Rajesh était plutôt enrobé et avait les yeux un peu chassieux. Ces deux-là restaient entre eux, s'entretenant à voix basse de la hausse du coût de la vie, des prêts immobiliers à 0 %

et des endroits où l'on pouvait acheter des appareils ménagers au meilleur prix. Ils étaient un peu mieux payés que les autres. Tout le monde le savait, mais personne n'en parlait jamais, et les deux intéressés ne l'avaient jamais officiellement reconnu. Shyam avait une fille, encore jeune, qu'il espérait marier au fils de Rajesh. Ils vivaient dans leur monde de cinquantenaires, sortaient ensemble prendre leurs thés ou leurs repas, et donnaient du « mon garçon » aux autres vendeurs, même à Gokul, pourtant à peine moins âgé qu'eux.

Ramchand passa la matinée à ranger les derniers arrivages. Bhimsen Seth, le propriétaire, arriva vers onze heures. Le magasin avait été fondé par son grand-père, Sevak Ram, et Bhimsen avait pris la relève dès l'âge de vingt ans. C'est à la même époque que s'était présenté à lui un gamin de quinze ans, un certain Mahajan, à la recherche d'un emploi. Bhimsen l'avait engagé, et Mahajan depuis lors avait gravi les échelons l'un après l'autre. Au fil de ses trente années de service, il avait su se montrer honnête, fiable, capable d'initiatives et exigeant avec le personnel. C'était lui, désormais, qui s'occupait des tâches matérielles afférentes à la bonne marche de l'établissement, sous la haute surveillance, malgré tout, de Bhimsen. Celui-ci n'avait plus besoin désormais de venir tous les jours au magasin. Il avait d'autres affaires ailleurs, qui réclamaient également sa présence. Ramchand ignorait si Seth était son nom de famille ou simplement une façon respectueuse de s'adresser à lui. Il s'en était enquis auprès de Gokul, qui ne le savait pas davantage, et n'avait jamais osé le demander à personne d'autre.

Les rares fois où Bhimsen mettait les pieds au magasin, il se contentait de prendre ses aises dans un coin du premier étage, au milieu d'un assortiment criard d'images de dieux hindous, de bâtonnets d'encens et de billets de cent roupies qu'il comptait avidement de ses doigts courts et boudinés.

Ramchand l'observait parfois du coin de l'œil. Bhimsen, absorbé par sa tâche, retournait le coin des billets les uns après les autres, et si par hasard il relevait la tête et croisait le regard de son employé, il lui adressait un sourire lent et lippu qui glaçait le cœur de l'autre. Ramchand avait tendance à trouver l'air bienveillant de Bhimsen un peu sinistre.

2

Dans un autre quartier d'Amritsar, situé loin de la vieille ville, un secteur où de nombreux fonctionnaires de l'administration, des médecins et quelques hommes d'affaires avaient fait construire des maisons spacieuses, avec pelouse sur le devant et potager à l'arrière, Mrs Sandhu était dans sa cuisine, surveillant le lait qui commençait à bouillir sur la cuisinière à gaz. C'était une femme grasse, à la peau claire, au teint rayonnant et aux longs cheveux luisants retenus en chignon.

La cuisine dans laquelle elle se trouvait était immaculée et dotée des tout derniers gadgets. Les plans de travail en marbre luisaient de propreté. Les ustensiles antiadhésifs Hawkin étaient rangés bien en ordre sur un rayon, il n'y avait pas une tache d'eau ni de graisse sur le four à micro-ondes LG, et le sol étincelait. Le mari de Mrs Sandhu était ingénieur en chef à l'office régional de l'électricité de l'État du Pendjab. Nombre de ses subalternes venaient chez lui travailler aux corvées domestiques, à la cuisine ou au jardin, et contribuaient à l'ordre impeccable de la maison. Les Sandhu, qui habitaient auparavant un des logements de fonction réservés aux employés de l'électricité, avaient fait construire et venaient d'emménager dans leur nouvelle résidence.

Mr. Sandhu était énormément investi dans la maison ; il en avait lui-même dessiné les plans et s'était per-

sonnellement occupé du mobilier et de la décoration.
Il voulait ce qui se faisait de mieux dans tous les domaines. Quand il aurait pris sa retraite, il faudrait qu'on
puisse voir au premier coup d'œil qu'il avait occupé les
fonctions d'ingénieur en chef. La demeure était donc
spacieuse et bénéficiait des dernières innovations en
matière d'architecture intérieure : sol des salles de
bains en granit, grande arche précédant le salon, auquel
on accédait par deux ou trois marches, tapis venus tout
exprès du Cachemire, portes en tek, mobilier et tissus
d'ameublement coûteux choisis par Mr. Sandhu en personne. D'aucuns trouvaient bizarre qu'un fonctionnaire
de l'administration, si haut placé fût-il, eût pu s'offrir
un tel luxe – mais, bien sûr, les Sandhu avaient du bien,
des terres dans leur village, et, bien sûr, ajoutait-on d'un
air entendu, quel était le fonctionnaire de nos jours qui
n'était pas prêt à accepter un dessous-de-table ?

Un autre ingénieur en chef avait, lui aussi, fait construire non loin de là, mais de façon très progressive. Il
avait d'abord économisé pour acheter le terrain, puis,
les années suivantes, avait mis suffisamment de côté
pour faire démarrer la construction. Il avait emménagé
avec sa famille alors que la maison n'était pas terminée.
Cinq ans plus tard, il avait engagé des menuisiers qui
avaient installé des rayonnages et des placards encastrés
destinés à remplacer les deux armoires Godrej métalliques. Lui aussi avait une pelouse et un potager, mais
devait se contenter par ailleurs d'une vieille Fiat cabossée, d'un tapis ordinaire dans son salon, de vieux meubles dont sa femme refusait de se séparer tant elle les
aimait et d'un compte en banque assez mal garni. De
l'avis général, il manquait totalement de sens pratique
et était malavisé au point de paraître presque... benêt.

Mrs Sandhu estimait que, maintenant, elle valait bien
n'importe qui. Elle était certes en surcharge pondérale,

mais du moins avait-elle une autre allure que toutes ces femmes maigres au teint foncé, à la peau rêche et aux cheveux ternes. Une belle maison, un standing élevé, un mari dévoué et un physique agréable... Qu'est-ce qu'une femme pouvait bien demander de plus ? Si seulement les enfants pouvaient réussir...

Elle éteignit le gaz et le lait retomba. Elle le versa précautionneusement dans un grand gobelet en métal, qu'elle remplit à ras bord. Bourrelets de graisse tremblotants, elle se dirigea en se dandinant vers la chambre de son fils, le récipient plein de lait chaud dans les mains. La porte était légèrement entrouverte. Elle la poussa et s'approcha du bureau sur la pointe des pieds.

« Manu, mon petit, bois ça », dit-elle d'un ton encourageant. Manu leva les yeux. Dégingandé, moustache naissante, genoux osseux, il préparait assidûment l'examen d'entrée à la faculté de médecine. Tous les regards étaient braqués sur lui, le garçon qui devait présenter le TEAPM, test d'entrée en année préparatoire de médecine. Ses parents étaient fiers, anxieux, aux petits soins. Il prit le gobelet des mains de sa mère d'un geste las, se renversa contre le dossier de sa chaise et but une gorgée. Mrs Sandhu attendait, bourrelets au repos, lèvres entrouvertes.

Manu fit la grimace et lui fourra le gobelet dans les mains. « Tu ne l'as pas passé ? Tu sais bien que j'ai horreur de la crème dans le lait. Remporte-le. »

Il se remit au travail sans lui accorder un regard. Elle retourna à la cuisine et sortit la petite passoire métallique que sa mère lui avait donnée quand elle s'était mariée. Et qui était encore en fort bon état, remarquat-elle non sans satisfaction. Elle filtra soigneusement le lait dans un autre gobelet, l'objet du délit restant collé à la passoire, avant de retourner dans la chambre. Manu était à nouveau penché sur ses papiers, remuant les lèvres dans un murmure silencieux. Il lui prit le gobelet des mains sans un regard. Et but plusieurs gorgées sans un mot. Elle sortit de la pièce sans un bruit.

La sonnerie du téléphone résonna dans le salon. Elle se précipita pour répondre, en espérant que le bruit n'avait pas dérangé son fils.

C'était son époux qui l'appelait du bureau. Il était de fort bonne humeur ; il venait juste de toucher un pot-de-vin, poliment déguisé en cadeau. Il s'enquit doucement auprès de son épouse de ce que faisait leur fils.

« Il étudie », répondit-elle fièrement.

*
* *

À deux maisons de là, Mrs Gupta était assise dans sa chambre, sur un grand lit orné d'un couvre-lit en satin couleur pêche. Proche de la soixantaine, elle faisait cependant plus jeune grâce à un régime sévère et à des exercices réguliers. Elle avait le teint pâle, presque transparent, mais les cheveux rares. Ce qu'elle cachait de son mieux en les portant mi-longs et en les retenant à l'arrière par une grosse pince. Ridicule chez toute autre femme de son âge, cette coiffure s'accordait assez bien avec son assurance et sa vivacité, sa taille fine et sa démarche élégante. Elle n'aimait guère ses yeux, trop petits, ni son nez, un peu busqué. Ni, bien sûr, ses cheveux, trop rares. Mais elle savait que, dans l'ensemble, elle avait fière allure – distinguée, à la page, respectable et, ce qui ne gâtait rien, d'une famille nantie.

Des objets en cristal ornaient une niche dans le mur – le cristal était la dernière mode, et elle veillait à augmenter sa collection à la moindre occasion. Il y avait là un vase en cristal, avec un bouquet de fleurs artificielles blanches d'importation, un violon miniature, ainsi qu'une statuette de danseuse, parmi d'autres bibelots. Elle s'était récemment demandé si elle n'aurait pas intérêt à transférer tout le cristal dans le salon. Dans la chambre, presque personne ne le voyait...

La grande glace de la coiffeuse au dessus de verre renvoyait l'image de la pièce bien rangée – le beau lit à deux places avec sa tête en velours rouge, les objets en cristal, les chevets également en verre, le tapis couleur rouille, et les tentures à carreaux rouille et pêche. Elle reflétait aussi Mrs Gupta, assise, resplendissante, au milieu de toutes ses possessions, et plongée dans ses pensées.

Sur la coiffeuse, au-dessous de l'image de la chambre, un pot de crème anti-rides L'Oréal, une bouteille de lait démaquillant Lakme, des pochettes de *bindis* rouge foncé et un grand flacon de parfum. Il y avait aussi une armée de bâtons de rouge à lèvres Revlon dans leurs étuis, alignés en ordre de bataille comme autant de soldats nains en uniforme rouge. C'étaient là les objets dont elle se servait tous les jours. Tous ses autres produits de beauté étaient soigneusement rangés dans les tiroirs de la coiffeuse.

Mrs Gupta avait entendu parler du Feng-shui, lors d'une des rencontres entre femmes auxquelles elle assistait régulièrement. Elle en avait discuté avec son mari : « C'est comme notre Vaastu Shastra, mais en plus moderne. Il y a des tas de livres sur le sujet, en anglais, et Mrs Bhandari s'y est mise. Elle a réalisé un jardin de rocaille exactement là où le livre lui conseillait de le faire. »

Mrs Gupta n'avait pas trop de temps à consacrer à la lecture, mais elle s'était débrouillée pour poser des questions à droite et à gauche sur le Feng-shui et maintenant, en dehors de nombreux autres changements et ajouts opérés dans la maison, un carillon était suspendu à l'entrée de la chambre, qui tintinnabulait au moindre souffle.

Elle lissa la surface satinée du couvre-lit d'un air absent, un sourire satisfait sur ses lèvres peintes. La date du mariage de Tarun, son fils aîné, venait juste d'être fixée, et les choses s'annonçaient fort bien. La jeune fille, qui s'appelait Shilpa, était avenante, sinon vraiment jolie – elle avait des traits un peu mous –, mais son teint clair et sa minceur constituaient aux yeux de Mrs Gupta des atouts majeurs. Il y aurait toujours moyen d'améliorer le reste. Elle semblait docile et désireuse de plaire, et son attitude réservée était aux antipodes de cette effronterie qu'on voyait si souvent chez les filles aujourd'hui. Quoi qu'il en soit, elle était potentiellement modelable. Mais la seule chose qui comptait vraiment, c'est que son père était un industriel riche et respecté. Les deux familles avaient le même standing, si bien qu'il n'y aurait aucun problème d'ajustement à aucun niveau. Peut-être même que plus tard Tarun pourrait songer à s'associer avec les frères de sa femme...

Mrs Gupta avait beaucoup à penser, pour tout dire elle avait tout le mariage à planifier. Son cadet, Puneet, ingénieur informaticien en Amérique, viendrait, lui aussi. Et lui donnerait un coup de main, bien entendu. Quant à Mr. Gupta, il avait des tas de relations et savait comment s'y prendre avec les gens. Il s'occuperait de toutes les questions d'ordre pratique : téléphoner à ses contacts, amener joailliers, traiteurs, loueurs de tentes à lui accorder des réductions, mais c'est à elle qu'incomberaient les ACHATS.

Les Gupta avaient eu une longue et franche discussion avec les parents de Shilpa, et tout le monde s'était mis d'accord sur trois « cérémonies » – le *sangeet* des femmes, qui serait incorporé au *mehndi*, le mariage proprement dit, et une grande réception.

Il lui fallait donc prévoir trois tenues, avec bijoux assortis. Il lui faudrait également prévoir et acheter les vêtements et les bijoux de Shilpa pour la réception, puisque, selon la tradition, tout ce que cette dernière porterait immédiatement après le mariage devait venir de sa belle-famille. Sans compter qu'il faudrait aussi décider des vêtements que porterait Tarun.

Mrs Gupta avait déjà fait le choix de sa tenue pour le jour du mariage. Elle avait une parure ancienne en or et émeraudes. Elle achèterait un sari en soie pour aller avec. Elle ne pouvait pas porter ses cheveux dénoués, bien entendu, même si elle savait que cette coiffure la faisait paraître beaucoup plus jeune : la mère du marié ne pouvait se permettre ce genre de fantaisies.

Mrs Gupta poussa un soupir et se concentra à nouveau sur ses courses. Pour commencer, elle allait commander une vingtaine de paires de *salwaar kameezes* pour Shilpa. Et lui acheter autant de saris. Il y aurait aussi les saris pour toutes les femmes de sa famille à elle, et les habits pour les hommes, bien entendu. Et des saris moins chers pour les jeunes filles... Que d'achats en perspective ! se dit Mrs Gupta avec enthousiasme. Elle avait bavardé avec la mère de Shilpa au téléphone l'autre jour. Les deux familles avaient l'intention d'acheter les saris chez Sevak. Elle espérait bien ne pas rencontrer les autres au magasin, dans la mesure où marchander en leur présence risquerait d'être embarrassant.

Ce n'était pas drôle de penser à de tels projets toute seule. Elle avait une nombreuse parenté à Amritsar, mais comme il y avait un autre mariage dans la famille dans dix jours, on la trouverait sans doute égoïste de faire passer ses propres plans d'abord.

Elle s'empara du téléphone sans fil que lui avait rapporté Puneet lors de son premier retour des États-Unis et fit le numéro de Mrs Sandhu.

Laquelle répondit dès la première sonnerie.

« Bonjour, *ji*, dit-elle quand elle eut reconnu la voix de Mrs Gupta. Comment allez-vous ?

— *Bas*, très bien.

— Vous avez entamé les préparatifs ? demanda Mrs Sandhu, qui avait été prévenue du mariage de Tarun le jour même où la date avait été arrêtée.

— Non, pas encore. Je n'ai guère le temps. Vous comprenez, ma nièce se marie dans dix jours. Alors, la famille est très occupée. J'ai déjà fait tous mes achats pour ce mariage-là, si bien que, Dieu merci, j'ai l'esprit tranquille de ce côté.

— C'est ce que j'admire tant en vous, madame Gupta. Vous êtes d'une efficacité re-mar-quable, il faut bien le reconnaître, dit Mrs Sandhu, prompte à se répandre en compliments.

— Non, non, je ne dirais pas ça…, opposa Mrs Gupta, prompte à s'autodénigrer, avant d'en venir au fait. Vous savez quoi ? Je pensais aller faire quelques courses et je me demandais si vous seriez prête à m'accompagner. Il y a tellement de saris à acheter. »

Ce qui rappela à Mrs Sandhu qu'elle allait devoir offrir un sari à la future belle-fille de Mrs Gupta.

Quand la nièce de Mrs Sandhu, Mini, s'était mariée, Mrs Gupta avait été invitée au mariage. Mini avait fait des études de chirurgie dentaire et avait épousé un dentiste. Le couple avait ouvert un cabinet, et le fauteuil à lui seul avait coûté cent cinquante mille roupies. Pour le mariage, Mrs Gupta avait fort gentiment offert à la jeune dentiste rougissante un beau sari en soie violette, joliment brodé. Dommage que Mini ne l'ait jamais mis, songea Mrs Sandhu, mais Mini avait déclaré qu'elle était médecin, même si elle ne soignait que les dents, et qu'il lui fallait avoir l'air moderne d'un membre des professions libérales ; en conséquence de quoi, elle ne portait que des *salwaar kameezes* courts. Quoi qu'il en soit, il ne restait plus à Mrs Sandhu qu'à acheter à la belle-fille de Mrs Gupta un sari qui irait chercher dans les mêmes prix, au minimum, que celui offert par Mrs Gupta : c'était bien le genre de femme à se rappeler pareil détail et à le rapporter aux autres.

« Bien sûr, je serai ravie de vous accompagner, dit-elle à Mrs Gupta.

— Merci infiniment. Vous savez ce que c'est, c'est tout bonnement im-po-ssible d'acheter des saris toute seule.

— Vous n'avez pas à me remercier. Après tout, c'est un peu comme si mon propre fils se mariait, dit Mrs Sandhu avec componction, cherchant toujours désespérément à se rappeler le prix de ce sari. De toute façon, Manu ne revient pas avant trois bonnes heures. Il est à la faculté, et après il a un cours particulier de physique, puis de chimie, le pauvre. Et c'est la journée des sports à l'école du plus jeune. Si bien que lui non plus ne sera pas de retour avant ce soir, même si...

— Parfait, disons dans une demi-heure chez moi, l'interrompit Mrs Gupta.

— Très bien, j'arrive », dit Mrs Sandhu, qui en était encore à se demander quel prix elle allait devoir mettre dans le sari de la future belle-fille.

L'ennui, avec les Gupta c'est qu'ils étaient la seule famille du voisinage à être dans les affaires et que, par suite, ils étaient persuadés qu'elle-même avait beaucoup d'argent, mais Mrs Sandhu se faisait toujours fort, à sa manière tranquille, de montrer qu'elle valait bien n'importe qui.

28

« C'est parfait, alors. Je vais demander au chauffeur de tenir la voiture prête », dit Mrs Gupta avant d'éteindre son sans-fil japonais tout neuf.

*
* *

« Ramchand Bhaiya, j'ai une envie folle de *samosas* tout d'un coup, dit Hari à Ramchand, l'air pensif. Un bon *samosa* chaud. Ou plutôt deux », ajouta-t-il.

L'accablement se lut aussitôt sur le visage de Ramchand.

« Écoute, Hari, Gokul est parti faire une grosse livraison, et si tu décampes toi aussi...

— Non, je vais pas décamper, pas vraiment », dit Hari, d'un ton rassurant.

Au bout d'un moment, il revint sur le sujet :

« Tu le vois, dis, ce gros *samosa* bien chaud et bien dodu. Croustillant à l'extérieur et bourré de purée de pommes de terre à l'intérieur. Relevé avec des piments, de la coriandre et des oignons. Oh, et les chutneys. Le rouge à l'*imli* et le vert à la menthe. Avec un *samosa* tout chaud et croustillant. Tout juste sorti du *kadhai*. Oh ! là ! là ! » dit Hari, proche de l'extase.

Ramchand, lui aussi, en avait l'eau à la bouche. Il essaya d'adopter la manière sévère de Gokul :

« Hari, écoute, je vais te dire, tu ne dois pas...

— J'ai vraiment, vraiment faim, Ramchand Bhaiya, plaida Hari. Écoute, j'y vais d'un saut, je mange et je reviens. Ouais, c'est ce que je vais faire. Tous ces gens, les Seth et les autres, ils sont suffisamment riches comme ça sans que je sois obligé de mourir de faim et de me tuer à la tâche. Et... écoute bien, je t'en rapporte un, d'accord ?

29

— Oui, mais, Hari, tu... », essaya à nouveau Ramchand, mais l'autre était déjà debout.

Il lui adressa un clin d'œil complice, fit mine de sortir de la pièce sur la pointe des pieds, ce qui était tout à fait inutile dans la mesure où ils étaient seuls. Ramchand poussa un grand soupir et se remit au travail, tendu et nerveux, faisant craquer sans arrêt les jointures de ses doigts, rêvant d'une tasse de thé qui le calmerait. Les clientes n'allaient pas tarder à arriver. Il espérait bien que Hari ou Gokul seraient de retour avant. Chander n'était pas venu travailler ce matin, et Shyam et Rajesh étaient allés manger quelque chose dans une *dhaba*. Il était seul. Si une cliente se présentait et achetait quelque chose, il lui faudrait descendre au comptoir du rez-de-chaussée où l'on réglait les achats et rédiger la facture sur le carnet, avec le carbone en dessous. Il ne l'avait fait qu'une fois auparavant, lors d'une absence de Mahajan, et quand il avait montré son travail au patron, celui-ci avait approuvé d'un hochement de tête, mais la procédure avait rendu Ramchand si nerveux qu'il n'avait aucune envie de recommencer.

Dans la plupart des magasins, les vendeurs ne s'occupaient pas du règlement, mais Mahajan était certain que personne ne s'aviserait jamais de tricher dans un établissement dont il était personnellement responsable et faisait savoir haut et fort que, si un article venait à disparaître, il serait le premier à le remarquer et à appeler la police. Tout le monde le croyait sur parole, car rien, absolument rien, ne lui échappait. Personne n'aurait songé à vendre un sari en son absence sans faire une facture. Mais quand il n'était pas là, c'était en règle générale Shyam ou Rajesh qui s'acquittait de la tâche. Seul Hari était interdit de facture, non que Mahajan eût des doutes sur son honnêteté, mais il en avait de sérieux sur sa cervelle, en admettant qu'il ait été doté de cet attribut. « J'interdis à ce galopin de s'approcher de la caisse pour les dix ans à venir, le temps qu'il devienne un homme », avait-il déclaré tout de go. Sur quoi Hari avait demandé :

« Et si je suis encore un galopin dans dix ans, Bauji ?

— À ta place, Hari, j'aurais honte de me faire traiter de galopin à vingt-deux ans, mais toi, tu prends ça à la rigolade. Tu es vraiment sans vergogne », avait déclaré Mahajan, furieux, avant de s'éloigner.

Hari avait éclaté de rire après le départ du patron. « Le problème, avait-il dit, c'est que si le galopin que je suis peut devenir un homme d'ici à dix ans, je suis sûr que Mahajan, lui, restera Mahajan. Et ça, c'est un vrai problème. Mais il y a une chose que j'ai oublié de lui demander, à notre chef bien-aimé. Comment fait-il la différence entre un galopin sans vergogne et un galopin avec ? »

*
* *

Une fois Hari parti, Ramchand se laissa aller contre le mur, pressant la paume de ses mains sur ses yeux fatigués. Il ne comprenait pas pourquoi il avait si souvent mal à la tête ces temps-ci. Et puis il y avait les jours où il se réveillait à quatre ou cinq heures du matin et restait dans son lit à fixer le plafond, l'œil vide, sans penser à rien, avant de se rendre compte tout à coup qu'il était huit heures. Que se passait-il pendant ces trois ou quatre heures ? Pourquoi se sentait-il constamment oppressé dans la boutique ? Pourquoi avait-il depuis quelque temps l'impression que quelque chose n'allait pas ? Qu'on lui racontait des mensonges – des gros, des petits, tout le monde, à longueur de journée, jour après jour ? Toujours cette horrible sensation, ce sentiment d'un manque, de quelque chose qu'il était incapable d'identifier, ou même de voir, mais qui était terriblement important. Et c'était ce quelque chose qui faisait qu'il ne se sentait pas le même dans la boutique, quand il y avait tout ce monde autour de lui, que quand il était seul dans sa chambre.

Et, parfois, il se sentait différent de ces deux êtres-là, surtout quand il se réveillait en pleine nuit, dans l'obscurité, et restait suspendu quelques instants entre veille et sommeil avant de se rendormir.

Bientôt, Ramchand entendit craquer les marches de bois de l'escalier. Ce qui n'arrivait guère que le matin. Plus tard dans la journée, il y avait tellement de femmes dans le magasin, tellement de cris pour réclamer d'autres articles, tellement de saris qui volaient dans la pièce en passant d'un vendeur à l'autre qu'on ne s'entendait même plus penser. La porte s'ouvrit et Mrs Gupta apparut, remorquant une Mrs Sandhu à bout de souffle. Ramchand poussa un gémissement. Pourquoi fallait-il qu'elles arrivent juste au moment où il était seul dans la boutique ?

Elles parlent beaucoup trop, ces deux femmes, se dit-il en se préparant au pire.

Elles continuaient effectivement de parler tout en s'asseyant.

« Je vous l'avais dit, il vaut mieux venir avant que le magasin soit bondé, dit Mrs Gupta. Plus tard dans la journée, il faut jouer des coudes et l'on a moins de choix.

— C'est bien vrai. Les décisions importantes, il faut les prendre dans le calme », répliqua Mrs Sandhu.

Ramchand leur adressa un faible sourire et leur demanda ce qu'elles désiraient voir.

« Grande nouvelle, bonne nouvelle, dit Mrs Gupta, le visage rayonnant. Mon fils se marie. Alors, montrez-moi vos plus beaux saris. »

Ramchand soupira. La matinée avait été tellement tranquille jusqu'à présent. Il aurait donné cher pour que les gens ne soient pas pris d'une telle frénésie de mariage. Ça le mettait de mauvaise humeur. Il entreprit néanmoins de sortir des saris, cependant qu'elles reprenaient leur conversation là où elles l'avaient laissée le temps de monter laborieusement l'escalier.

« C'est juste le bon moment pour lui de se marier. Il vient d'ouvrir sa propre usine et, touchons du bois, elle marche très bien, dit Mrs Gupta, tout sourire.

— Grâce à Dieu, fit Mrs Sandhu, en croisant les mains et en levant les yeux en signe d'adoration. Vous devriez remercier le ciel d'avoir des enfants qui réussissent si bien.

— C'est ce que je fais, croyez-moi. Et je nourris aussi quelques pauvres malheureux devant le temple Shivalaya, tous les lundis. »

Ramchand leva les yeux, quelque peu surpris. C'était là que l'emmenait sa mère quand il était enfant. L'odeur des soucis lui chatouilla les narines...

Il n'en continua pas moins à sortir ses saris, pendant que Mrs Gupta continuait, elle, son bavardage :

« J'ai vraiment beaucoup de chance. Mais je sais aussi qu'il me faut essayer de faire quelque chose pour les autres. J'en parlais l'autre jour à Mrs Bhandari, et elle m'a encouragée à aider les pauvres. Elle a des pensées si nobles. Toujours en train de se demander ce qu'elle pourrait faire pour la société. La seule chose, c'est que... je suis sûre que vous aussi vous l'avez remarqué, j'ai parfois l'impression qu'elle nous traite d'un peu haut, peut-être parce qu'elle parle si bien l'anglais. Entre nous, les Bhandari ne sont pas vraiment riches.

— Ah ! Quelle importance ? dit Mrs Sandhu, en commençant à examiner un superbe sari jaune pâle orné de glands.

— Elle ne se sent peut-être pas très à l'aise, dit Mrs Gupta en acquiesçant d'un sourire. Vous savez ce que c'est, elle n'a qu'une fille. Et toujours pas mariée, qui plus est. »

Elles passèrent ensuite à un autre sujet.

Ramchand leur apporta une autre pile de marchandises. Mrs Gupta se précipita sur un sari en soie verte, orné d'une bordure compliquée de paons faisant la roue. Elle le montra à sa compagne, qui fit aussitôt savoir qu'il lui plaisait, avant de s'enquérir du prix et de mettre le vêtement de côté, à des fins personnelles. Les deux femmes continuèrent à passer les saris en revue. Hari reparut et sembla se divertir beaucoup du coup d'œil furibond que lui lança Ramchand. Il lui montra un papier graisseux qui renfermait le *samosa* acheté à son intention. Puis ce fut au tour de Shyam et de Rajesh de revenir. Deux heures plus tard, les deux femmes tripotaient toujours leurs tissus, et Mahajan était de retour. Il félicita sa cliente quand il apprit la nouvelle du mariage, et Mrs Gupta finit par partir avec trois achats. Elle sourit à Ramchand avant de quitter la boutique, promettant de revenir bientôt pour d'autres emplettes. Ramchand fut soulagé de les voir enfin disparaître dans l'escalier, descendant les marches l'une derrière l'autre avec précaution.

Ramchand trouvait que Mrs Gupta avait une voix trop perçante. Il mangea son *samosa*, à présent complètement froid.

Ce n'était que le début de la journée. Un cortège ininterrompu de femmes se mit à défiler après onze heures. Réalité ou conséquence de son mal de tête, elles semblaient à Ramchand toutes plus exigeantes les unes que les autres. On voulait ce vert-là, et pas un autre, avec une bordure plus étroite, s'il vous plaît, et non, pas question d'un *pallu* avec autant de broderies. Pas la moindre incertitude chez les clientes, pas le moindre instant de distraction. Et pas un instant de répit : à mesure que la matinée avançait, grandissait chez Ramchand cette impression d'étouffement qu'il avait désormais si souvent. Il sentit bientôt qu'il avait du mal à respirer.

À deux heures, il sortit pour trouver de quoi manger rapidement. Les employés étaient censés aller déjeuner l'un après l'autre, règle à laquelle ils passaient outre quand Mahajan n'était pas là. Ramchand avala quelques *puris* graisseux à un kiosque de la rue voisine, assis sur un banc en bois qui tremblait dès qu'on mastiquait trop fort. Il décida d'y prendre aussi son thé. En fait, il y avait un kiosque à thé juste en face du magasin Sevak, mais c'était là le kiosque officiel. Deux fois par jour, le matin et en fin d'après-midi, tous les vendeurs, ainsi que Mahajan, prenaient une tasse de thé, à la cardamome l'été et au gingembre l'hiver. On se contentait de crier la commande par la fenêtre, et un gamin, porteur d'un casier en fil de fer pouvant contenir jusqu'à huit verres, apparaissait bientôt. Il en montait sept, puis revenait un peu plus tard récupérer les verres vides. La note parvenait à la fin du mois, divisée en parts égales, et chacun payait son écot. Il arrivait à Mahajan d'en boire un de plus, soit seul, soit en compagnie d'un ami venu lui rendre visite, mais, dans ce cas, il réglait sur-le-champ.

Ramchand prenait souvent un verre de thé dans les ruelles avoisinantes, hors du champ de vision de Mahajan et loin de la cacophonie éreintante du magasin, dans des endroits où il pouvait se détendre, se retrouver seul et siroter tranquillement sa boisson : deux thés par jour ne lui suffisaient pas.

Ce n'est qu'une fois les *puris* ingurgités et son thé brûlant entre les mains qu'il commença à se sentir un peu plus calme. Il but l'infusion parfumée à petites gorgées, en essayant de comprendre d'où pouvait venir le malaise qu'il éprouvait. Malaise qui n'était pas nouveau, tant s'en fallait, mais installé depuis toujours ; simplement, ces derniers temps, les choses s'étaient beaucoup aggravées. Il s'imagina entrevoir une explication, mais sans pouvoir la cerner avec précision. Si seulement il arrivait à se concentrer, à ré-flé-chir, il était sûr de parvenir à une sorte de vérité sur lui-même. Mais il avait du mal à formuler ses pensées, c'était son gros problème. Il en était bien conscient. Il n'y avait qu'à regarder les autres, la façon dont ils s'exprimaient. Quand Hari racontait un match de cricket, quand Gokul indiquait son chemin à un passant ou quand Mrs Gupta expliquait quel genre de saris elle recherchait, ils étaient clairs et précis. Alors que ses pensées à lui... elles passaient leur temps à se disperser, à danser dans sa tête, à s'enrouler sur elles-mêmes en boucles imprévisibles, à vouloir se mordre la queue, pour finalement ne déboucher sur rien. Il avait vingt-six ans, mais il fallait voir comment fonctionnait son esprit !

Ramchand finit son thé et fixa le verre vide et taché.

Est-ce qu'il était tout bonnement idiot ? À quoi rimaient toutes ces pensées qui lui venaient ? Et cette vérité sur lui-même ? Il paya ses *puris* et son thé dans un état de confusion extrême.

Il revint au magasin, le front soucieux, juste à temps pour servir les deux femmes qui venaient d'entrer. Il les connaissait. L'une était Mrs Sachdeva, directrice du département d'anglais dans une petite faculté de la ville. Trapue, la voix rauque, les cheveux tirés en arrière en un chignon sévère, elle était connue pour avoir effectivement écrit un certain nombre de choses qui avaient paru dans le supplément du dimanche de *The Tribune.*

L'autre était Mrs Bhandari, une femme hautaine et très belle, mariée au chef de la police du district. Elle avait remporté un concours de beauté à l'université et devait avoir maintenant une quarantaine d'années. Elle avait une coiffure compliquée, de minuscules boucles empilées sur le sommet de la tête en une sorte de chignon haut. Elle se disait volontiers travailleuse sociale quand elle se présentait aux gens et organisait souvent des ventes de charité au Rotary Club. Tout le monde s'extasiait sur les talents de Mrs Bhandari. Même les femmes qui ne l'aimaient guère étaient bien obligées d'en convenir. Elle confectionnait de merveilleux gâteaux qui rivalisaient avec ceux des meilleures pâtisseries de Delhi, elle connaissait tous les points de broderie imaginables, ses soupes étaient tout bonnement extraordinaires et elle savait même faire les soufflés, ce dont pratiquement personne d'autre à Amritsar n'était capable. Elle parlait un anglais parfait, s'habillait avec un goût exquis et, quand elle donnait une soirée, le succès était toujours au rendez-vous.

Les deux femmes étaient de bonnes clientes du magasin, mais, jusqu'ici, Ramchand n'avait jamais eu affaire à elles personnellement. Il les salua d'un « *Namaste* » craintif, auquel elles répondirent toutes deux par un gracieux hochement de tête.

Aux yeux de Ramchand, rendu encore plus nerveux par leur présence, une directrice de département d'anglais était forcément quelqu'un de terriblement intelligent et cultivé. Lui-même n'avait lu que quelques livres, achetés d'occasion chez le bouquiniste derrière le cinéma Sangam, à côté de l'arrêt des bus. Et ils n'étaient même pas en anglais, c'étaient des livres de poche en hindi – des romans policiers aux couvertures pleines de revolvers et de femmes à moitié nues. Il en avait lu trois, qu'il avait trouvés très bien, excitants et pleins d'imagination. Mais au bout du quatrième, il s'était aperçu qu'ils étaient un peu répétitifs : le méchant violentait toujours l'héroïne pour qu'elle couche avec lui, et, quand il arrivait à ses fins, ce qui s'était produit dans l'un des romans, celle-ci allait se noyer, estimant qu'elle n'avait pas d'autre issue pour sauver son honneur. Dans les trois autres, le héros était arrivé juste à temps, pistolet au poing, pour sauver et l'honneur et la vie de la jeune fille. Ramchand avait eu l'impression de s'être fait berner quand il avait compris que ces romans étaient tous fabriqués sur le même modèle, et avait renoncé à ses achats comme à ses lectures. Jusqu'au jour où, en passant devant une épicerie qui sentait les sacs de jute et la farine de pois chiche, il s'était souvenu de son père et il avait décidé de voir s'il se rappelait encore un peu d'anglais. Il était retourné chez son bouquiniste et avait acheté un livre d'enfants en anglais intitulé *Le Tilleul magique*, qui faisait trente pages et était bourré d'images. Mais aussi farci de mots comme « âtre », « lutin », « timoré », « flétrir », « perfide » et « champignon vénéneux ». Il avait trouvé l'ouvrage trop difficile et l'avait laissé tomber, avant d'en faire cadeau à la petite fille de son propriétaire, qui l'avait aussitôt emporté dans la cour pour le colorier. Avec du violet pour les feuilles du tilleul. Il y avait maintenant deux ans de cela. Depuis, il n'avait ni lu une ligne, ni touché à un livre.

Mrs Bhandari s'éclaircit la voix. Ramchand se rendit compte qu'il avait dû rester un moment bouche bée devant les deux femmes. Il adressa un sourire timide à Mrs Bhandari et lui demanda ce qu'elle aimerait voir. Il savait qu'elle aussi était intelligente. Il avait entendu des tas de clientes parler d'elle, certaines avec admiration, d'autres avec une pointe de méchanceté ou de jalousie. Mais les femmes sont les femmes, songea

Ramchand. Il n'avait lui-même guère de lumières sur la question, mais c'était ce qu'il entendait souvent dire à Gokul.

Du moins ces deux-là le changeaient agréablement des femmes de riches hommes d'affaires qui fréquentaient d'ordinaire l'établissement.

Elles s'installèrent confortablement en face de lui et demandèrent à voir des saris en soie.

Le moral de Ramchand remonta brusquement. Ces deux femmes étaient cultivées et pleines de talents, très différentes en cela des autres clientes. Il sortit avec empressement quelques saris et les leur montra.

« Regardez, madame, voilà quelques-uns de nos derniers arrivages. Regardez cet orange bordé d'or, ou ce jaune rebrodé d'or, ou encore celui-ci…

— Ce sont des coloris convenables que je veux, l'interrompit Mrs Sachdeva, le dévisageant d'un œil froid. Pas d'orange ni d'or, rien de tout ça. C'est pour aller à la faculté, pas à une fête de village. »

Ramchand hésita un instant devant cette remarque, légèrement déconcerté par l'œil froid. Il ignorait pratiquement tout des facultés aussi bien que des fêtes de village, et n'avait pas la moindre idée de ce que portaient d'ordinaire les femmes pour se rendre dans ces endroits. Il sortit un autre sari.

« Mais oui, madame, en voilà un rouge vif avec une bordure noire, madame. Ce genre plaît beaucoup en ce moment, madame. »

En les regardant, il sentit son cœur défaillir.

« Rien de trop voyant, s'il vous plaît », intervint Mrs Bhandari, en se grattant le nez d'un ongle au vernis rose pâle.

Ramchand, plutôt déconfit, sortit un sari vert perroquet bordé d'or. Les deux femmes échangèrent un regard, et Ramchand entendit Mrs Sachdeva murmurer à Mrs Bhandari : « Il n'y a rien à faire pour leur faire comprendre, à ces gens. »

Ramchand sentit l'extrémité de ses oreilles le picoter. Mrs Bhandari s'adressa à lui de sa voix distinguée : « Il nous faut quelque chose de... voyons, quelque chose... de plus sobre. »

Ramchand attendit, indécis et très mal à l'aise. Qu'entendait-elle au juste par là ?

« Une couleur moins vive. Comme du marron ou du gris », dit Mrs Sachdeva d'un ton condescendant. Elle aimait s'habiller de manière confortable et professionnelle. Elle n'avait rien, elle, de ces épouses oisives et vaniteuses dont la ville regorgeait. C'était une femme instruite, directrice d'un département d'anglais.

Ramchand se leva pour descendre d'autres saris du rayon du haut. C'est tout juste s'il ne sentait pas leurs regards impatients lui vriller la nuque. Il leur montra deux ou trois autres saris avec des gestes nerveux. Elles y jetèrent à peine un coup d'œil, et Mrs Sachdeva leva les yeux au ciel en poussant un soupir. Il descendit encore quelques pièces, le visage cramoisi.

Les deux femmes échangèrent un nouveau regard exaspéré. Puis se mirent à fouiller d'un air impatient au milieu des saris étalés devant elles, tandis qu'il s'obstinait à en apporter toujours davantage. Elles finirent par porter leur choix sur un sari beige, à fils de soie marron, et quittèrent le magasin. Ramchand se rassit, la tête entre les mains.

3

À l'heure de la fermeture, vers huit heures, Gokul vint trouver Ramchand, qui rangeait sa marchandise.

« Allez, viens, *yaar*, allons tous manger à la *dhaba* de Lakhan Singh.

— Ah, Gokul Bhaiya, te voilà donc riche, tout d'un coup ? dit Ramchand, en essayant d'accompagner sa question d'un sourire.

— *Arre nahin bhai*, riche, tu veux rire ! dit Gokul avec une grimace. Ma vie est un enfer. Lakshmi est allée au mariage du frère de la femme de son oncle. Et quand elle va à un mariage, c'est toujours la même histoire. Elle revient la tête farcie de bêtises. Et je veux ci, et je veux ça, et il nous manque ceci, et on a absolument besoin de cela. Et c'est chaque fois la même chose, tu m'entends ? Chaque fois. Ça ne rate jamais. Je n'arrête pas de lui dire : Lakshmi, quand tu vois que les autres ont quelque chose que tu n'as pas, ne te laisse pas dévorer par l'envie. Apprends à te contenter de ce que tu as. Mais tu sais ce que c'est : les femmes sont les femmes. Et cette fois-ci, la voilà qui revient avec une tête de trois pieds de long, et, tiens-toi bien, tout ça après avoir acheté un sari, un corsage et des bracelets tout exprès pour le mariage. Eh oui, même après ça, elle n'est toujours pas contente. Et elle vient me dire que Munna veut des chaussures exactement comme celles du fils de Jaggu. Des chaussures Bata avec des lacets ! Tu te rends compte ? Même mon fils aîné, qui va à l'école, n'a jamais rien porté de pareil. Et, d'ailleurs, il s'en fiche. Il irait pieds nus si on le laissait faire. Comme si ça avait de l'importance, ce qu'on met aux pieds d'un enfant ! Tu crois qu'elle se serait contentée de son sari neuf et de ses bracelets ? Penses-tu ! Ces femmes, y a de quoi devenir fou. Et je sais très bien pourquoi elle me les réclame. Je le lui ai dit tout net. Je lui ai dit : Lakshmi, Munna a trois ans. Il ne sait même pas encore se moucher. Ce n'est pas lui qui veut ces chaussures neuves, c'est toi. Parce que tu es verte de jalousie quand tu vois la femme de Jaggu mettre des souliers neufs à son fils devant toute la famille. Qu'est-ce que j'y peux, moi ? Je ne suis pas riche comme Jaggu. Il a un petit magasin d'appareils électriques à lui. Et je crois que l'honnêteté n'est pas son fort. Une roupie par-ci, une roupie par-là, je suis sûr qu'il vole ses clients. Tout ça, je le lui ai dit. Mais tu crois qu'elle écoute ? Penses-tu ! Elle fait comme si elle n'entendait rien et, de son côté, elle parle, elle parle, elle n'arrête pas. Et elle finit toujours en maudissant ma pauvre mère. Tu veux me dire ce qu'elle a à faire là-dedans, ma mère, six ans après sa mort ? Bref, moi, j'ai bien l'intention de rentrer tard à la maison, ce soir, conclut Gokul avec un soupir, avant de demander à Ramchand : Tu m'accompagnes ? »

Ce dernier était sur le point de refuser. Il avait mal à la tête, et cette sensation de malaise qu'il avait éprouvée après la visite de Mrs Sachdeva et de Mrs Bhandari lui avait laissé un goût amer dans la bouche. Et puis, il n'avait guère envie d'écouter les jérémiades de Gokul toute la soirée. D'un autre côté, celui-ci ne se plaignait jamais bien longtemps. Et à la perspective de retrouver sa chambre solitaire et d'avoir à se préparer un repas insipide à la lueur du poêle à pétrole éclairant la peinture écaillée des murs, Ramchand se décida.

« D'accord, allons-y », dit-il.

Gokul se tourna vers Hari et lui demanda s'il voulait venir. Hari ne l'entendit pas. Il était agenouillé par terre à nettoyer du thé qu'il avait renversé un peu plus tôt dans la journée, et il chantait à tue-tête, tellement concentré qu'il en avait les yeux fermés, ce qui ne l'empêchait pas de manier sa serpillière humide avec la dernière énergie. Gokul fit claquer sa langue en secouant la tête, s'approcha de Hari et lui envoya une grande bourrade dans le dos. « Hari, hurla-t-il, viens, on va manger ! »

Chander, qui s'apprêtait lui aussi à partir, enroulait son écharpe en laine autour de sa tête.

« On lui demande s'il veut venir avec nous ? murmura Hari à Gokul.

— Non, non, dit précipitamment ce dernier, l'air mal à l'aise.

— Mais pourquoi ? » demanda Hari, qui voulait toujours tout savoir.

Gokul, exaspéré, répondit à voix basse :

« Parce qu'il sort tous les soirs avec d'autres amis. Des vieilles connaissances du temps où il travaillait à l'usine avant de venir ici. Ils passent leurs soirées à boire.

— Ah », dit Hari, apparemment satisfait.

Il prit tout son temps pour s'emmitoufler, et ils quittèrent tous les trois le magasin pour se diriger vers l'établissement de Lakhan Singh.

Dehors il faisait froid, et le brouillard tombait. Ils frissonnaient tout en parlant. En chemin, Subhash, le cousin de Hari, un jeune homme à l'air dégourdi et au rire rauque, se joignit à eux. Il travaillait dans un magasin voisin, le Ladies'Fancy Store, qui vendait tout et n'importe quoi – depuis des *parandees* et des bracelets, en passant par des abat-jour, des *bindis*, des bibelots en verre, en cuivre et en bois verni –, du moment que ces babioles, toutes étiquetées « pièces de décoration », étaient colorées, brillantes et criardes. Le magasin était à l'image de sa marchandise : comptoirs en verre poli, glaces aux murs sur toutes les surfaces disponibles, lampes et spots en quantité. Le Ladies'Fancy Store faisait de bonnes affaires, et pas plus tard que le mois dernier, Subhash avait reçu une augmentation de cinquante roupies.

Il salua tout le monde avec jovialité et se mit aussitôt à raconter la dispute qui l'avait opposé à une cliente le matin même. La veille, celle-ci avait acheté un *parandee* rouge qu'elle avait noué le soir dans sa longue tresse. Quand elle l'avait enlevé pour aller se coucher, elle l'avait abandonné sur le rebord humide de la baignoire. Il avait déteint, et il était maintenant fichu. La cliente, fort en colère, demandait qu'on le lui remplace ou qu'on la rembourse. « Vous avez pas idée du foin qu'elle nous a fait. Et tout ça pour une cochonnerie que les femmes se mettent dans les cheveux. Je me demande à quoi pensent les gens. Si quelqu'un passe toute une nuit trempé, il est sûr d'attraper la mort, alors un *parandee*... »

Hari acquiesça vaguement de la tête et ils arrivèrent enfin à la *dhaba* de Lakhan Singh. Il faisait plus chaud à l'intérieur de l'établissement, à cause du four d'où s'échappait la bonne odeur des *rotis* en train de cuire. L'endroit était rempli de gens frileusement assis sur des tabourets bas et des chaises en plastique, à essayer de se réchauffer autour d'un verre de thé. L'arôme du thé parfumé à la cardamome flottait dans la tiédeur de la pièce. Dans un coin, une table inoccupée, flanquée d'un côté de deux chaises et de l'autre d'un *charpai* fatigué, attira aussitôt le regard des quatre hommes.

Une fois qu'ils furent confortablement installés, Lakhan Singh, un grand *sardaar* à l'air sombre, vint prendre leur commande. L'établissement, qu'il dirigeait depuis trente ans, était connu dans tout Amritsar pour n'utiliser que du *ghee* pur.

Il avait perdu deux fils au cours de l'opération *Blue Star* menée au temple d'Or en 1984. À la suite de quoi il avait fait disparaître le *paneer masala* de son menu, en expliquant à ses clients que c'était là le plat préféré de son cadet. Il ajoutait toujours, à voix basse, que son aîné, lui, n'avait pas de plat préféré tant il était peu compliqué. Lakhan avait un énorme grain de beauté au-dessus du sourcil gauche, et ses mains toutes ridées tremblaient de temps en temps. Ramchand venait souvent manger chez lui, même si l'autre le mettait mal à l'aise.

Ils commandèrent un *daal makhani* et des *rotis tandoori*, et discutèrent en attendant. Subhash continuait à pérorer sur les *parandees* et les femmes acariâtres. Ramchand avait toujours son mal de tête, et même s'il s'était un peu réchauffé, ses mains étaient encore tout engourdies. Hari, qui se frottait les mains et soufflait dessus pour les réchauffer, croisa soudain son regard.

« Ça ne va pas, Ramchand Bhaiya ? T'as pas le moral ?

— Non, *yaar*, juste un peu mal à la tête, dit Ramchand.

— La migraine, comme une vieille dame, hein ? » dit Gokul en riant.

Ramchand sourit et ils continuèrent à bavarder. La nourriture arriva, chaude et appétissante, et mit tout le monde de bonne humeur. Un gamin qui aidait à la cuisine leur apporta des oignons et des *pickles* dans un petit bol en métal.

Dehors, il faisait nuit maintenant et de plus en plus froid, et le brouillard était épais. Les boutiques du bazar fermaient les unes après les autres. On descendait les rideaux de fer, on cadenassait les grilles, et les gens commençaient à rentrer chez eux. Le vacarme de la circulation et les cris des conducteurs de *rickshaw* redoublaient. Tout comme s'amplifiait le bruit que faisaient les quatre hommes dans la *dhaba*. Ils avaient haussé le ton et, réchauffés par d'innombrables verres de thé, échangeaient dans la bonne humeur anecdotes et bourrades.

Ramchand ne tarda pas à se sentir beaucoup mieux.

Hari se lança dans une imitation de Bhimsen Seth. Il se prélassait sur sa chaise, plissait les yeux au-dessus de lunettes imaginaires, commandait du thé d'une voix rauque. Pour finir, il fit semblant de compter des billets, l'œil concupiscent, les doigts remuant à toute vitesse. Subhash fut pris d'un tel fou rire qu'il faillit tomber de sa chaise.

Gokul parla à nouveau de Lakshmi, mais avec beaucoup de verve, comme si c'était la femme la plus drôle du monde : elle était illogique, n'arrêtait pas de raviver de vieilles disputes quand elle s'emportait, cherchait querelle à tout le monde sans raison, avant de faire la paix sans plus d'explication. Elle avait une passion pour le talc, adorait broder des housses de coussins qui ne servaient à rien et était dévorée d'envies bizarres. Il riait et parlait avec indulgence, étonnamment différent du mari agressif qu'il avait été quelques heures plus tôt au magasin.

Puis ce fut au tour de Ramchand, qui raconta sa rencontre avec Mahajan le matin. Décrivant la façon dont le plancher avait tremblé quand il avait sauté d'un pied sur l'autre pour se débarrasser de ses chaussures, et le savon que lui avait passé Mahajan. Ramchand rit beaucoup tout en rapportant l'incident, comme si, sur le moment, il n'avait pas eu peur le moins du monde.

Pour finir, au milieu des rires et du brouhaha, Subhash leur extorqua la promesse d'aller tous ensemble au Sangam le dimanche suivant voir une reprise de *Hero 1*. Ils recommandèrent du thé et continuèrent à discuter. À onze heures, Gokul se leva. « Je crois qu'il vaut mieux que je rentre. Lakshmi doit maudire tous mes ancêtres à l'heure qu'il est. »

Tout le monde s'esclaffa et Gokul partit à la hâte. Hari et Subhash dirent bonsoir à Ramchand et s'en allèrent de leur côté, riant sans pouvoir s'arrêter de quelque bêtise.

Ramchand, plus calme, regarda Hari et Subhash disparaître dans le brouillard et le froid, avant de reprendre le chemin de son meublé.

*
* *

Maintenant qu'il était à nouveau seul, sa gaieté retombait. Le brouillard s'était transformé en une brume nocturne, dense et opaque. Les rues semblaient désertes. Ramchand marchait à pas lents. Mal à l'aise. Ce sentiment qui rôdait toujours en lui, dans les recoins les plus cachés, tapi entre ses poumons, circulant dans ses veines, n'avait jamais été aussi aigu qu'aujourd'hui. Il se méprisait d'avoir passé une soirée aussi frivole et futile, et jugeait sa conduite indigne et vulgaire.

Cette façon qu'il avait eue d'envoyer de grandes claques à Subhash, de s'esclaffer aux plaisanteries de Hari ! Pourquoi fallait-il qu'il se conduise de cette manière ?

Il pensa à Mrs Sachdeva et à Mrs Bhandari, et en conçut un grand dégoût. Autant d'elles que de lui-même.

Il songea à la journée qu'il venait de vivre. Tout lui paraissait décousu, les gens de simples silhouettes, les bruits des échos étouffés et lointains, et lui inefficace, emprunté, mal dégrossi, jouant un mauvais rôle dans un film dénué de sens. Brutalement, il se dit qu'il ne pouvait plus continuer comme ça. À quoi rimait toute cette folie ? Où finirait-elle par le conduire ?

Non, ça ne pouvait plus durer. Il fallait qu'il se reprenne. Demain était un jour nouveau. Tout allait changer. Finie cette hébétude dans laquelle le plongeaient toujours ses pensées. Il allait prendre de l'exercice, pour être en forme, il n'allait plus se laisser intimider par quiconque, et il arrêterait d'aller voir ces films stupides le dimanche avec Hari et les autres.

Ramchand accéléra le pas. Il prit aussi la résolution de lire quelques bons livres. Il avait entendu dire que le Mahatma Gandhi venait d'écrire une autobiographie. Oui, il commencerait par ça. Et il lui fallait aussi décider une bonne fois pour toutes s'il croyait ou non en Dieu.

Il marchait d'un bon pas et arriva chez lui plus vite qu'à l'ordinaire. Il sortit sa grosse clé en fer à la lumière du lampadaire, et gravit l'escalier sombre et étroit qui menait à sa chambre au premier étage. Il ouvrit la vieille porte en bois et tâtonna dans l'obscurité pour trouver l'interrupteur. L'ampoule nue qui pendait du plafond s'alluma, éclairant faiblement les murs. Ramchand prit une profonde inspiration.

Il allait aussi repeindre cette pièce et se procurer une ampoule de cent watts pour égayer un peu les lieux. De toute façon, il était difficile de lire à la lumière d'une ampoule de quarante watts. Davantage de clarté et une nouvelle peinture, voilà ce qu'il lui fallait. Et puis il s'exercerait à parler anglais devant sa glace tous les jours. Au moins vingt minutes. Qui sait, il pourrait peut-être trouver un travail plus intéressant par la suite... Eh oui, demain il ferait jour. C'est avec ces pensées en tête que Ramchand enfila sa *kurta*-pyjama, ôta ses chaussettes grises, faufila ses orteils dans les vieilles chaussettes bleues trouées au bout qu'il mettait pour la nuit, et se glissa sous ses édredons et ses couvertures pour s'abandonner au sommeil.

Il se réveilla un peu tard. La vieille cité d'Amritsar s'était éveillée avant lui. Il entendait les accents du premier *kirtan* au temple d'Or sur une radio voisine, ainsi que les cloches d'un temple tout proche. Un vendeur de légumes annonçait à la ronde qu'il vendait ses tomates six roupies le kilo. Un autre proposait des soucis aux maîtresses de maison qui, une fois leurs ablutions faites, se préparaient pour leur prière du matin. Les enfants du propriétaire au rez-de-chaussée avaient déjà allumé la télévision. Ramchand, qui avait à nouveau mal à la tête, trouvait tous ces bruits insupportables. Repoussant ses couvertures, il se mit péniblement sur son séant.

La lumière du pâle soleil d'hiver filtrait à travers les barreaux de la fenêtre et tombait en bandes claires sur le sol décoloré. Ramchand tenta de retrouver les pensées qui lui étaient venues la veille au soir, mais ne réussit à se rappeler que des formules dépourvues de sens. Il resta longtemps assis, l'esprit vide, sur la literie en désordre de son *charpai* affaissé, à se gratter la base des orteils pour en enlever la crasse et la peau morte. Longtemps il resta là, avant de se rendre compte qu'aujourd'hui encore, il serait en retard à son travail.

4

Ramchand était né vingt-six ans plus tôt. À l'époque, son père avait une petite boutique à Amritsar, qui vendait, entre autres, du riz et des légumes secs, des bougies et des balais, du sucre et de la farine de pois chiche, des arachides grillées et des biscuits faits maison. Ramchand aimait l'odeur des sacs de jute qui flottait dans le magasin.

La petite famille vivait à l'étroit dans une pièce avec cabinets attenants, à l'arrière de la boutique.

Un coin de la pièce était séparé du reste par un vieux sari rouge orné d'un motif à grandes fleurs jaunes et plié en deux, qui avait appartenu à la mère de Ramchand. On y avait installé un petit tuyau d'évacuation et placé un seau en plastique et un broc : c'était la salle de bains de la famille. Un autre coin faisait office de cuisine, et la mère de Ramchand y préparait les repas sur un poêle minuscule, roulait et pétrissait les ronds parfaits de ses *chapatis*, découpait soigneusement oignons et tomates, et alignait méticuleusement ses ustensiles de cuisine rutilants. Elle disait toujours à Ramchand de ne pas s'approcher du poêle. Elle avait des yeux tout à la fois sérieux et rieurs, et son tout petit nez droit s'ornait d'un clou en or en forme de feuille.

Un jour, alors qu'elle avait fini de pétrir sa pâte à *chapatis* et s'apprêtait à faire démarrer le poêle à pétrole, elle avait dit au petit Ramchand, âgé de cinq ans, qui tournait autour d'elle : « Les enfants ne doivent jamais s'approcher du feu, c'est compris ? Ne l'oublie pas. Tu te rappelles ce qui est arrivé à Choo Hoo ? » Puis, devant son air renfrogné car il voulait toujours rester près de sa mère, elle avait arraché un morceau de pâte dans le récipient où elle venait de la pétrir. « Tiens, prends ça, lui avait-elle dit en souriant, et va t'asseoir là-bas, dans le coin. Fais-moi quelque chose de vraiment joli avec. Fais-moi la chose la plus belle du monde. »

Il avait compris ce qu'elle attendait de lui, car elle lui confectionnait souvent des moineaux et des lapins avec la pâte. Elle la travaillait de ses doigts minces et habiles, étirant ici, pinçant là, arrondissant un angle, en aplatissant un autre, jusqu'à faire apparaître une forme. Si elle faisait un moineau, elle lui donnait un joli bec pointu, des ailes repliées et une queue. Et elle racontait à Ramchand que la maman moineau se servait de son bec pour se quereller avec son mari, mais aussi pour apporter de la nourriture à ses enfants. Elle riait de son air surpris. Quand elle faisait un lapin, elle lui donnait un petit bout de queue et rien d'autre. Juste une boule de pâte et un petit bout de queue.

« Mais il a pas de tête ? disait Ramchand, alarmé.

— Il a tellement peur de toi qu'il s'enfuit, répondait-elle en riant. Et quand un lapin est effrayé, on ne voit de lui que sa queue. »

Un jour, elle avait fait une souris qu'elle avait appelée Choo Hoo.

« C'est une fille alors ? avait demandé Ramchand d'un air soupçonneux.

— Oui, et jolie avec ça. »

Elle l'avait réalisée avec un soin tout particulier en lui donnant une jolie queue, des yeux et une bouche.

« Tu vois, elle n'a pas de moustaches, avait-elle dit à Ramchand, sa mère lui avait bien dit de ne pas s'approcher du poêle, mais elle a désobéi et s'est brûlé les moustaches. »

L'histoire avait beaucoup impressionné Ramchand. Choo Hoo n'était qu'une souris et, qui plus est, une fille, mais lui, que deviendrait-il s'il s'approchait trop du poêle et ne pouvait plus, quand il serait grand, se laisser pousser une moustache comme celle de son père ?

Parfois sa mère confectionnait un visage avec la pâte, se servant d'une allumette pour les fentes des yeux, d'une autre pour le nez et de toute une rangée pour imiter une bouche souriant de toutes ses dents.

Quand elle lui eut donné la pâte en lui disant de faire la chose la plus belle du monde, il l'avait fait rouler un bon moment entre ses doigts boudinés et avait réfléchi longtemps, très longtemps. C'était quoi, la chose la plus belle du monde ? Sa mère, bien sûr, ou peut-être son père. Mais comment les faire avec de la pâte ? Et puis ni l'un ni l'autre n'étaient vraiment des choses. Il avait continué à triturer le morceau de pâte humide, tout en se creusant la cervelle.

Puis le père de Ramchand avait appelé sa femme depuis la boutique. « Tu peux venir, s'il te plaît ? » avait-il crié à son épouse, avec toute la courtoisie dont on peut faire preuve quand on crie. Les parents de Ramchand étaient de la vieille école : ils ne s'appelaient jamais par leur nom.

Elle avait éteint le poêle, mis le bidon de pétrole et les allumettes sur un rayon hors de portée de Ramchand, et lui avait lancé un regard sévère et inquiet. Le poêle la terrifiait ; elle avait tant entendu parler d'accidents et d'enfants brûlés. Mais depuis qu'elle lui avait raconté l'histoire de Choo Hoo, son fils semblait faire attention. Elle n'avait rien prémédité dans l'affaire ; simplement, une fois la petite souris terminée, elle s'était aperçue qu'il serait très difficile de lui faire des moustaches... Elle avait souri, avait dégagé le *pallu* de son sari de la ceinture de son jupon, l'avait déplié, ajusté autour de ses épaules, et avait regardé son fils. Il était toujours absorbé dans la contemplation de son morceau de pâte. L'estimant en sécurité, elle était sortie de la pièce pour aller dans la boutique. Son mari l'avait appelée pour qu'elle l'aide à chercher une boîte de poivre noir qu'il avait égarée. Ils l'avaient retrouvée au bout d'une dizaine de minutes, et la mère de Ramchand était retournée à sa cuisine.

Elle avait trouvé l'enfant là où elle l'avait laissé, le morceau de pâte toujours bien serré entre ses doigts. Mais il pleurait. Non pas en hurlant, ou en trépignant, comme un gosse qui fait un caprice, mais à chaudes larmes, à grand renfort de sanglots et de reniflements, le cœur manifestement brisé, les yeux pleins de chagrin.

Son sang n'avait fait qu'un tour. Elle s'était précipitée vers lui et l'avait soulevé dans ses bras, le serrant contre elle, l'examinant sous toutes les coutures pour vérifier qu'il ne s'était pas blessé. Il n'en était rien, et elle le savait déjà. L'avait lu dans ses yeux. Elle lui avait murmuré des mots tendres, l'avait câliné, et quand il s'était un peu calmé, sans toutefois que le chagrin et l'incompréhension aient disparu de son regard, elle lui avait demandé, très sérieuse, du ton qu'elle aurait adopté avec un adulte : « Dis-moi, pourquoi pleures-tu ? »

Il n'avait pas répondu tout de suite et s'était contenté de baisser les yeux sur le morceau de pâte, l'air plus perplexe que réellement malheureux. Puis il avait regardé le visage familier et chéri de sa mère, dont les yeux francs avaient rencontré les siens. Il savait pouvoir lui faire confiance. À elle il pouvait tout dire.

« Ma… ma, t'as dit… t'as dit que… tu m'as dit de faire la chose la plus… la plus…, avait-il bégayé, pendant que sa mère attendait. Tu as dit : Fais-moi la chose la plus belle du monde.

— Et alors ? avait-elle demandé, le visage toujours sérieux.

— Ben…, avait commencé Ramchand, avant d'éclater à nouveau en sanglots et de hoqueter, je sais pas… je sais pas ce que c'est, la plus belle chose du monde. »

Elle ne s'était pas moquée de lui. Et ne sut jamais à quel point son fils lui en avait été reconnaissant, combien il appréciait encore aujourd'hui qu'elle se soit alors abstenue de toute parole, de tout geste superflu. Elle s'était contentée de le serrer légèrement contre elle et de lui caresser doucement la tête.

Le père de Ramchand était entré, avait vu le visage baigné de larmes de l'enfant et, à sa grande surprise, avait aussi vu des larmes briller dans les yeux de sa femme.

« Que se passe-t-il ? » avait-il demandé.

Elle n'avait pas répondu : « Rien, il s'est fait mal en tombant », mais lui avait raconté toute l'affaire, avec le plus grand calme.

Ramchand avait jeté un coup d'œil plein d'appréhension à son père, les larmes séchées sur ses joues, le morceau de pâte maintenant poussiéreux et craquelé dans sa main.

Son père l'avait regardé droit dans les yeux et avait dit : « Mais moi non plus, je ne sais pas. »

Le silence de sa mère à ces mots. La franchise dans la voix de son père. Jamais il ne devait les oublier. Une grande paix s'était alors installée dans la pièce. Ramchand ne savait pas ce qu'était devenu le morceau de pâte. Sa mère lui avait lavé le visage et les mains, les lui avait séchés doucement avec une grosse serviette avant de lui donner un verre de lait chaud. Son père était allé lui chercher un biscuit recouvert de sucre glace. Ramchand savait que c'était un des plus chers du magasin.

Personne n'avait plus jamais reparlé de l'incident et, une fois la boutique fermée, le dîner et le coucher s'étaient déroulés comme à l'habitude. Mais à dater de ce jour, Ramchand avait aimé ses parents encore davantage.

*
*   *

Quand il était petit, Ramchand avait pour passe-temps favori d'explorer le labyrinthe de sacs et de boîtes métalliques de la boutique, de les ouvrir pour voir ce qu'ils contenaient et de s'enivrer des odeurs excitantes, toujours changeantes et pourtant toujours semblables, du magasin. Permission qui lui était accordée tant qu'il n'y avait pas de clients. Lorsque quelqu'un entrait, Ramchand était censé savoir se tenir et quitter les lieux quand on le lui demandait. Dans ces moments-là, il obéissait toujours.

Le père de Ramchand n'était jamais de meilleure humeur que quand la boutique était vide et que sa femme venait s'asseoir près du comptoir. Pendant que ses parents bavardaient, Ramchand ouvrait ceci, tripotait cela, faisait couler le riz entre ses doigts, s'asseyait au sommet des sacs en déclarant que c'était lui le roi, ou voulait à tout prix que sa mère vienne le rejoindre dans les grands cartons dont se servait une marque locale de savon pour livrer ses produits. Elle refusait, son père riait et Ramchand ressortait de ses cartons embaumant le savon. Puis la fantaisie le prenait d'aller se chatouiller le menton sur les poils de balai, et il riait aux larmes. Sa mère riait à son tour, et la gaieté et la bonne humeur emplissaient la boutique au même titre que ses odeurs. Parfois son père riait aussi, mais le plus souvent il se contentait de sourire d'un air bienveillant à son fils.

Il était rare que le père de Ramchand soit de mauvaise humeur, sauf quand il avait eu trop de clients ou quand les souris s'étaient introduites dans un de ses sacs. Ces jours-là, il rabrouait son fils d'un air irrité :

« Allez, sors d'ici ! Va donc étudier. Et essaye de devenir quelqu'un, si tu ne veux pas passer toute ta vie à mesurer du grain, à emballer du sucre et à te chamailler avec des ménagères prêtes à tout marchander. Sans parler de ces clients soupçonneux qui pensent que tu les voles en pesant la marchandise et qui exigent de vérifier eux-mêmes ta balance. »

Ramchand ne comprenait pas grand-chose à tout cela. Il se contentait d'un sourire plein d'adoration à l'adresse de son père, qu'il considérait comme l'homme le plus gentil du monde, et tôt ou tard celui-ci finissait par le prendre sur ses genoux et lui donner des cacahuètes salées, tout en lui disant : « Je vais t'envoyer dans une école anglophone, d'accord ? Tu y travailleras dur, pas vrai ? » L'enfant de cinq ans acquiesçait docilement, sans avoir la moindre idée de ce que pouvait être ce genre d'école.

Ramchand adorait aussi accompagner sa mère au temple de Shiva le lundi matin, portant en guise d'offrande sur ses paumes retournées des soucis au parfum douceâtre. Avant son mariage, sa mère avait strictement observé le jeûne du lundi, afin d'apaiser Shiva et de trouver un bon mari. Désormais, elle avait un mari, un homme bon et honnête, qui la rendait heureuse et qui, sans parler de la battre comme le faisaient tant d'autres, n'élevait même jamais la voix quand il s'adressait à elle. Maintenant qu'elle l'avait trouvé, ou que le Seigneur Shiva le lui avait accordé, elle continuait à jeûner, de peur de déplaire à la divinité si elle interrompait brutalement ses dévotions.

Ramchand attendait avec impatience les visites hebdomadaires au temple. Il trouvait que sa mère, elle aussi, était la femme la plus gentille qui puisse exister. Mais avec elle il savait pouvoir désobéir plus facilement qu'avec son père. Elle perdait vite patience, mais se calmait tout aussi vite, et prenait son fils dans ses bras, lui chatouillait le cou, le serrait contre elle et le couvrait de baisers tout en l'appelant sa petite étoile. Un statut dont Ramchand profitait largement.

Au temple, il était tout excité dès l'instant où il se retrouvait au milieu de cette foule en train de psalmodier, au son des cloches en cuivre agitées bruyamment et dans cet air chargé d'odeurs d'encens, de souci et de santal. Tout cela lui montait à la tête, et il se mettait à courir comme un fou, bousculant tous ceux qui se trouvaient sur son passage. Sa mère lui lançait un premier avertissement. Les nerfs à vif et le ventre vide en raison du jeûne, elle n'arrivait pas à tenir Ramchand au milieu d'une telle foule. En règle générale, il ne prêtait aucune attention à cette mise en garde, ce qui était d'autant plus étrange qu'il était le plus souvent très obéissant. Seule l'excitation du lundi matin au temple était capable de provoquer chez lui une telle dépense d'énergie. Au bout d'une ou deux réprimandes restées sans effet, elle était au bord des larmes. Pourquoi fallait-il qu'il se déchaîne ainsi au temple tous les lundis matin ? Il ne consentait à rester tranquille qu'après une bonne paire de claques, promettant solennellement une sagesse exemplaire pour le lundi suivant. Et s'empressant le jour dit d'oublier sa promesse, ce qui lui valait une nouvelle paire de gifles. Rituel devenu très vite immuable pour l'un comme pour l'autre.

En dehors de ces lundis matin, la petite famille vivait en paix, et relativement heureuse. Mais un jour – Ramchand venait d'avoir six ans et avait commencé à fréquenter l'école anglophone pour laquelle son père avait mis tant d'argent de côté –, les bonnes odeurs des soucis et des sacs de jute disparurent brutalement de sa vie. Ses parents avaient trouvé la mort dans le car qui les emmenait à Haridwar avec une foule d'autres pèlerins et qui s'était renversé dans un tournant sous l'effet de la surcharge. L'enfant, qu'on avait laissé chez sa grand-mère, dans le village près d'Amritsar d'où était originaire la famille, n'éprouva d'abord rien d'autre qu'un grand étonnement à l'idée qu'un car renversé puisse faire disparaître toutes ces odeurs à jamais.

Ce n'est que plus tard que le drame lui apparut dans toute son horreur.

Tout le monde s'attendait à ce que l'enfant pleure, réclame sa mère la nuit, demande où était son père ou veuille savoir pourquoi il ne pouvait pas rentrer chez lui. Sa grand-mère s'était soigneusement préparée à de telles questions et tenait ses réponses toutes prêtes. Mais il n'en posa aucune. Il s'enferma dans le silence, refusant tout contact physique avec les adultes qui l'entouraient. Il lui arrivait bien de pleurer de temps à autre, mais pas à la manière d'un enfant. Ses yeux se voilaient, et les larmes roulaient lentement le long de ses joues. Et si quelqu'un cherchait à le prendre dans ses bras ou à lui essuyer ses larmes, il poussait des hurlements de colère et donnait des coups de pied.

Pour finir, Ramchand fut renvoyé à Amritsar dans la famille d'un oncle éloigné, de façon à pouvoir aller à l'école. Cet oncle, qu'il n'avait jamais vu auparavant, travaillait dans un atelier de bijouterie et vivait avec sa famille dans une seule pièce, lui aussi, mais il possédait bien plus de choses que n'en avaient jamais eu ses parents. Il y avait là une coiffeuse, avec quelques produits de beauté sur la tablette, un placard en bois pour ranger les assiettes et les verres, et même une armoire métallique avec des cintres pour accrocher les vêtements. Ramchand n'avait jamais vu un cintre de sa vie. Ses parents avaient toujours gardé leurs vêtements soigneusement pliés dans une malle. Tout ici lui semblait étranger. La tante était une grosse femme irritable qui passait souvent toute sa journée au lit, un *chunni* serré autour de la tête, à se plaindre de ses migraines. Elle avait deux enfants, deux garçons, plus jeunes que Ramchand. Quand elle était au lit avec son mal de tête, sa colère s'abattait sur quiconque s'avisait de faire le moindre bruit et de la déranger. Souvent, quand un des enfants se permettait de remuer, elle se précipitait pour les gifler tous les trois, une bonne claque sur chaque joue, avant de retourner s'allonger et de tirer le drap sur sa tête. Ses deux fils, habitués, se contentaient d'éviter les coups en ricanant, ce qui ne faisait qu'augmenter sa fureur, mais Ramchand, lui, n'avait jamais reçu de gifle de sa vie, à l'exception de celles du lundi matin, bien sûr, qu'il savait avoir méritées. Les claques gratuites de sa tante le désarçonnaient. Comme il regrettait son père et sa bienveillance, sa mère, son amour et ses sautes d'humeur ! Le soir, il rêvait du sari rouge à grosses fleurs jaunes qui servait à isoler leur « salle de bains » du reste de la pièce.

On mit Ramchand dans une nouvelle école, celle des enfants de l'oncle. Nouveau foyer, nouvelle école, nouvelles odeurs. Finis pour lui les sacs de jute et les soucis. Il commençait à grandir.

Tous les étés, l'oncle emmenait consciencieusement son petit monde en vacances chez les parents de sa femme à Old Delhi. Ramchand prenait alors conscience qu'il ne faisait pas partie de la famille : pour les vacances, on l'envoyait chez sa grand-mère, au village. Année après année, il passa de longs après-midi d'été seul au bord de la rivière, et c'est là qu'il apprit la solitude. Dans la torpeur qui régnait sous les arbres, où ne filtrait qu'une douce lumière, et dans le murmure frais de l'eau, toutes ses pensées se coloraient d'un bleu-vert secret, bruissant, ridé, ondulant. Et c'est ainsi que Ramchand découvrit cet autre en lui, le Ramchand secret de l'ombre bleu-vert, celui à qui venaient des pensées dénuées de sens ou si dangereusement proches d'en avoir qu'il reculait devant elles, comme devant un chien enragé qui a la bave aux lèvres.

Le Ramchand de chair et d'os – celui qui vivait dans le monde – bavardait, riait, assistait aux cérémonies du Mundan et achetait avec grand plaisir des chemises en polyester neuves pour la fête de Diwali.

Mais ce Ramchand-là se métamorphosa peu à peu, à mesure qu'il prit conscience de l'existence de ce double en lui, à l'affût dans l'ombre verte. Il devint plus silencieux, se replia sur lui-même. Comme en attente. L'attente d'un homme affligé d'une tumeur au cerveau ou d'une lésion au cœur.

Quand Ramchand eut quinze ans, l'oncle décida qu'un garçon comme lui n'avait plus besoin d'étudier. Mieux valait qu'il apprenne un métier. On le retira donc de l'école et on l'envoya à Mahajan, que l'oncle connaissait par l'intermédiaire d'un ami commun. Bien que le garçon détestât cordialement son école, il fut constamment au bord des larmes le dernier jour. Quand la cloche sonna et que les enfants quittèrent bruyamment les bâtiments, bavardant, riant et balançant leurs bouteilles d'eau, c'est le cœur lourd et le pas traînant qu'il sortit des locaux, hanté par le souvenir de son père occupé à mettre du sucre en poudre en paquets de deux cents grammes tout en faisant part à sa mère de ses rêves d'école anglophone pour son fils. Il se souvenait aussi des moments où son père le prenait sur ses genoux en lui faisant promettre de tout faire pour « devenir quelqu'un », de ne pas rester toute sa vie un boutiquier comme lui.

Son certificat de fin d'études au fond de sa malle, dans une pochette en plastique verte, Ramchand commença à travailler au magasin de saris.

Quatre mois plus tard, son oncle mourait subitement d'une crise cardiaque. Alors qu'il se trouvait à son travail, en train de monter un collier en or et en perles, il avait simplement basculé de sa chaise et était mort sur le coup. Vingt jours plus tard, bien après la date officielle de la fin du deuil et le départ des invités, la tante de Ramchand, les yeux rougis, vêtue d'un sari blanc et dépourvue de son *bindi* et de ses bracelets, ce qui lui donnait l'air bizarre d'un arbre qui aurait tout d'un coup perdu ses feuilles, lui avait poliment demandé de quitter la maison et de se débrouiller tout seul, afin de ne pas ajouter à des charges déjà bien lourdes. Il était parti avec sa bénédiction et une malle en métal renfermant toutes ses possessions. Grâce à la recommandation de Mahajan, Ramchand avait réussi à louer la petite pièce où il vivait toujours, avec ses deux fenêtres l'une en face de l'autre, sa peinture écaillée et sa curieuse odeur de moisi.

Ramchand n'avait pris conscience de certains faits que bien des années plus tard. Son père, à une époque, avait possédé une boutique. Très modeste, certes, mais une boutique tout de même. Laquelle, de droit, aurait dû lui revenir. Or, elle était maintenant la propriété des fils de l'oncle. Il comprit aussi que le petit clou en or en forme de feuille que portait sa tante était celui qui ornait autrefois le nez de sa mère. Et aussi qu'à la mort de sa grand-mère, la maison de celle-ci avait été vendue par son oncle, privant du même coup Ramchand non seulement de sa part d'héritage et d'un foyer assuré dans le village qui était le berceau de la famille, mais aussi des longs après-midi tranquilles au bord de la rivière.

Aujourd'hui, Ramchand comprenait aussi pourquoi il n'avait jamais rencontré cet oncle du vivant de ses parents, et pourquoi celui-ci ne leur avait jamais rendu visite alors qu'ils habitaient tous la même ville. Mais il était sans doute trop tard pour entreprendre des démarches. Ou peut-être Ramchand n'avait-il tout simplement plus envie de se battre pour récupérer son dû.

*
* *

Les nuages pesaient sur la ville et cachaient le soleil. Il soufflait un petit vent froid, et on aurait bien aimé un peu plus de chaleur. Dans l'après-midi, une pluie fine se mit à tomber. L'hiver venait à peine d'arriver, mais cette année à Amritsar il était déjà glacial, la pluie faisait frissonner les gens qui accumulaient cache-nez, châles et chaussettes de laine. Les passants dans les rues avaient les articulations raides, les lèvres gercées, les mains glacées. On attrapait froid, on avait le nez rouge et les yeux larmoyants. Les chiens, la queue entre les pattes, erraient à la recherche d'un abri. Bientôt, le vent se mit à souffler plus fort, plus froid, dispersant la pluie, l'entraînant dans une danse folle qui l'envoyait frapper de biais les visages, les corps et les bâtiments, au lieu de la laisser tomber bien droit sur le sol comme toute pluie qui se respecte.

Dans le magasin, tout le monde grelottait, victime de la tristesse et de la grisaille de cette journée d'hiver. Tout le monde, sauf Ramchand. La pluie ne l'avait jamais accablé. Si inconfortables qu'ils pussent être, le froid, l'humidité, la boue et les flaques le laissaient indifférent. Quant à la pluie, elle avait toujours fait ses délices, même du temps où il était enfant. Et elle continuait, encore aujourd'hui. Elle était toujours pour lui un réconfort, même sous la forme d'une triste bruine hivernale.

À force de pester et de grommeler, Hari finit par démoraliser tout le monde.

« Ce froid inhumain me donne des douleurs partout, dit-il. J'ai les membres si raides que je me fais l'impression d'avoir cent ans. Je ne peux quasiment plus bouger.

— Hari, mon garçon, lui répondit sèchement Gokul, toutes ces douleurs et ces raideurs dont tu te plains depuis ce matin, elles ne sont pas dues au froid. Elles sont le résultat de ta paresse, de ton oisiveté, elles viennent de ce que tu ne t'actives pas tant que tu n'y es pas obligé. Si tu t'étais un peu remué, la nouvelle livraison de satin serait sur les rayons à l'heure qu'il est.

— Qu'est-ce que tu me chantes là, Gokul Bhaiya ? dit Hari, en s'étirant paresseusement. J'aimerais bien savoir pourquoi tout le monde est toujours après moi. Depuis un an, je me tue littéralement à la tâche.

— Il y a encore beaucoup à faire, Hari, lui lança à nouveau Gokul. Alors, oublie un peu tes courbatures et ne me parle plus de tes douleurs, tu veux ? Trie-moi ces satins immédiatement et range-les. »

Hari se leva avec un air de martyr et un gros soupir de fatigue.

Gokul fronçait toujours le sourcil.

Chander, enfermé dans son mutisme, ne parlait que quand on lui adressait la parole. Shyam était assis à l'écart, plongé dans ses pensées.

Rajesh discutait avec Mahajan dans un coin. À voir les regards noirs qu'ils échangeaient, ils étaient de toute évidence, une fois n'est pas coutume, en désaccord.

Ramchand était le seul à ne pas être de mauvaise humeur.

Il regardait par la fenêtre d'un air rêveur le monde noyé dans la brume, où formes et images étaient si joliment déformées par les gouttes de pluie qui vrillaient l'air. Il triait de la marchandise qui venait de rentrer, tout en fredonnant à mi-voix :

> *Aa chal ke tujhe main le ke chaloon*
> *Ek aise gagan ke taley*
> *Jahan gham bhi na ho*
> *Aansoo bhi na ho*
> *Bas pyaar hi pyaar pale*
> *Ek aise gagan ke taley...*

Des gouttes s'accrochaient à la vitre. Elles s'agrippaient au verre, tremblotantes et fragiles, pareilles à des perles. Ramchand leur sourit, les mains occupées à plier et replier, à vérifier les étiquettes des prix, tout en continuant à fredonner le même air : il était heureux.

Mais, bien sûr, pas moyen de chanter en paix dans cette boutique, songea-t-il avec quelque amertume, en voyant Bhimsen Seth s'approcher de Mahajan en se dandinant. Bhimsen ne montait plus guère jusqu'à eux. Son poids lui rendait de plus en plus difficile l'ascension des marches branlantes.

Aussitôt, tous les employés prirent un air affairé. Chander leva les yeux, et Ramchand cessa de fredonner l'air qui pourtant continua à lui trotter dans la tête. Hari se mit à trier les différentes nuances de satin rose, et

Gokul, débarrassé de son froncement de sourcils, essaya de prendre un air tout à la fois amène et occupé.

« Mahajan ! dit Bhimsen, le souffle court. J'ai une grande nouvelle. La fille de Ravinder Kapoor se marie. »

Une lueur s'alluma dans les yeux de Mahajan.

« Quand ? » demanda-t-il en se frottant les mains.

Ramchand fit craquer les jointures de ses doigts machinalement, sans quitter des yeux les deux hommes.

Mahajan se tourna vers lui et lui lança un regard furibond.

Ramchand cessa aussitôt son manège, soudain cramoisi, et se remit au travail.

Mahajan, à nouveau souriant, se tourna vers Bhimsen Seth.

« En janvier, répondit Bhimsen. La date exacte devrait être fixée dans quelques jours. »

Mahajan hocha la tête, les lèvres serrées sous l'effet d'une intense concentration.

« Bien entendu, ils ne se déplaceront pas jusqu'au magasin, reprit Bhimsen. Ce sont des gens trop importants. Il va falloir leur porter la marchandise chez eux, Mahajan, nos meilleures pièces. »

Il s'arrêta, visiblement préoccupé.

Ramchand leva à nouveau la tête, intrigué. Bhimsen Seth avait rarement l'air préoccupé.

« Fais-leur porter des saris tous les jours, poursuivit-il, accède à toutes leurs demandes. Envoie-leur aussi nos plus beaux *lehanga-cholis*. Il faut à tout prix les satisfaire, surtout ces dames. Ils ont une autre fille, plus jeune, tu comprends ? Encore un an, peut-être deux, et ce sera son tour. Des commandes comme celles-là...

— Ne vous inquiétez pas, Sethji, l'interrompit Mahajan. Je m'occupe de tout. »

Puis ils gagnèrent un coin de la pièce où ils discutèrent à voix basse avant de sortir ensemble, l'air absorbé et soucieux. Hari ne tarda pas à rapporter qu'ils n'étaient plus en bas non plus. Ils étaient partis, semblait-il, pour un moment.

Tout le monde était soulagé, surtout Gokul. « J'ai oublié d'apporter mon déjeuner aujourd'hui, confia-t-il à Ramchand, et je n'ai même pas de quoi aller manger au restaurant ou m'acheter quelque chose. Depuis ce matin, je n'arrête pas de prier le ciel pour que Mahajan quitte la boutique. Je vais pouvoir rentrer manger à la maison. »

Sur quoi il se précipita dehors, promettant d'être de retour une demi-heure plus tard.

Mais au bout d'une heure, toujours pas de Gokul. Ce qui était tout à fait inhabituel pour un homme d'ordinaire aussi respectueux du règlement. Un homme qui n'était jamais en retard et que seule une urgence, par exemple un repas oublié, pouvait pousser à enfreindre l'autorité de Mahajan.

Il finit par apparaître deux heures plus tard, boitant bas.

« Toi, en retard ? lui demanda Hari. Qu'est-ce qui s'est passé ? Tu t'es battu ?

— Arrête tes imbécillités, Hari. Bien sûr que non. Et tu la fermes maintenant, je ne suis pas d'humeur à supporter tes idioties, répliqua Gokul, l'air hargneux, en se laissant tomber sur le matelas avec un gémissement.

— Mais, bon sang, que s'est-il passé ? demanda Ramchand, qui n'était pas loin de croire que Lakshmi, après avoir perdu la tête, avait roué de coups son mari.

— Un marchand de légumes m'est rentré dedans avec sa voiture à bras sur le trajet du retour, répondit Gokul.

— À moins que ce soit toi qui aies jeté ton vélo sur sa voiture…, suggéra malicieusement Hari, avant d'ajouter en toute hâte, en voyant le regard noir que lui jetait l'autre : Enfin… de son point de vue à lui, quoi.

— Mon pied me fait terriblement mal », gémit Gokul, remontant la jambe droite de son pantalon pour leur montrer sa cheville enflée.

Hari eut une grimace inquiète.

« Reste assis tranquillement, dit-il. On va te remplacer aujourd'hui. Et on le fera tous les jours tant que ton pied ne sera pas guéri, ajouta-t-il, magnanime.

— Mais oui, bien sûr, Sethji, rétorqua Gokul, sarcastique. Comme j'apprécie d'avoir un patron qui me dit de ne pas m'en faire.

— C'est à vous dégoûter d'être gentil… », marmonna Hari.

La porte vitrée s'ouvrit et Mahajan, sans déroger à ses habitudes, apparut comme par magie. Hari disait toujours que c'était un vrai mystère, mais les marches de l'escalier de bois ne craquaient jamais quand c'était lui qui les gravissait.

« Gokul, laisse tomber tout de suite ce que tu es en train de faire. J'ai un travail urgent pour toi. Il va falloir que tu emportes de la marchandise chez les Kapoor…, commença-t-il, avant de remarquer le visage grimaçant de l'autre et son pied enflé. Allons bon, qu'est-ce qui se passe ?

— Rien, Bauji. Je me suis fait mal, c'est tout, dit Gokul, honteux.

— En faisant quoi ? » demanda Mahajan, soupçonneux.

En guise de réponse, Gokul baissa la tête.

« Tu t'es fait mal comment, Gokul ? La question est pourtant simple. »

Pris d'un accès de franchise, Gokul avoua son forfait. Sur quoi l'autre passa quelques minutes à le sermonner sur les responsabilités d'un bon employé, avant de dire : « Et tu ne peux pas pédaler, je suppose ? »

Silence.

« Qui est-ce que je vais bien pouvoir envoyer chez Kapoor demain avec la marchandise ? » marmonna Mahajan, qui jeta un regard dubitatif d'abord sur Ramchand, puis sur Chander.

La voix de Hari se fit entendre : « Moi, je pourrais y aller, Bauji. »

Mahajan, déjà passablement énervé, explosa :

« Ben voyons ! Tu me vois confier des saris qui valent une fortune à un écervelé de ton acabit ? Oh, bien sûr que tu pourrais y aller ! Et casser le vélo de Gokul, et te casser le cou en même temps, et t'arrêter en route pour manger une *kulfi* comme les gosses, et laisser une vache dévorer des saris qui valent des dizaines de milliers de roupies... Pour ça, sûr qu'on pourrait compter sur toi.

— Je ne mange jamais de glaces en hiver, dit Hari, l'air offensé, et je n'ai jamais vu une vache manger un sari, pas plus en été qu'en hiver, d'ailleurs. Les chèvres, c'est différent. »

Le visage de Mahajan vira au violet, et Hari s'empressa d'ajouter, d'une voix polie : « Je vais aller vous commander votre thé de l'après-midi, Bauji. » Puis il détala sans demander son reste.

Mahajan le regarda disparaître d'un œil furibond. « Quel travail ingrat que le mien ! » dit-il, alors qu'il se livrait rarement à ce genre de confidences. Il se tourna ensuite vers Ramchand, qui avait rougi tant il était gêné pour Hari. « Ramchand, demain tu empruntes le vélo de Gokul et tu portes quelques-uns de nos meilleurs articles chez les Kapoor. »

Stupéfaction de Ramchand. C'est à lui qu'on confiait pareille tâche ! Pareille responsabilité ! Une marchandise aussi précieuse ! Et Ravinder Kapoor qui était, à ce qu'il avait entendu dire, le plus riche industriel d'Amritsar. On racontait qu'il avait une maison immense, un vrai palais, avec des tapis partout, l'air conditionné, et qu'il possédait quatre voitures. Et lui, Ramchand, allait devoir se rendre dans cette maison ! Il en avait l'estomac tout retourné.

« Gokul, poursuivit Mahajan, c'est toi qui décideras de ce qu'il faut emporter. Ne retiens que les plus belles pièces. Prends aussi quelques-unes des soieries de notre dernière livraison. Et peut-être quelques *lehngas* en soie grège. Et aussi ceux avec les *ghungroos*, les clochettes d'argent. Et n'oublie pas de me faire voir ce que tu as choisi avant de le faire porter chez les Kapoor. »

Mais Ramchand n'écoutait plus. Il avait déjà l'esprit ailleurs.

Une affaire comme celle-là prendrait sans doute plusieurs jours. Il savait comment se passaient les choses habituellement. Il emporterait chez les Kapoor un choix de saris dans un gros ballot. Il faudrait des heures à la future mariée et aux autres femmes de la famille pour en retenir quelques-uns. On demanderait ensuite à en voir d'autres. La future mariée piquerait deux ou trois colères, puis on changerait peut-être d'avis à propos d'un sari et on rappellerait le magasin. Et lui, Ramchand, devrait faire un nouveau voyage pour en proposer un autre en remplacement. Il aurait ainsi plusieurs allers-retours à effectuer entre la boutique et la maison de Ravinder Kapoor.

Après des années passées à rester enfermé dans le magasin, semaine après semaine, mois après mois, sauf les dimanches et trois jours, l'an dernier, quand il s'était fait une entorse à la cheville, voilà qu'il avait enfin la chance de pouvoir sortir, pédaler au soleil, voir du pays, prendre un moment pour aller s'acheter quelques livres d'occasion. Il pourrait peut-être même s'offrir un jus d'orange sucrée à l'Anand Juice Shop.

La voix de Mahajan le rappela à la réalité : « Ramchand, veille à ta tenue avant d'aller là-bas. Ce sont des gens importants. Il ne faudrait pas que quelqu'un du magasin se présente chez eux tout dépenaillé. Il faut que tu sois convenablement habillé et que tu aies l'air propre. »

Ramchand releva aussitôt les orteils, dans une sorte de réflexe destiné à empêcher toute odeur susceptible d'émaner de ses pieds de monter jusqu'aux narines largement ouvertes de Mahajan. Ce dernier voulait-il faire allusion au col effrangé de sa chemise et à son vieux pantalon ?

Eh bien, il allait voir ce qu'il allait voir. Ça suffisait comme ça. Pour qui se prenait-il à la fin, ce Mahajan ? Non seulement il allait soigner sa tenue, mais il était bien décidé à prendre du bon temps.

Ramchand fut distrait le reste de la journée et s'attira les foudres de Mahajan. Il avait égaré un sari jaune pâle commandé par une cliente et renversé de l'eau sur un des draps blancs qui recouvraient les matelas. Mahajan l'accabla d'injures : il ne valait pas mieux que Hari. Celui-ci accueillit la remarque d'un sourire, mais Ramchand, lui, eut l'impression qu'on lui gâchait délibérément son plaisir. Il regrettait de ne pas avoir pris un jour de repos, ce qui lui aurait permis de rester dans sa chambre, assis devant la fenêtre, une tasse de thé dans la main, à regarder la pluie caresser doucement le goyavier qui poussait en bas, dans la cour.

Le soir, il prétexta un violent mal de tête et partit de bonne heure. Il se rendit dans un magasin de confection non loin de là, et s'acheta un pantalon noir et une chemise d'un blanc immaculé. Il se sentait d'humeur dépensière et prêt à faire des folies. Cela faisait plus de deux ans qu'il n'avait pas acheté de vêtements neufs. Dépenaillé, en vérité ! Il allait voir ce qu'il allait voir, le Mahajan !

Puis il fit l'emplette d'une savonnette Lifebuoy et d'une paire de chaussettes. Pour finir, il s'arrêta devant la voiture d'un marchand de primeurs et demanda un citron.

70

« Rien qu'un ? fit le vendeur, surpris.

— Oui, oui, un seul », répliqua Ramchand d'un ton ferme.

L'autre lui tendit un citron, l'air écœuré.

Ramchand le mit précautionneusement dans sa poche avant de le payer. L'épouse de son propriétaire, Sudha, lisait souvent des revues comme *Sarita* et *Grihashobha*, et il arrivait à Ramchand de demander à Manoj, le fils aîné, de voir si sa mère pouvait lui prêter quelques vieux numéros. C'est ainsi qu'il avait lu dans un exemplaire de *Grihashobha* que le citron frotté sur la peau permettait d'éliminer les odeurs corporelles. Il était bien décidé à essayer la recette.

Tous ses achats sous le bras, bien à l'abri dans un grand sac en papier, il se rendit chez le coiffeur et demanda à se faire couper les cheveux. L'homme fit des difficultés, disant qu'il était tard et qu'il était sur le point de fermer boutique. Ramchand se récria, plaida et supplia tant et si bien que l'autre finit par céder. Il eut donc droit à une bonne coupe, après quoi il rentra chez lui.

Il se mit au lit tout excité à la perspective du lendemain. On était en décembre, presque la fin de l'année, et pourtant le lendemain serait le premier jour où il allait enfin pouvoir échapper à sa routine quotidienne.

Il s'endormit avec un sentiment d'excitation contenue et une sensation de démangeaison dans le cou, parce qu'il avait oublié de se laver en rentrant de chez le coiffeur et que des bouts de cheveux coupés s'accrochaient à sa peau. Quand il se réveilla le lendemain matin, il sortit de son lit un peu assommé et se rappela que le grand jour était arrivé. Il ne passerait pas la journée au magasin. Il allait se faire beau, traverser la ville à vélo pour se rendre chez les Kapoor. Une grande aventure l'attendait.

Une fois sorti du lit, il s'étira et se dirigea droit vers la table. Il s'empara du citron, le coupa en deux et s'en frotta vigoureusement les pieds. Il fallait à tout prix que, justement aujourd'hui, il ne sente pas des pieds. Un pépin se coinça entre son gros orteil et celui d'à côté.

Les pieds badigeonnés de jus de citron, il se rendit dans la minuscule salle de bains. Quand il en ressortit, son excitation jusqu'ici contenue avait pris le dessus. Il s'agitait dans tous les sens, ramassant un objet, en faisant tomber un autre, le tout avec un large sourire aux lèvres.

Ramchand était le seul employé du magasin à ne pas prendre un jour de temps à autre. Mahajan lésinait sur les congés, mais il y avait des moments où il ne pouvait faire autrement que d'en donner. Il fallait que tous, à un moment ou à un autre, s'absentent, réclamés par un décès ou un mariage, une épouse à accompagner chez ses parents, un enfant malade.

Sans parents, ni famille, ni nulle part où se rendre en urgence, Ramchand ne pouvait jamais prétendre à un jour de congé.

Il n'avait jamais non plus été gravement malade. Une seule fois, l'année précédente, quand il s'était fait une mauvaise entorse à la cheville, Mahajan l'avait renvoyé chez lui. « Dans trois jours ça devrait aller mieux, lui avait-il dit après avoir examiné sa cheville. Reviens à ce moment-là. » Et Ramchand s'était exécuté.

Il ne pouvait même pas prétexter une maladie, car Mahajan savait où logeait chacun de ses employés et avait la désagréable habitude d'envoyer quelqu'un vérifier si celui qui n'était pas venu travailler était réellement malade.

Et puis, s'était souvent dit Ramchand, l'humeur sombre, s'il avait réussi à obtenir un congé, qu'en aurait-il fait ? Où aurait-il bien pu aller ?

Il se rendait donc au magasin, jour après jour. Mais, aujourd'hui, ce serait différent. Il se sentait des envies de danser. Bientôt, il n'y tint plus et se mit à chanter. Ce ne fut d'abord qu'un fredonnement, puis ses lèvres formèrent les paroles et, pour finir, il chanta à tue-tête :

> *Yeh dil na hota bechara*
> *Kadam na hote awara*
> *Jo khulsoorat koi apna*
> *Humsafar hota*

Sa voix alla crescendo tandis qu'il faisait le tour de sa chambre en dansant, vêtu de son vieux tricot de corps blanc et de son pantalon de pyjama, insensible au froid.

Le propriétaire hurla depuis la cour : « Ramchand, un peu de silence ! »

L'autre fit comme s'il n'avait pas entendu et recommença de plus belle, la voix de plus en plus aiguë :

« *Yeh dil na hotaaaa…*

— Ramchand ! cria à nouveau le propriétaire.

— *Kadam na hote awara…* »

Ramchand traversa la chambre en courant, sauta par-dessus le tabouret avec une belle énergie et atterrit de l'autre côté en ébranlant le plancher.

« Il va finir par passer à travers le plafond, gémit la femme du propriétaire.

— RAAAAMCHAND ! » beugla celui-ci, son corps maigre tremblant sous l'effet de la colère.

Ramchand se calma. Changea de chanson. Fit une jolie révérence à son reflet dans la glace piquée, inclina la tête sur le côté et chanta à voix basse, doucement : « *Tum bin jaoon kahan.* »

Un nouvel accès de folie s'empara de lui au moment où il se rasait. D'un air décidé, il se passa de la mousse au-dessus des lèvres.

Et rasa sa moustache !

Une moustache mince et fine, certes, mais une moustache tout de même !

Il s'éclaboussa le visage et se regarda dans la glace. Quelle transformation ! Rares étaient les vedettes de Bollywood qui avaient une moustache. Anil Kapoor en avait bien une, mais, bon, c'était Anil Kapoor. Ramchand passa encore un moment à s'examiner dans la glace. Pas si mal, pensa-t-il, mais il aurait apprécié davantage son visage fraîchement rasé s'il s'était appelé Vishaal, ou Amit, ou Rahul, au lieu de Ramchand. Il n'en était pas moins, secrètement, fort satisfait.

Puis il fit sa toilette avec la savonnette rouge Lifebuoy et se frotta vigoureusement pour éliminer le jus de citron qui lui collait aux pieds. Il sécha son corps maigre, enfila des sous-vêtements propres avant de revêtir ses habits neufs. Il rentra fièrement sa chemise blanche dans la ceinture de son pantalon noir. D'ordinaire, il portait soit une *kurta* au-dessus de son pantalon, soit une vieille chemise qu'il ne prenait jamais la peine de rentrer. Il mit un pull-over, vieux mais propre, se coiffa soigneusement et se regarda à nouveau dans la glace. Il avait l'air propre et net, et, sans moustache, son visage paraissait plus décidé. Des vêtements neufs, voilà qui vous changeait un homme.

Fini ses dehors miteux. Il avait l'air tout à fait respectable. Il ne se souvenait pas d'avoir jamais eu aussi fière allure.

5

« Voilà, dit Gokul en ajoutant un dernier sari à l'énorme ballot. Prends bien soin de la marchandise. Elle coûte fort cher. Et sois très poli avec les Kapoor. »

Ramchand hocha la tête.

Hari s'approcha par-derrière et lui passa un bras affectueux autour des épaules. « On te prendrait quasiment pour la vedette d'une superproduction. Mes aïeux, quel changement ! C'est à peine si on te reconnaît. »

Ramchand rougit de plaisir. Puis il hissa le ballot sur son épaule et descendit jusqu'au vélo de Gokul. Il déposa son fardeau sur le porte-bagages et le ficela soigneusement pour le maintenir en place. Il passa une jambe par-dessus le cadre, s'installa sur la selle et bientôt il pédalait joyeusement, un parfum de liberté et de Lifebuoy émanant de tous les pores de sa peau.

Le soleil brillait doucement, le réchauffant de ses rayons. Se faufilant à travers une foule de vélos, de charrettes à bras et de piétons, il sortit de la vieille ville. À la périphérie du bazar, il fit une halte devant l'Anand Juice Shop, où il gara son vélo, sans pourtant s'en éloigner. Un gamin sortit pour lui demander ce qu'il désirait. Il commanda un verre de jus d'orange sucré, une main protectrice sur le ballot de saris. Le gamin lui apporta le jus de fruit, que Ramchand se mit à siroter.

Quelle sensation agréable ! Il renversa la tête en arrière pour vider son verre.

Un vol de pigeons gris passa au-dessus de sa tête.

Une goutte resta accrochée au coin de sa bouche, petite perle d'or dans les rayons du soleil. Ramchand l'essuya du revers de la main, paya et reprit son vélo. Il y avait des années qu'il n'avait pas éprouvé un tel sentiment de bonheur et de liberté.

Au terme d'un trajet d'une demi-heure fort agréable, il atteignit Green Avenue, où habitait Ravinder Kapoor. Gokul lui avait fourni toutes les indications nécessaires pour arriver jusque-là, mais Ramchand sortit de sa poche le morceau de papier sur lequel son collègue avait griffonné le reste de ses instructions. Il devait prendre à gauche quand il verrait une cabine téléphonique. Il en aperçut une en verre, flambant neuve, les lettres « PCO » inscrites en rouge vif sur la vitre, et tourna.

Il se retrouva dans une large avenue, bordée d'arbres feuillus et d'un vrai trottoir. Sur sa droite, une rangée de vastes maisons, entourées de hauts murs d'enceinte ; sur sa gauche, un grand parc, une immense étendue découverte, comme Ramchand n'aurait jamais soupçonné qu'il pût en exister à Amritsar.

« La troisième maison à droite », se murmura-t-il, en équilibre précaire sur ses roues. Il en dépassa deux et s'arrêta devant la grille de la troisième.

Le grand portail en fer forgé était d'un dessin compliqué, orné çà et là de boules de cuivre qui luisaient au soleil. Le sommet était hérissé de lances, comme celui des murs. Deux mots étaient gravés sur une grande plaque en granit. Ramchand les examina un instant, tout en épelant les lettres qui les composaient, avant de découvrir, pour son plus grand plaisir, qu'il avait réussi à les déchiffrer : *Kapoor House*. La plaque en granit était impressionnante.

Un regard par la grille du judas, et Ramchand vit une allée bordée de plantes en pot, un chauffeur qui astiquait une longue voiture bleue et une pelouse impeccable. Un jardinier vêtu d'une *kurta* bleue était penché sur un parterre de fleurs.

Nerveux, Ramchand tira sur la sonnette. Le chauffeur vint ouvrir le portail. C'était un homme à la carrure imposante. Les manches de son pull étaient relevées, découvrant des avant-bras musclés.

« Oui ? fit-il, l'air soupçonneux.

— Je les ai apportés, dit Ramchand d'une voix mal assurée.

— Quoi donc ?

— Les saris.

— Quels saris ?

— Pour le mariage de la *memsahib*. C'est la maison Sevak.

— Ah ! dit le chauffeur en détaillant Ramchand de la tête aux pieds avant de s'écarter. Tu peux entrer. »

Ramchand remonta l'allée en poussant son vélo. On lui demanda de patienter sur la véranda. Un grand *Om* en bois était suspendu au-dessus de la porte d'entrée. Il attendit, faisant craquer les jointures de ses doigts l'une après l'autre, en un staccato rapide. Il voyait maintenant qu'il y avait une voiture rouge derrière la bleue, et que la porte du garage était fermée, peut-être y en avait-il une autre à l'intérieur. L'allée était suffisamment large pour qu'on puisse la sortir sans avoir à déplacer la bleue.

Au bout de quelques minutes, une bonne vêtue d'un sari mauve, le visage fermé, ouvrit la porte et fit entrer Ramchand dans une immense pièce flanquée de banquettes imposantes qui entouraient une table en verre. Un épais tapis bleu recouvrait pratiquement toute la surface du sol. Aux murs étaient accrochés des tableaux et des bronzes anciens. De plus en plus nerveux, le visiteur s'assit sur le bord d'une banquette, son énorme ballot à côté de lui, aussi à l'aise qu'un poisson hors de l'eau. Il régnait un silence complet, brisé seulement par le tic-tac sonore d'une belle pendule fixée au mur. Ramchand attendit un quart d'heure. Puis un jeune domestique, le rouge au visage, fit son apparition avec un verre de Pepsi-Cola glacé sur un plateau. Ramchand rougit à son tour.

Il s'empara du verre, gêné, essayant de prendre l'attitude d'un habitué des pièces luxueusement meublées et des boissons de riches servies par un domestique. Il remarqua que le verre dépoli du plateau était gravé de paons en train de faire la roue. Qui lui rappelèrent les paons brodés sur le sari bleu que Mrs Gupta avait acheté pour sa belle-fille.

Ramchand resta un instant les yeux fixés sur le plateau.

L'autre ne bougeait pas, l'air indécis, se dandinant d'un pied sur l'autre. « Tu es ici depuis longtemps ? » lui demanda soudain Ramchand.

Le garçon le dévisagea, sans comprendre. Ramchand reformula sa question, passant du panjabi à l'hindi.

Cette fois-ci, le garçon hocha la tête.

« Tu viens de l'Himachal ? demanda Ramchand.

— Oui, dit le domestique, dont le visage s'éclaira. Du village de Lachkandi, près de Simla. Toi aussi, tu viens des montagnes ? » demanda-t-il, excité, d'une voix étonnamment belle et claire.

Ramchand fit non de la tête.

Le visage du garçon se rembrunit. Il regarda Ramchand un moment, hésitant, avant de tourner brusquement les talons et de quitter la pièce. Ramchand attendit encore un quart d'heure. Pour finir, une femme entre deux âges, habillée d'un *salwaar kameez* en soie bleue et d'un châle coûteux, fit son entrée. Or et diamants scintillaient à ses oreilles et à ses poignets.

Le visiteur se leva poliment.

« *Ji namaste* », dit-il, les mains jointes.

« Rinaaa ! appela la femme, le faisant sursauter. Le vendeur de saris est là. »

Quand elle criait, on voyait l'intérieur de sa bouche, tout rouge, et ses grandes dents, bien alignées. Puis elle aussi dit « *Namaste* », avant de s'asseoir en face de lui.

Une jeune femme aux cheveux permanentés entra dans la pièce, ses hauts talons s'enfonçant dans l'épais tapis. Elle portait un jean et un corsage à fleurs moulant, bleu et violet, ainsi qu'un cardigan en laine noire. Des bracelets en argent cliquetaient à ses poignets.

« Oui, maman.

— Assieds-toi et jetons un coup d'œil à ces saris. »

Ramchand ne quittait pas les deux femmes des yeux. Ainsi donc, c'étaient là l'épouse et la fille de Ravinder Kapoor. Il avait entendu dire que la femme, un jour, avait acheté des *pashminas* qui valaient cent mille roupies. Il la dévisagea avec curiosité.

« Qu'est-ce que tu attends pour nous montrer ces saris ? lui dit-elle brusquement, la voix dure et impérieuse.

— Maman, il vaudrait mieux appeler un domestique, dit Rina, qui avait une voix rauque et languissante.

— D'accord, répliqua la mère, avant de hurler : Raghuuuuu ! », découvrant à nouveau la caverne rouge de sa bouche.

La porte s'ouvrit et Raghu entra. Le grand jeune homme vint se placer avec déférence près de la banquette pour assister au déroulement des opérations.

Ramchand, toujours assis sur le bord de sa banquette, se pencha pour défaire le nœud de son ballot. Mais il était si mal à l'aise que ses doigts maladroits n'arrivaient à rien. Il finit par s'excuser, alla jusqu'à l'extrémité du tapis, où il se déchaussa, avant de revenir. Puis, ayant remonté légèrement les jambes de son beau pantalon noir, il s'assit par terre en tailleur, se sentant à nouveau dans son élément. Rina croisa le regard de sa mère et eut un petit ricanement, mais il fit comme si de rien n'était.

Il dénoua son ballot d'un geste vif et précis, cette fois-ci, puis commença à sortir les saris un par un avec beaucoup d'assurance, mais ce qui suivit le prit complètement au dépourvu.

Ramchand travaillait chez Sevak depuis onze ans maintenant. Il avait vu un nombre incalculable de femmes choisir des saris. Si ces créatures bizarres lui restaient étrangères, il se flattait cependant de bien connaître leur comportement quand elles venaient au magasin.

Il avait appris à déchiffrer avec précision leurs expressions aussi bien que leurs humeurs et devinait sans difficulté quand elles avaient arrêté leur choix. Il savait de même déceler leurs hésitations et les pousser à préférer tel sari à tel autre. De même qu'il sentait aussitôt si elles avaient décidé de ne rien acheter et feignaient simplement de s'intéresser à la marchandise.

Il connaissait bien l'expression de la jeune fille qui entrait, accompagnée de sa mère, de ses tantes et de ses sœurs, pour acheter les saris de son trousseau. Cette légère rougeur aux joues, cette lueur dans le regard, cette imperceptible fébrilité. Elle drapait le *pallu* sur son épaule et se regardait dans la glace avec attention. Tandis que les femmes qui l'entouraient donnaient leur avis, elle se voyait, elle, avec les yeux de son futur époux et amant. Ses lèvres humides tremblaient et s'ouvraient sous l'effet d'une excitation presque enfantine. Elle souriait et, pour finir, n'arrivait pas à se décider. Rougissante, elle acquiesçait à chaque nouvelle proposition, ce qui mettait le comble à la confusion. Ramchand avait vu certaines de ces jeunes filles se regarder d'un air mélancolique, comme si ce n'était pas le vêtement qui était en cause, mais la seule idée du mariage à venir. Ces occasions étaient rares, mais chaque fois Ramchand éprouvait de la peine, même si, plus tard, il se disait qu'il n'avait fait qu'imaginer cette tristesse.

Il avait vu la vanité, l'envie, le désespoir. Il connaissait l'amertume de la femme laide, qui voyait bien, dans la glace, qu'un sari ne faisait pas tout, et il reconnaissait tout aussi bien le sentiment de triomphe tranquille et silencieux de celles qui se savaient belles.

Ramchand avait également remarqué qu'une femme venait rarement, pour ne pas dire jamais, seule faire ses emplettes. Non, il leur fallait venir à deux ou trois pour se décider et tirer plaisir de l'opération. L'acquisition d'un sari dépassait le simple achat – c'était une distraction, un bonheur, une expérience esthétique. Elles venaient toujours au moins à deux, sinon en groupe. Et c'est à plusieurs qu'elles discutaient de ses qualités et de ses défauts. S'il ne leur plaisait pas, elles faisaient des grimaces, secouaient la tête d'un air déçu, s'empressaient de dire qu'il aurait été parfait si seulement il avait été accompagné du bon *pallu*, d'une bordure au motif plus riche, ou si le coloris avait été légèrement différent.

Ramchand avait appris la patience à force d'entendre leurs interminables discussions. Elles examinaient la marchandise de près, faisant courir leurs doigts sur le tissu, détaillant le motif, comme si elles s'étaient trouvées en présence d'un vieux parchemin dont il fallait déchiffrer les caractères à demi effacés.

Il avait aussi appris à reconnaître la convoitise, suivie d'une terrible détermination, sur le visage de la femme qui avait décidé une fois pour toutes que c'était ce sari-là qu'il lui fallait, à l'exclusion de tout autre.

Si les femmes appartenaient à la même famille, des questions de préséance entraient parfois en jeu. C'était la plus âgée, en règle générale une grand-mère ou une belle-mère, qui arrêtait le choix final, surtout quand il s'agissait d'un mariage. Elle veillait aux différences de prix, de peur que la guerre des saris ne gagne les cuisines. Mais la plupart du temps les femmes d'une même famille étaient plutôt aimables entre elles et heureuses quand elles venaient ensemble au magasin. Elles s'interrogeaient d'une voix inquiète : « Tu t'en souviens, toi ? Est-ce que j'en ai déjà un de la même couleur ? Tu es sûre ? » Elles drapaient le sari sur leurs épaules, rabattaient parfois le *pallu* sur la tête et se demandaient mutuellement si le vêtement leur allait. C'était peut-être bien le seul moment où elles se montraient vraiment honnêtes, franches et sincères les unes envers les autres.

À la fin, inévitablement, venait le marchandage – celui, raisonnable, des habituées, sûres d'avoir finalement gain de cause ; celui, brutal, des clientes agressives, qui discutaient systématiquement, par principe, et flanquaient à tout le monde un épouvantable mal de tête. Sans compter les flatteries et les cajoleries auxquelles se livraient, pleines d'espoir, les clientes inexpérimentées, ou les exigences hautaines des femmes riches (« Faites-moi un prix raisonnable ! » ordonnaient-elles d'un geste impérieux de la main). Les méthodes variaient, mais la règle, elle, restait immuable.

Or, ce jour-là, dans le salon des Kapoor, il n'y eut pas de marchandage et très peu de questions. Pour tout dire, les deux femmes ne prirent pas la peine de s'enquérir des prix, même quand Ramchand leur déballa les *lehngas* les plus coûteux de la maison Sevak.

Elles n'échangeaient que de rares paroles, chacune totalement absorbée par le choix des pièces qu'elle voulait. Ramchand aurait aussi bien pu ne pas être là. Elles retinrent des saris fort coûteux et, sans trahir la moindre émotion, examinèrent les quelques *lehngas* qu'il avait apportés, jetant leur dévolu sur certains, rejetant les autres avec désinvolture.

Rina choisit deux saris en voile, l'un d'un rose saumon délicat bordé d'un fil d'argent, l'autre d'un bleu pâle presque blanc, avec des *butees* d'argent rebrodés. Mrs Kapoor se décida sans la moindre hésitation pour un sari en crépon bleu avec une bordure de brocart. Puis un autre en tussor, d'un vert bouteille presque noir, brodé d'or et de marron. Pendant ce temps, Ramchand, embarrassé, restait assis par terre, avec l'impression d'être exclu, inutile.

Les quelques questions posées le furent par Mrs Kapoor, qui se révéla être une experte en matière de tissus. Ramchand fit de son mieux pour y répondre sans se montrer trop nerveux. Il y avait quelque chose d'impitoyable dans la manière dont les deux femmes s'emparaient d'un sari, l'examinaient d'un œil froid, détaillant la bordure et le *pallu*, avant de tâter le tissu entre le pouce et l'index, et, une lueur dure dans le regard, de se décider. Sans tergiverser, sans l'ombre d'un doute.

Vers la fin de la séance, une jeune fille d'environ dix-neuf ans entra dans la pièce. Jean noir, cheveux coupés très court, vitalité pleine d'assurance, une voix encore plus rauque que celle de sa sœur.

« Rina Didi, je vais nager un moment, dit-elle en anglais. Je te retrouve chez le coiffeur, OK ?

— OK. À plus, Tina », dit Rina sans lui prêter beaucoup d'attention.

Tina était sur le point de ressortir quand elle vit les saris répandus un peu partout.

« Dites donc, à quoi vous jouez ? demanda-t-elle en s'arrêtant net. Je croyais qu'on avait acheté tous les saris dont on avait besoin chez les grands couturiers de Bombay. Qu'est-ce que vous fabriquez avec ça ?

— Tu sais quoi, Tina ? dit Rina très sérieusement, en levant les yeux sur elle. Je me suis dit qu'il fallait que je fasse très attention en achetant mes vêtements et mes bijoux. Je ne veux pas du trousseau de mariée habituel, c'est trop banal. Je veux quelque chose qui soit MOI. Un mélange de traditionnel et de contemporain. Pour ne pas donner une image figée et pouvoir changer d'apparence à volonté.

— Ouais, super, dit Tina lentement. Tu dois avoir raison. Vraiment, Rina Didi, je me demande où tu vas chercher tout ça. »

Rina sourit, avant de lui tendre un sari jaune d'or qu'elle venait de sélectionner.

« Regarde un peu celui-là. C'est une soie de l'Orissa avec de la vraie broderie artisanale palghate. Tu sais, cette boutique a des choses qui viennent d'un peu partout dans le pays. Alors je me suis dit : pourquoi ne pas ajouter quelques pièces à ma collection de Bombay ?

— Waou ! il a vraiment l'air *cool*, dit Tina en examinant le sari. J'ai bien envie de voir les autres. Vous auriez pu m'appeler, quand même.

— Tu exagères, dit affectueusement Rina à sa jeune sœur. Tu n'avais qu'à pas te lever si tard. Mais rassure-toi, on les regardera ensemble ce soir, d'accord ?

— OK, super. Je vais juste piquer une tête dans la piscine et, après, direct au salon de coiffure. Et tu me retrouves là-bas, OK ? demanda Tina en lui tendant le vêtement.

— Pas de problème », dit Rina en revenant aux saris.

Tina agita la main en direction de sa mère, qui hocha la tête. Puis elle tourna vivement les talons et sortit d'un pas élastique.

Par la fenêtre, Ramchand la regarda s'installer au volant de la petite voiture rouge, claquer la portière et démarrer sur les chapeaux de roue.

Les deux femmes avaient maintenant fini de passer tous les saris en revue et arrêté leur choix. Ramchand commença à faire la facture dans sa tête. Elle devait se monter à quelque chose comme quatre-vingt mille roupies.

Mrs Kapoor lui fit un geste de la main. « Apporte la facture quand tu viendras avec le prochain lot. »

Ramchand la regarda, bouche bée. Il allait se faire incendier par Mahajan. D'un autre côté, s'il indisposait les Kapoor, il se ferait incendier aussi. Il décida donc de laisser les choses en l'état, tout en se demandant pourquoi personne au magasin ne lui avait laissé d'instructions à ce sujet.

Un moment, il fut en proie à une véritable panique. Et si elles ne payaient pas ? Et si, par la suite, elles niaient avoir jamais rien acheté ? Devrait-il sortir les quatre-vingt mille roupies de sa poche ? Ses économies se montaient en tout et pour tout à trois mille quatre cent trente roupies. Puis il essaya de se raisonner. Ces gens-là possédaient des usines ; quatre-vingt mille roupies, pour eux, c'était une vétille.

Dans l'intervalle, les deux femmes avaient quitté la pièce, en parlant avec animation d'un joaillier qui devait venir leur présenter des bijoux dans une dizaine de minutes. Ramchand rassembla sa marchandise, dans un état second, tandis que Raghu attendait pour le reconduire à la porte.

L'énorme facture, le salon luxueux, la voiture rouge de Tina Kapoor, ces femmes hautaines et pleines d'assurance, les odeurs étranges de la maison des Kapoor – autant d'éléments qui l'avaient comme étourdi. C'est l'esprit confus qu'il reprit le chemin de la boutique, pédalant mollement, au rythme lent des roues de la bicyclette, la tête pleine des images de la scène qu'il venait de vivre. Il n'eut pas sitôt mis un pied dans le magasin qu'il se précipita vers Gokul.

« Gokul Bhaiya, dit-il, lui saisissant le bras dans un état d'extrême agitation.

— Ramchand ! s'exclama l'autre en se levant d'un bond. J'ai oublié de te parler de la facture. »

Ramchand faillit s'effondrer sous le choc.

« Gokul Bhaiya, dit-il avec véhémence, elle m'a dit de l'apporter plus tard. Je ne savais pas ce qu'il fallait faire. Je n'ai pas l'argent avec moi. Je n'ai pas établi de facture ni rien...

— Dieu soit loué ! l'interrompit Gokul, une expression d'intense soulagement sur le visage. Tu as très bien fait. C'est précisément ce que j'avais oublié de te dire. Mais tu as fort bien agi. J'avais tellement peur que tu te mettes à réclamer l'argent, ce qui aurait fait toute une histoire. Et Mahajan me serait tombé dessus parce que je ne t'avais pas donné suffisamment d'instructions. Bon, maintenant, va-t'en rapporter tout ça au patron. Il a la liste de tout ce que tu as emporté. Il enverra la facture à Ravinder Kapoor, qui nous fera passer un chèque. C'est comme ça que ça marche avec les gros clients. »

Ramchand en aurait pleuré de soulagement.

Il ne lui fallut pas longtemps pour rendre compte à Mahajan de sa visite chez les Kapoor et ranger les saris dont les deux femmes n'avaient pas voulu. Le patron, qui semblait satisfait de son employé, lui dit qu'il pouvait prendre le reste de sa journée : il devait être fatigué après avoir pédalé du magasin à Green Avenue et retour avec son gros ballot. « Mais ne t'attends pas à ce traitement de faveur chaque fois que tu iras chez les Kapoor, mon garçon, lui dit Mahajan quand Ramchand, tout content, le remercia. Je vais leur téléphoner. Il faudra peut-être que tu leur portes un deuxième lot demain. »

Ramchand sortit. L'air était froid, et il se passa frileusement les bras autour du torse. Les événements de la journée l'avaient jeté dans la perplexité, mais leur nouveauté l'avait aussi grandement stimulé. Le long trajet à bicyclette, le soleil et le vent, les boutiques, la résidence des Kapoor – autant d'éléments qui n'appartenaient pas à l'univers routinier qui était le sien depuis onze ans. Il avait la tête en ébullition.

Le monde était vaste, après tout. Et lui s'était encroûté dans son train-train quotidien – du magasin à sa chambre, de sa chambre au magasin...

Il suffisait de sortir de l'ornière pour voir que le monde était riche de possibilités infinies. Il y avait les montagnes d'où était originaire le petit domestique des Kapoor, et dans ces montagnes des torrents qui avaient la fraîcheur de la voix du garçon. Il y avait la piscine que fréquentait Tina – peut-être ressemblait-elle à celle du film *Baazigar*, avec son carrelage bleu et son plongeoir, celle au bord de laquelle Shilpa Shetty ondulait tout en chantant, vêtue d'un corsage dos nu et d'un sari en mousseline jaune presque transparent. Il y avait la faculté où enseignait Mrs Sachdeva, et tous ces livres lus par tant de gens, il y avait les voitures, les plantes en pot, les plateaux en verre incrustés de paons. Oui, vraiment, le monde était vaste.

Il sentit l'euphorie le gagner, et sa démarche se fit plus souple. Soudain il s'arrêta et repartit dans la direction d'où il était venu. Il marchait vite, indifférent au froid maintenant, sûr de l'endroit où il allait. Il finit par atteindre le groupe de petites échoppes qui vendaient des livres d'occasion – de simples cabanes en bois, tenues par des gens qui récupéraient des vieux livres auprès du *kabaadi*, le chiffonnier, et les revendaient en faisant un petit profit. Leur stock était constitué pour l'essentiel d'anciens manuels scolaires, mais il leur arrivait d'avoir d'autres ouvrages.

Ramchand s'arrêta à la première échoppe qu'il rencontra, des piles de livres et de magazines s'amoncelaient un peu partout, à l'intérieur, sur le comptoir, et même à l'extérieur.

Il resta un moment à parcourir la cabane du regard. Il était bien décidé à acheter quelques livres aujourd'hui, mais il lui fallait les choisir avec soin. Il ne pouvait se permettre de dépenser plus de cent roupies, somme déjà conséquente pour lui.

Tout en parcourant, non sans mal, les titres des livres exposés, il repensa à son certificat de fin d'études, qui se trouvait au fond de sa malle en fer-blanc dans une pochette en plastique verte et que personne n'avait jamais demandé à voir…

Aujourd'hui, il avait oublié presque tout ce qu'il avait appris et, en essayant de déchiffrer les titres, il se rendit compte qu'il ne savait pratiquement plus lire. Pourtant il n'était pas mauvais en classe la dernière année. Pas vraiment bon, mais pas mauvais non plus. Il faisait toujours de son mieux pour ne pas penser à l'école, au jour où il l'avait quittée… ni à aucun moment de son enfance d'ailleurs… Mais, aujourd'hui, rien n'aurait pu l'arrêter.

Il releva le menton d'un air décidé, plissa les yeux et s'appliqua à déchiffrer les titres. *Correspondance usuelle*, réussit-il à lire à haute voix, ce qui le combla d'aise. C'était exactement ce qu'il lui fallait. Ce serait un excellent entraînement non seulement à la lecture, mais aussi à l'écriture et à la communication.

« Combien, celui-là ? demanda-t-il au boutiquier.

— Trente roupies », dit l'autre d'un ton brusque.

Rassuré, Ramchand se saisit joyeusement du livre. Puis il passa les autres en revue. *Dictionnaire médical*,

Le Maire de Casterbridge, Maigrir en trente jours, Les Hauts de Hurlevent. Ces titres ne lui disaient rien. Il porta son attention sur les ouvrages d'une autre pile. *La Cuisine indienne végétarienne, Manuel de physique pour classes de terminale, Feng-shui : les clés du bonheur*.

Perplexe, il s'adressa à nouveau au marchand :

« Vous avez l'autobiographie du Mahatma Gandhi ?

— Non, répondit l'autre, occupé à surveiller un lézard qui détalait le long du mur. Allez, dehors », dit-il, faisant claquer un chiffon dans sa direction.

C'est alors que Ramchand tomba sur le titre *Pages immortelles – pour écoliers de tous âges*. À nouveau, son cœur bondit dans sa poitrine.

« Il fait combien, celui-ci ? » demanda-t-il, en montrant l'ouvrage du doigt, sur un ton qui se voulait désinvolte. Si le boutiquier se doutait de son intérêt, il ne manquerait pas d'annoncer aussitôt un prix prohibitif.

« Cinquante roupies.

— Cinquante ! s'exclama Ramchand, outré.

— Cinquante », répéta l'autre, le visage dur, la voix ferme.

Au bout d'un long marchandage, on se mit d'accord sur soixante-dix roupies pour les deux. Ramchand paya avec un billet de cent et attendit sa monnaie. Tandis que le marchand fouillait dans son tiroir, il feuilleta les livres autour de lui, simplement pour avoir un aperçu. Et alors il découvrit que, même s'il s'était entraîné en déchiffrant les enseignes en anglais et en essayant de lire les pages de journal dans lesquelles Lakhan enveloppait ses *pakoras* quand on ne les mangeait pas sur place, il ne comprenait pratiquement rien à ce qu'il lisait. Il demanda donc, l'air déconfit : « Vous n'auriez pas par hasard un dictionnaire anglais d'occasion pas cher ? »

Le boutiquier sortit un vieil exemplaire hors d'usage de l'*Oxford English Dictionary* et le lui tendit.

Ramchand prit le gros volume avec révérence et demanda :

« Combien ?

— Quarante, dit rapidement le vendeur.

— Quarante roupies ? Pour ça ? dit Ramchand, brandissant l'ouvrage aux pages écornées.

— Oui, fit l'autre d'un ton sans réplique. Il y a tous les mots dedans, vous savez. »

Ramchand avait dépensé dix roupies de plus que prévu, mais il n'en avait pas moins le cœur content en rentrant chez lui, les livres précieusement serrés contre sa poitrine.

Il était armé pour le combat maintenant. Il n'avait rien fait d'aussi important depuis des lustres. S'enhardissant encore, il s'arrêta en chemin dans une papeterie où il acheta un flacon d'encre Camlin Royal Blue, un stylo et un carnet. Un instant, il faillit même se procurer du blanc de chaux pour les murs de sa chambre, mais recula devant la perspective de dépenser tant d'argent en une seule journée.

En arrivant chez lui, il se sentait un autre homme.

6

Ramchand posa le paquet de livres et le sac en plastique bleu de la papeterie sur son lit et parcourut la pièce du regard. Celle-ci était dotée de deux fenêtres, dont l'une donnait sur la rue étroite et animée, et l'autre sur une cour intérieure. Pour lui, elles étaient aussitôt devenues la fenêtre de devant et la fenêtre de derrière, et ce dès le jour où il avait vu la chambre pour la première fois.

La pièce contenait déjà un *charpai* et une table quand il l'avait louée. En dehors de ces deux meubles, accrochée au mur, une affiche encadrée, laissée là par le précédent locataire, représentait un cottage au toit de chaume avec de jolies fenêtres en bois, dont Ramchand n'avait jamais vu l'équivalent dans la réalité, un rosier grimpant au-dessus de l'entrée, ainsi qu'une cheminée et une allée de pavés ronds, et, au fond, un beau ciel bleu et de hautes montagnes couvertes de neige. Dans le coin, en bas à droite, figurait une inscription : « Là où est ton cœur est aussi ta maison. »

Ramchand ne s'était jamais donné la peine d'enlever l'affiche, qui était là depuis onze ans. Il en avait mémorisé jusqu'au moindre détail – les deux petites marches en pierre qui menaient à la porte d'entrée, le motif du rideau pendu à la fenêtre, le dessin du toit de chaume. Les roses rouges qui grimpaient sur la façade étaient un peu passées, et le ciel bleu avait perdu de son éclat, mais l'affiche était toujours là.

Au cours de ces onze dernières années, Ramchand avait fait l'acquisition d'une chaise, d'un tabouret bas, de deux seaux et d'une chope, de deux boîtes à savon en plastique – l'une pour le savon de toilette, l'autre pour le savon noir –, d'un paillasson et d'une petite glace à suspendre au mur, qui avait l'air très vieille. Il se disait depuis longtemps qu'il devrait mettre des rideaux aux fenêtres, mais, faute d'argent, ne l'avait jamais fait.

Les repas qu'il se préparait dans un coin de la pièce où se trouvait un réchaud et quelques ustensiles de cuisine étaient simples. Il s'en tenait le plus souvent au *daal* et au riz, arrosés d'un verre de thé. Il lui arrivait de temps en temps d'acheter les légumes les moins chers qu'il trouvait sur le marché et de les couper avant de les verser pêle-mêle dans la casserole où il faisait cuire le riz. Ses ambitions culinaires se bornaient là.

Il avait une poêle, deux assiettes en fer-blanc, deux gobelets, quelques cuillères, une louche et un couteau. Quand il devait les nettoyer, il lui fallait les mettre dans un seau pour aller faire sa vaisselle dans la salle d'eau. Même s'il n'avait besoin que de rincer un couteau pour couper ses légumes. Les premiers temps, le sol de la pièce était constamment mouillé. Les ustensiles gouttaient quand il les ramenait dans la chambre après les avoir lavés, et ses *chappals* en caoutchouc laissaient des marques humides par terre. D'où le paillasson.

Son lit était près de la fenêtre de devant. Face à la fenêtre de derrière, presque au ras du sol, il avait placé sa malle, qu'il avait recouverte d'un morceau de tissu. Il s'asseyait souvent là pour regarder par la fenêtre ouverte la lessive qui s'agitait dans le vent en bas dans la cour, la lessive frottée et rincée par les jolies mains de Sudha, l'épouse du propriétaire.

La pièce qu'il parcourut du regard ce soir-là lui fit l'effet d'être à l'abandon. C'était donc là son univers, se dit-il avec dégoût. Pas étonnant qu'il se soit laissé enfermer dans cette terrible routine. Magasin, chambre, chambre, magasin, jour après jour...

Pris d'un brusque accès d'énergie, Ramchand se débarrassa à la hâte de ses habits neufs pour enfiler une vieille *kurta*-pyjama, puis s'empara d'un balai rarement mis à contribution et se mit à nettoyer le sol, profitant de l'occasion pour enlever les toiles d'araignée qu'il pouvait atteindre, sur les murs et au plafond. Il poussa toutes les balayures jusqu'à la porte et examina son butin avec intérêt. Une araignée récemment délogée détala à toute allure. En dehors de la poussière et des toiles d'araignée, il y avait de la bourre de laine abandonnée par sa vieille couverture, des cheveux, des grains de riz qu'il avait dû éparpiller en ouvrant ou en fermant le bocal et des petites crottes de lézard, pareilles à des larmes noires. Il rassembla ces minuscules fragments et les mit dans un sac en plastique qu'il jetterait sur le tas d'ordures en se rendant au travail le lendemain.

Puis il remplit d'eau un vieux seau, y trempa une serpillière et frotta vigoureusement le sol, indifférent à l'humidité glacée qui lui raidit les doigts.

Ensuite, il débarrassa la table, enlevant un pot de mangues au vinaigre, des bocaux de riz et de lentilles, un flacon d'huile de noix de coco Parachute pour les cheveux, un tube jaune vif de Burnol, un pot de baume Zandu contre la douleur *(Zandu balm, Zandu balm, peedahari balm. Sardi sar dard peeda ko pal mein dur kare. Zandu Balm, Zandu Balm)*, ainsi que quelques vêtements éparpillés çà et là. Il épousseta la table, s'envoyant de petits nuages de poussière dans la figure, avant de la nettoyer avec un chiffon mouillé. Les ronds graisseux laissés par les pots et bocaux divers disparurent. Afin de parachever son œuvre, Ramchand étala par terre dans un coin le vieux journal où on lui avait emballé ses vêtements neufs, y disposa tous les pots en deux rangées bien alignées, les plus grands derrière, les plus petits devant. La table se retrouva vide et propre.

Puis, tout heureux de cet acte d'ordre vertueux, il rapprocha la table du lit, de manière à pouvoir s'asseoir pour écrire et se trouver ainsi juste en dessous de l'ampoule accrochée au plafond.

Cela fait, il put enfin sortir ses livres et se mettre au travail, non sans difficultés.

Il commença par la *Correspondance usuelle*. À sa consternation, il constata qu'il avait les plus grandes difficultés, notamment avec les mots de plus de quatre lettres. Quand il réussissait, au prix d'efforts surhumains, à assembler les lettres et à reconstruire un mot, il n'était en général guère plus avancé, car le sens lui échappait.

La recherche d'un terme difficile dans le dictionnaire lui prenait un temps fou, et certains des sens proposés lui demandaient autant d'application que le mot lui-même.

Ramchand fut soudain pris d'un tel découragement qu'il faillit en pleurer. Il resta assis à fixer d'un œil vide les pages ouvertes et à se demander s'il n'avait pas tout simplement gaspillé son argent en achetant ces livres. Serait-il jamais capable de lire, d'écrire ou de seulement comprendre, même très imparfaitement, l'anglais ? Mais au bout d'un moment, à mesure que les bruits nocturnes se faisaient plus rares et que la lune montait plus haut dans le ciel, il se remit au travail avec une énergie inhabituelle chez lui, lisant de manière hésitante, inscrivant des mots simples dans son nouveau carnet, la tête légèrement douloureuse à force de concentration. Il s'endormit à deux heures du matin, la joue posée sur le gros dictionnaire.

Le lendemain était un dimanche. Ramchand se leva sans avoir rien perdu de sa résolution, bien décidé à ne pas se laisser distraire. Après une douche et un petit déjeuner de bananes et de thé, il se remit à son labeur. Il resta enfermé tout le jour à travailler sur ses livres, ne s'accordant qu'une courte pause l'après-midi, le temps de préparer un *khichdi*, où il mit tous ses restes, mais qui se révéla si insipide qu'il dut l'avaler à grand renfort de mangues au vinaigre. Puis il retourna à ses livres. Le soir venu, il constata qu'il arrivait au moins à déchiffrer les mots, même s'il avait du mal à les comprendre. Avec la pratique, son savoir oublié lui revenait, du moins partiellement.

Pourtant, même après avoir élucidé le sens des mots d'une lettre et l'avoir lue en entier, il resta perplexe. Il avait ouvert le livre au hasard sur une « Lettre d'invitation à une amie pour un voyage d'agrément », dans la section « Invitations et leurs réponses ». Le mot « amie » l'avait fait rougir, mais il avait bravement commencé :

The Grey Towers
Littlebourne,
Kent

1ᵉʳ juillet 19 –

Chère Peggy,
Voudrais-tu venir faire un petit voyage d'agrément avec nous ? George est très fier de la voiture qu'il vient d'acheter et nous avons l'intention d'aller visiter

95

le pays de Galles. Si tu es libre – et nous serions tellement heureux que tu puisses te joindre à nous –, nous serions quatre, toi, George et moi-même, et mon frère Frank. Nous devrions former un agréable petit groupe. Nous envisageons de partir d'ici au premier du mois prochain. George a l'intention de préparer un itinéraire, susceptible d'être modifié si l'un d'entre nous a des suggestions à faire. Peux-tu me dire quel jour tu penses arriver ?

Affectueusement à toi,

Phyllis.

Finalement, il ne s'agissait pas d'une petite amie, se dit Ramchand, mais de l'amie d'une autre fille. En dehors de cela et de la dernière phrase – « Peux-tu me dire quel jour tu penses arriver ? » –, parfaitement claire, il ne comprit pas grand-chose. Il lui avait fallu pratiquement toute la journée pour venir à bout de cette seule lettre. Ramchand inspira un bon coup et s'attaqua à la suivante, qui constituait une réponse à la précédente :

Middle Cloisters,
Canterbury

3 juillet 19 –

Chère Phyllis,
Quelle merveilleuse idée ! Et comme c'est gentil à toi de me proposer de vous accompagner ! Rien n'aurait pu me faire davantage plaisir ! Mais dis bien à George de se débrouiller pour mettre de bonne humeur le préposé aux conditions météorologiques ! De quel genre de vêtements aurai-je besoin, et combien de temps devrions-nous rester partis ?

J'aimerais beaucoup voir Caernarvon et Bettws-y-Coed ; mais il y a tant de jolis coins au pays de Galles que je serais tout à fait heureuse d'adopter votre itinéraire. Je suppose de toute façon que vous avez l'intention de visiter Tintern, Chepstow et Raglan. Cela te conviendra-t-il si j'arrive chez toi le 28 ?

Bien à toi,

ta Peggy, folle de joie.

Ramchand était de plus en plus perplexe. La seconde lettre lui avait pris trois heures. Dehors la nuit était tombée, et il avait la nuque toute raide.

Il lui avait fallu pratiquement toute sa journée du dimanche pour déchiffrer ces deux lettres, et maintenant qu'il y était enfin parvenu, elles n'avaient pour lui ni queue ni tête. D'après ce qu'il croyait comprendre, Phyllis, Peggy, George et Frank étaient des prénoms, si bizarre que cela puisse paraître. Aucun doute là-dessus, « chère Peggy » signifiait forcément que Peggy était une personne. Mais qu'est-ce que pouvait bien être un « voyage d'agrément » ? « Voyage », passe encore, mais « agrément » ? Peu désireux de renoncer, il essaya de se concentrer au maximum, avant de faire une nouvelle pause et de se préparer du thé, qu'il but, accroupi, à côté du poêle. Il revint ensuite à ses lettres mystérieuses et souligna « Caernarvon », « Tintern », « Chepstow » et « Raglan ». C'étaient là les mots difficiles qu'il avait vainement cherchés dans le dictionnaire. Quant à « Bettws-y-Coed », il n'insista pas, convaincu qu'il s'agissait d'une faute d'impression.

Une fois qu'il eut saisi la dernière ligne, « ta Peggy, folle de joie », il la trouva très drôle.

Il restait qu'il n'avait toujours pas vraiment compris l'essentiel de ces deux missives. Mais il était maintenant trop fatigué et décida d'aller faire une longue promenade avant de se remettre au travail. Il s'en tint au livre de correspondance, réservant les *Pages immortelles* pour plus tard, estimant qu'il ne ferait que se compliquer la tâche s'il commençait tout en même temps. Il releva soigneusement dans son carnet neuf, à l'aide de son stylo neuf, tous les mots et expressions qu'il ne comprenait pas et ceux qu'il voulait conserver en mémoire.

7

« Hmmm... la la la la a... hmmm, oh ho o o o... »

Ainsi fredonnait Ramchand en route pour le travail, ce lundi matin. Sa vie était maintenant sur la bonne voie, là où elle devait être. Il avait meilleure allure et se sentait mieux, après ce week-end passé à essayer d'apprendre. Il n'avait pas perdu son temps à traîner dans les salles de cinéma ou à rester couché, déprimé sans trop savoir pourquoi. Il avait même trouvé le moyen de prendre de l'exercice et de s'aérer en allant faire sa longue promenade.

C'était ça, la force de caractère. Voilà comment il fallait vivre. Le monde était vaste, immense. Il n'y avait pas de limites à ce qu'on pouvait entreprendre.

Aujourd'hui, Ramchand était censé apporter un autre lot de saris chez les Kapoor, même si, en ce moment, le magasin ne pouvait guère se passer de l'un quelconque de ses vendeurs. C'était en effet l'époque de l'année la plus propice aux mariages, et les affaires marchaient si bien que personne n'avait un instant de répit, pas même Hari.

On ne pouvait cependant traiter les Kapoor à la légère, et c'est pourquoi Ramchand repartit en sifflotant sur le vélo de Gokul, avec un nouveau ballot de saris pour la future mariée. Cette fois-ci il portait de vieux vêtements car il ne pouvait s'en permettre de nouveaux à chaque visite, mais il était propre et avait fait des efforts de présentation.

Une fois encore, il s'attarda du côté des marchands de livres. Il resta près d'une demi-heure devant un kiosque à thé à boire du *chai* et à observer les passants. Il s'abstint toutefois de jus d'orange. Habits neufs, livres, stylo, encre, carnet... il allait devoir se montrer un peu plus économe à l'avenir.

Il finit par arriver chez les Kapoor. On l'introduisit à nouveau dans le salon à l'immense tapis. Raghu vint lui dire qu'il lui faudrait patienter un moment : madame mère recevait un joaillier, et la jeune *memsahib* était au téléphone. Ramchand hocha la tête et s'abandonna à ses pensées. Raghu sortit, laissant la porte de communication ouverte.

Ramchand n'avait nullement l'intention d'être indiscret, mais la jeune femme parlait suffisamment fort pour qu'il entende. Peut-être le croyait-elle incapable de comprendre l'anglais. Il était certes loin de tout saisir, mais n'en réussissait pas moins à capter certaines bribes.

Cette voix rauque et inhabituelle pour lui, Ramchand la trouvait particulièrement séduisante. « Franchement, chéri, je ne suis pas comme les autres filles d'Amritsar, était-elle en train de dire. Je les trouve tellement gourdes par moments, tellement satisfaites de la petite vie médiocre qu'elles mènent. Je n'imagine pas une seconde avoir un jour une vie comme la leur. J'aime lire, je suis curieuse de tout, je tiens à ce que chaque jour m'apporte une expérience nouvelle. Tiens, par exemple, en ce moment, j'ai un crétin de *sari-wala* et un voleur de joaillier qui m'attendent, mais non, je préfère penser à autre chose. Je conçois la vie comme une aventure et, quand on explore la vie, c'est soi-même qu'on explore. Comme tu le sais, mon père est tellement riche que je n'aurai jamais besoin de travailler. Ce qui ne m'a pas empêchée de passer ma maîtrise de littérature anglaise et d'être reçue première ! Je suis quelqu'un de créatif. Mon esprit ne peut pas rester inactif, et je ne saurais me satisfaire de ce genre de médiocrité. Bien sûr, j'aime les beaux vêtements, les bijoux, la vie facile et le confort, parce que, après tout, regarde un peu la famille à laquelle j'appartiens. Mais il y a autre chose dans la vie. Tout ça n'est qu'un moyen, pas une fin en soi. »

Il y eut une pause, pendant laquelle elle sembla écouter ce qu'on lui disait à l'autre bout du fil.

« Exactement ! finit-elle par exulter. C'est exactement ce que je ressens. J'ai une âme, moi. Je suis une créatrice. En fait, poursuivit-elle, hier j'ai encore écrit un poème. Un de ceux dans lesquels j'exprime le vrai sens de la vie. Et sais-tu à quel moment je l'ai écrit ? Pendant qu'un type qui était venu me faire voir des bracelets en cristal attendait dehors. Il fallait que ça sorte, là, dans l'instant. Les bracelets pouvaient attendre, il fallait absolument que j'enclenche le processus créatif. »

Nouvelle pause. Puis Ramchand entendit à nouveau sa voix.

« Pour tout te dire, j'envisage même sérieusement d'écrire un roman. Un type de Delhi qui est venu participer à un colloque à l'université, m'a dit que j'avais incontestablement du talent. Et Mrs Sachdeva elle-même, qui enseigne ici, s'est montrée, elle aussi, très encourageante. »

Elle s'arrêta et sembla écouter son interlocuteur.

« Ah, je suis heureuse d'entendre que tu es prêt à me soutenir. Quand mon père a appris que j'aimais un militaire, tout officier que tu sois, je peux te dire qu'il n'était pas ravi. Il avait toujours dit à ses amis : "Quand ma fille se mariera, on en parlera dans toute la ville." Mais j'ai fini par le convaincre. Je ne suis pas de ces filles qui se contentent d'épouser un homme riche et d'aller à des réunions de dames patronnesses. D'ailleurs j'ai bien assez d'argent comme ça. »

Nouvelle pause, plus longue cette fois-ci.

« Salut, mon chou, il faut que j'y aille. Je t'aime, tu sais. Je n'arrive pas à croire qu'on va se marier. Le temps me dure qu'on soit enfin seuls tous les deux. »

Un déclic, puis le silence.

Ramchand était toujours assis, immobile, essayant de digérer la conversation. De ce qu'il en avait compris, une chose ressortait clairement : elle l'avait traité de « crétin de *sari-wala* ».

Il réfléchit un instant. Peut-être pareille appellation était-elle due à la nervosité qui précède tout mariage, se dit-il, charitable. Et cette période devait être particulièrement pénible pour une personne comme elle, si différente, si sensible. Il hésitait entre deux sentiments contradictoires, la rancune à l'égard de quelqu'un qui avait parlé de lui en termes insultants et le plaisir à l'idée qu'elle essayait de se trouver. « Exprimer le vrai sens de la vie » : voilà qui sonnait bien, même s'il n'était pas très sûr de ce que signifiait au juste « exprimer ».

Quand elle entra, il lui jeta un coup d'œil circonspect. De son côté, elle ne lui accorda pas un regard. Sa mère entra à sa suite, et, bientôt, elles étaient toutes les deux plongées dans les saris, progressant dans l'énorme pile avec l'avidité et l'efficacité dont elles avaient fait montre la veille.

*
* *

La conversation de Rina sur l'écriture et l'« expression » encore fraîche à l'esprit, Ramchand décida de se mettre aux *Pages immortelles* le soir même. Contrairement à la *Correspondance usuelle*, ce livre était l'œuvre d'une Indienne *(Shalini, MA English, B. Ed.)* et s'adressait aux élèves de collège et de lycée, aux étudiants de première et deuxième années d'université, et aux candidats aux examens de la fonction publique. Il fut ravi de découvrir que l'ouvrage, bien qu'il se présentât comme un livre d'essais, contenait également à la fin quelques lettres.

Il commença par un écrit destiné aux jeunes écoliers et intitulé « Le mendiant indien ».

Le mendiant est une figure connue de notre pays. On le trouve devant les lieux de culte, les arrêts de bus, sur les marchés, dans la rue, etc. Il en existe en Inde des centaines de variétés. Certains sont aveugles. Comme ils ne peuvent pas voir ni travailler, ils se mettent à mendier. Ces mendiants-là méritent pleinement notre pitié. Il y a également des estropiés et des lépreux, eux aussi incapables de gagner leur vie. En revanche, on trouve une autre catégorie de mendiants, des hommes jeunes et costauds, qui ont tout simplement choisi la mendicité comme profession. Sans compter ceux qui se donnent des allures de *sadhus*, mais qui n'en sont pas. La plupart de ces mendiants-là sont des ivrognes, des pêcheurs et des voleurs.

Ramchand sortit épuisé de ces quelques lignes. Il entreprit néanmoins de relire lentement le paragraphe. Ce qu'il fit sans s'arrêter une seule fois. Il en conçut un immense orgueil. Il venait de lire un paragraphe entier en anglais et avait tout compris. La langue était beaucoup plus simple que celle de la *Correspondance*. Mais s'il était heureux de sa performance, le texte, lui, l'avait mis mal à l'aise. Et il se dit que s'il était appelé à rencontrer Shalini *(MA English, B. Ed.)*, il ne l'aimerait sans doute guère.

Ce soir-là, avant de se mettre au lit et d'enfiler ses chaussettes de nuit bleues trouées au bout, Ramchand chercha « exprimer » dans son dictionnaire. Le mot avait une dizaine de sens différents, (sans compter toute la série du type « train express » et « voie express[1] »).

Il lui fallut un bon quart d'heure pour comprendre ce qu'avait voulu dire Rina. « Exprimer : faire connaître un sentiment, une pensée par le langage. »

Puis il tomba sur « s'exprimer », qui signifiait « se faire comprendre par le langage ».

Et soudain, tout devint clair.

Il était bien placé pour savoir à quel point c'était compliqué.

---

1. « Exprimer » : *to express* en anglais *(NdT)*.

8

Quelques jours passèrent. On fit savoir à Ramchand qu'il n'avait plus besoin pour l'instant d'aller chez les Kapoor. Si ces dames voulaient voir d'autres saris, on l'avertirait en temps utile. Il était le plus souvent distrait au magasin et passait son temps libre à éplucher le livre d'essais. Depuis qu'il avait eu ces problèmes avec l'échange Phyllis/Peggy sur le voyage d'agrément, il se méfiait un peu de l'ouvrage sur la correspondance. Il n'en poursuivait pas moins la lecture assidûment, quoique avec circonspection, prenant des notes dans son carnet et cherchant les mots inconnus dans le dictionnaire.

Une nouvelle idée lui était venue, qu'il estimait être la plus brillante qu'il eût jamais eue. S'il commençait au début du dictionnaire à la lettre A et qu'il apprenne le sens de chaque mot jusqu'à la lettre Z, il connaîtrait un jour, et pour toujours, la totalité de la langue anglaise. L'idée était tellement renversante qu'elle lui coupa le souffle. Il se demanda si les grands esprits y avaient jamais pensé. C'était une tâche de très longue haleine, évidemment, mais rien n'était impossible.

Il entreprit donc de consacrer tous les soirs une demi-heure, après en avoir fini avec les essais et pataugé, toujours aussi perplexe, dans les lettres, à apprendre des mots nouveaux et leurs sens. Il ne s'était pas attendu à

ce que la lettre A puisse être aussi un mot, pourvu apparemment d'une infinité de sens, et décida de le sauter.
En l'espace de six jours, il était passé d'« abaque » à
« altitude », consacrant tous ses moments de liberté au
dictionnaire. Il continuait même à marmonner les mots
au magasin. Une fois retombé l'enthousiasme du début,
il ralentit cependant l'allure et adopta un rythme plus
mesuré.

*
* *

Le soir, Ramchand s'asseyait à sa table et travaillait,
car les jours étaient courts en hiver et il faisait déjà nuit
quand il rentrait de la boutique. Mais, le dimanche, il
ouvrait ses fenêtres et s'installait sur sa malle devant la
fenêtre de derrière pour lire. De là, il voyait non seulement la cour du propriétaire, mais aussi son salon et
sa cuisine. Il y avait également deux petites chambres
et une salle d'eau, mais elles se trouvaient à l'arrière de
la maison et restaient cachées à sa vue.

Il aimait observer Sudha quand elle travaillait dans
la cuisine. Cela faisait onze ans qu'il la voyait là, d'un
bout à l'autre de l'année, suant et soufflant au-dessus
du poêle en plein été ou préparant joyeusement du thé
parfumé au gingembre les jours d'hiver. Il l'avait regar-
dée découper du *paneer* en petits carrés bien réguliers,
peler des pommes de terre, hacher du gingembre,
ébouter des haricots verts, piler des épices dans un petit
mortier en pierre, pétrir la farine pour faire des *chapatis*, remuer le *daal* et divers currys, faire bouillir du lait
dans un grand *pateela* en métal et frire des *pakoras* pour
toute la famille certains soirs. Parfois, il la voyait faire
le ménage dans le salon. C'était une ménagère conscien-
cieuse, qui époussetait régulièrement le poste de télévi-

106

sion, changeait le plaid sur la banquette une fois par semaine et secouait la nappe tous les jours.

Quand le jeune Ramchand, âgé de quinze ans, avait loué la chambre, le propriétaire venait tout juste de se marier. Sa jeune épouse était mince, avec un visage en forme de cœur, quelque peu gâté par un nez camus. Même si elle n'était pas très belle – en dehors du nez, elle avait le cou un peu court et les yeux trop rapprochés –, pour Ramchand c'était la femme la plus séduisante qu'il eût jamais vue. Elle lui souriait et lui faisait un petit signe de tête chaque fois qu'elle le voyait.

La jeune mariée qu'elle était portait des saris chatoyants qui laissaient son joli ventre nu. À d'autres moments, c'étaient des *salwaar kameezes* brodés, avec des *chunnis* pailletés aux couleurs vives. Elle avait de longs cheveux qu'elle coiffait le plus souvent en un chignon lâche et dont la raie était colorée de *sindoor*. Un *bindi* rouge sur le front, du khôl autour des yeux et des boucles d'oreilles en or en forme de fleurs complétaient sa tenue. Ramchand était fasciné par le spectacle de cette femme.

Elle s'appelait – comme il l'apprit un matin où le propriétaire lui criait de se presser un peu pour lui apporter son thé – Sudha.

Ce dernier, qui avait une petite affaire, partait travailler tous les matins sur le scooter Bajaj bleu que lui avait apporté sa femme en dot. Tous les soirs, avant son retour, Sudha se lavait, se parfumait et se faisait une coiffure compliquée à l'aide d'un tas de pinces de toutes les couleurs.

Ramchand rentrait souvent un peu avant le propriétaire, et il n'avait pas sitôt pénétré dans la chambre qu'il ouvrait la fenêtre de derrière, plein d'une expectative tranquille.

Et là, dans la cour, il lui arrivait de l'apercevoir, rentrant la lessive, son bracelet de cheville en argent tintant à chacun de ses pas. Ou assise, jambes croisées, un *thali* sur les genoux, occupée à trier du riz ou à découper du gingembre et des oignons.

Les premiers mois de son mariage, elle avait porté aux poignets les anneaux en ivoire traditionnels des jeunes mariées. Par la suite, elle les avait enlevés, pour les remplacer, au poignet droit, par un épais bracelet en or à têtes d'éléphants, la trompe levée haut en guise de salut. Elle ne l'ôtait jamais, et deux chaînettes dorées retenaient accroché le bracelet lisse à l'éclat chaud, une des extrémités bien enfoncée entre les deux trompes.

Quand elle avait les mains et les avant-bras mouillés après avoir fait la lessive ou la vaisselle, le bracelet luisait sur sa peau humide et dorée.

À l'autre poignet, elle portait des bracelets en verre coloré qu'elle changeait tous les jours pour les assortir à la couleur de ses vêtements et qui tintaient au moindre de ses gestes. Lorsqu'elle préparait des légumes ou triait du riz, des mèches de cheveux se détachaient de son chignon, qu'elle repoussait d'un geste impatient en les passant derrière ses oreilles.

Parfois, elle s'asseyait dans la cour sur le *charpai* pour se couper les ongles des orteils, complètement absorbée par sa tâche, qu'elle accomplissait, de l'avis de Ramchand, à la perfection. Il arrivait que le *pallu* de son sari ou son *chunni* glisse tandis qu'elle se penchait sur sa besogne, et c'était alors Ramchand qui s'absorbait dans la contemplation de la naissance de sa gorge, cet endroit où ses chaînes et ses colliers reposaient sur la peau tiède.

Le dimanche matin, elle lavait ses longs cheveux avec des shampooings aux essences naturelles de fruits, *amla* et *reetha*. Puis elle s'asseyait au soleil pour les faire sécher, son corsage humide lui moulant le dos, démêlant les épaisses boucles de ses doigts fins, tandis qu'à côté son mari lavait consciencieusement son scooter, les jambes de son pyjama remontées jusqu'aux genoux.

Dans ses moments de loisir, Ramchand avait commencé à fantasmer sur la jeune femme. Las ! Sa connaissance du corps féminin était réduite à l'extrême. Il en avait glané les rudiments dans les magazines pornographiques sous plastique vendus sur le trottoir près de la gare routière. On y voyait de mauvaises photos d'Occidentales déshabillées, s'ébattant dans la mer ou agenouillées, le regard aguichant. Ramchand avait même vu une fois, dans un magazine en couleurs étranger vendu d'occasion, des femmes qui n'étaient pas tout à fait nues, mais presque, dont les lèvres brillaient de rouge et dont les cheveux étaient d'un vermillon ou d'un doré tout à fait improbables. Mais il ne tombait que rarement sur ce genre de revues et devait le plus souvent se rabattre sur celles qui proposaient leurs mauvaises photos en noir et blanc. Dans la dernière en date, il avait vu la photo d'une femme blanche nue aux seins énormes, fixant l'appareil d'un œil vide, debout au bord d'une piscine, les jambes légèrement écartées.

Ce n'était pas une tâche facile pour lui que de passer de la sage silhouette de Sudha dans ses saris colorés aux créatures dénudées des revues pornographiques, mais il y parvenait, tant bien que mal.

Des femmes, il en rencontrait beaucoup au magasin, où l'atmosphère était pétrie de féminité, mais seule la vue de Sudha, entièrement vêtue et occupée à des tâches ménagères, arrivait à l'enflammer vraiment.

Il y avait un robinet dans la cour qui servait à la jeune femme à faire la lessive. Il adorait la voir relever son sari ou le *pauncha* de son *salwaar*, et s'accroupir pour frotter et rincer calmement le linge. Elle avait toujours l'air si paisible, si tranquille, et semblait tellement différente des clientes exigeantes et des femmes du quartier qui passaient leur temps à se quereller dans les rues. Maintes fois, Ramchand l'avait déshabillée en imagination, lui caressant le ventre, la cheville, si attirante dans sa pâleur, faisant courir ses doigts dans ses cheveux, mordillant sa nuque duveteuse, déboutonnant les corsages moulants du sari, glissant la main sous sa jupe...

En s'abandonnant à ses fantasmes, il avait peur de lui manquer de respect. Pour compenser, il se montrait toujours d'une politesse extrême quand il la croisait, mais, une fois seul, n'en poursuivait pas moins ses rêveries érotiques.

Sudha n'était pas restée longtemps jeune mariée. Très vite elle avait donné naissance coup sur coup à trois enfants, deux garçons et une fille, qu'elle avait appelés Manoj, Vishnu et Alka. Ramchand ne voyait jamais les enfants jouer dans la cour sans s'étonner que cette jeune femme si mince ait pu les produire tous les trois d'une manière aussi efficace, avec le bon nombre de doigts de pied et d'oreilles, tous et toutes au bon endroit. L'aîné, Manoj, était devenu en grandissant un garçon intelligent et sarcastique qui témoignait le plus grand dédain pour le locataire de son père quand il leur arrivait de se croiser. Il n'avait pas dix ans qu'il intimidait déjà Ramchand à tel point que celui-ci, quoi qu'il eût à dire, était incapable d'affronter l'air supérieur et moqueur qu'adoptait Manoj pour s'adresser à lui. Vishnu, quant à lui, était un gamin turbulent et amical. C'était un fanatique de toutes les nouvelles chansons des films hindis qui passaient à la radio. Il se démenait comme un beau diable dans la cour, imitant tous les pas de danse de Shah Rukh Khan et de Hrithik Roshan dans leurs films. Alka, la benjamine, ressemblait à sa mère. Elle aimait bien parader et se pavaner devant la glace de la salle à manger dans sa nouvelle robe ou réciter la comptine *Baa-baa black sheep* dans la cour suffisamment fort pour que Ramchand l'entende. De sa mère elle avait les yeux, ainsi que le nez aplati. Il éprouvait une affection quasi paternelle pour la petite fille.

L'ambition que nourrissait le propriétaire pour sa progéniture ne laissait pas de surprendre Ramchand. Celui-ci l'avait toujours pris pour un être terne et sans grand intérêt. Or c'était maintenant un père énergique, dévoué, qui prenait son rôle très à cœur. Il rapportait lui-même à ses enfants des vêtements aux couleurs vives – citron vert à la Mickey Mouse ou orange fluorescent à la Garfield –, les gavait d'amandes d'un bout de l'année à l'autre et, l'hiver, d'huile de foie de morue pour les préserver des rhumes et stimuler leurs capacités intellectuelles, et les envoyait dans une école anglophone. Sa femme, elle, se contentait de préparer les repas, de faire le ménage et la lessive, sans jamais se départir de sa placidité, tandis qu'il se chargeait, lui, de l'éducation des enfants, bien décidé à les armer pour affronter le monde nouveau en train de naître – celui des professions où l'on ne parlait plus qu'anglais, des passeports, des visas et des grandes compagnies établies à Ludhiana, Chandigarh et Delhi.

Un jour où il était venu voir Ramchand pour toucher son loyer, il lui avait confié : « Cet argent que tu me donnes tous les mois, il va directement sur un compte bancaire à part. Je n'en dépenserai pas une seule roupie tant que nous n'aurons pas économisé suffisamment pour pouvoir quitter les quartiers déshérités. Mes enfants pourront alors étudier dans une école encore meilleure et devenir quelqu'un. Ils apprendront vraiment à *parler* anglais, et pas seulement à écrire des rédactions ou faire des exercices dans cette langue. Qui sait ? Peut-être même qu'ils apprendront à nager, dans une vraie piscine. »

En l'entendant, Ramchand avait eu le cœur serré au souvenir des paroles de son père se jurant d'envoyer son fils dans une semblable école.

À ce jour, la famille du propriétaire n'avait toujours pas déménagé, mais Manoj était déjà capable de chanter toute une chanson en anglais.

9

Ramchand était à nouveau assis sur le tapis du salon de la résidence Kapoor, son ballot à côté de lui. Le matin même, Mahajan lui avait fait savoir que ces dames désiraient voir quelques *lehngas* en crêpe assortis à des *chunnis* en tulle.

Mrs Kapoor et Rina venaient tout juste de s'installer, et Ramchand de déballer sa marchandise, quand Raghu, le domestique, entra pour dire :

« *Memsahib*, il y a quelqu'un qui désire voir la jeune demoiselle. Elle dit qu'elle s'appelle Mrs Sachdeva.

— Vraiment, Rina ! s'exclama Mrs Kapoor, incapable de contenir son irritation. Ces gens deviennent envahissants. Nous sommes amis avec les familles les plus influentes d'Amritsar. Nous sommes même connus de certaines grandes familles d'affaires de Delhi et, à cause de toi, voilà que des femmes ordinaires, genre professeurs ou fonctionnaires, se mettent en tête de nous rendre visite... Je me demande à quoi tu penses !

— Maman, répondit Rina en la regardant d'un œil froid, il n'y a pas que l'argent dans la vie. Tu sais, le monde est vaste, et on y rencontre des gens qui sont hautement considérés pour leur savoir ou pour ce qu'ils accomplissent. Et le respect qu'on leur témoigne n'a rien à voir avec celui dont tu parles, celui de quelques bourgeois de province, de quelques hommes d'affaires incultes. Non, le respect dont je te parle, moi, dit-elle, l'œil soudain animé, c'est celui du monde entier, du monde universitaire, du monde de la culture. La reconnaissance, au vrai sens du terme. Cela dit, je t'accorde que le plus sage, c'est de prendre le meilleur de ces deux mondes. Raghu, dit-elle, en se tournant vers le domestique, fais-la entrer et veille à nous apporter des boissons fraîches ou du thé. »

Mrs Sachdeva fit son entrée. Elle portait un sari en soie dans des tons de beige et de rouille discrets, un petit collier de perles autour du cou et deux perles minuscules en guise de boucles d'oreilles. Ses cheveux étaient ramassés en un chignon très classique. Elle s'avança vers Rina, la main tendue, et celle-ci se leva, tout sourire.

Elles se serrèrent la main.

« J'ai reçu votre invitation, chère petite, dit Mrs Sachdeva. Je suis tellement, tellement heureuse pour vous. J'étais dans le quartier et je me suis dit que je pourrais aussi bien passer vous voir pour vous féliciter.

— Merci infiniment, dit Rina. C'est très gentil à vous. »

Puis Mrs Sachdeva adressa un « *Namaste* » poli à Mrs Kapoor, laquelle répondit d'un sourire pincé.

« Alors, chère petite, comment vont les préparatifs ? » demanda Mrs Sachdeva à Rina.

Mrs Kapoor s'excusa et sortit, disant à Ramchand qu'elle reviendrait dans un moment. Et, en plus, elle fait exprès de parler en anglais, juste pour m'embarrasser en public, fulmina-t-elle intérieurement en quittant la pièce. Des gens qui n'avaient même pas une maison à eux, qui vivaient dans des logements de fonction, elle n'allait tout de même pas se déranger pour une femme de ce genre.

Ramchand attendait. Personne ne semblait seulement remarquer sa présence. Il resta donc assis sur le tapis à regarder les deux femmes qui échangeaient des plaisanteries en anglais. Il écouta attentivement. Il devait être capable de tout saisir maintenant. C'était une bonne occasion de tester ses connaissances.

Rina et Mrs Sachdeva, délivrées de la présence contraignante de Mrs Kapoor, se lancèrent dans une conversation compliquée :

« C'est vraiment épatant pour vous, Rina, et, pour ne rien vous cacher, je me réjouis que vous ne vous mariiez pas dans le milieu des affaires. Ne le prenez pas mal surtout... Ce que je veux dire, c'est qu'une fille comme vous a vraiment besoin d'un bon environnement culturel pour développer son potentiel. »

Rina pinça les lèvres. Ramchand écoutait de toutes ses oreilles. « Développer son potentiel » – il avait du mal à suivre, mais il n'abandonna pas pour autant.

« Comme vous le savez, madame, dit Rina, il y a des marchands de tissu et des bijoutiers dans cette vieille ville depuis longtemps ; ils se sont établis avant la Partition, et il est bien difficile, quand on est né dans ce milieu, de renier l'esprit commerçant qui fait partie de son héritage. Il y a aussi, bien sûr, les familles de fonctionnaires. Ils nous regardent de haut, nous autres qui avons l'argent mais pas la culture, et, de notre côté, nous les méprisons parce qu'ils ne sont pas riches, n'ont pas de belles maisons, même s'il faut bien reconnaître que de nos jours, entre les pots-de-vin et le reste, ils arrivent, eux aussi, à vivre sur un grand pied. La plupart ont des maisons spacieuses dans les faubourgs. Sans compter, j'imagine, des propriétés de famille. Il y a des sikhs, même parmi les plus ordinaires, qui possèdent pas mal de terres à la campagne. »

Mrs Sachdeva écoutait attentivement.

« Mais le fossé est grand entre les deux classes, continua Rina. Peut-être que, à ma manière, je cherche à le combler.

— Franchement, Rina, dit Mrs Sachdeva, en soupirant d'aise, vous êtes tout bonnement admirable. Peut-être que vous auriez encore mieux réussi dans des études d'anthropologie. Quelle objectivité dans la manière dont vous arrivez à vous situer vous-même et votre propre famille dans la société ! »

Rina eut le temps de la gratifier d'un sourire avant que Raghu entre dans la pièce avec un plateau où trônaient des tasses, ainsi qu'une coupe en verre étincelante remplie de noix de cajou grillées. Rina servit le thé et reprit la parole : « Mais littérature et anthropologie sont cousines germaines. J'espère simplement que je réussirai à faire quelque chose de ma vie. À donner un sens au monde qui m'entoure. Dans la société qui est la nôtre aujourd'hui, avec ses multiples strates, ce n'est pas chose facile. »

Ramchand avait l'impression de comprendre en partie ce qui se disait, il voyait bien, notamment, ce que pouvait être une tentative pour donner un sens au monde, mais les deux femmes s'embarquèrent ensuite dans une longue conversation où il était question de post-colonialisme, de paradigmes de pauvreté, de littérature anglo-indienne et de beaucoup d'autres choses du même genre. Il se trouva complètement dépassé. Dans la mesure où il n'arrivait plus à suivre la conversation, une tristesse mêlée de déception s'empara de lui. Mais il ne tarda pas à se consoler : après tout, il n'avait pas encore atteint la lettre P dans son dictionnaire ; quand il y serait, il y avait toutes chances pour qu'il en sache autant qu'elles sur le post-colonialisme et les paradigmes de pauvreté.

« Mon Dieu ! s'exclama soudain Mrs Sachdeva en regardant sa montre, voilà déjà une demi-heure que je suis ici. Je ne voulais pas m'attarder aussi longtemps. Et vous qui êtes en plein milieu de vos achats, à ce que je vois, ajouta-t-elle en jetant un coup d'œil à Ramchand sans reconnaître en lui le vendeur qui l'avait si souvent servie à la maison Sevak, récoltant chaque fois pour sa peine un sérieux mal de tête. J'espère que madame votre mère ne m'en voudra pas trop, dit Mrs Sachdeva, en se levant et en lissant les plis de son sari.

— Mais non, vous plaisantez. Pour ma part, je préfère de beaucoup ces visites impromptues aux invitations en bonne et due forme, la rassura Rina d'un charmant sourire. Vous serez des nôtres pour le mariage, j'espère ?

— Bien sûr, ma chère petite, dit Mrs Sachdeva, avant de poser une main sur l'épaule de Rina. Vous savez, Rina, le métier d'enseignant n'est pas toujours très gratifiant. On finit par se demander certains jours si le mal qu'on se donne en vaut vraiment la peine, mais avec des étudiants comme vous c'est un véritable plaisir. Je continuerai à vous suivre, de loin, avec le plus grand intérêt. J'espère sincèrement que vous ne laisserez pas les choses matérielles de la vie prendre le pas sur les vraies valeurs.

— Pour rien au monde ! » assura l'autre d'un ton résolu.

C'est alors que Mrs Kapoor entra. Mrs Sachdeva lui adressa un petit sourire et prit congé.

Rina adopta de nouveau l'attitude décidée et très professionnelle qui la faisait ressembler à sa mère, et les deux femmes eurent tôt fait de sélectionner les articles dont elles avaient besoin. Ramchand repartit sur son vélo, repassant dans sa tête tous les mots de la conversation qu'il avait entendue pour essayer de reconstituer l'ensemble.

*
* *

Le samedi soir, Hari fit un signe de tête et un clin d'œil à Ramchand, l'invitant à le rejoindre dans le coin le plus reculé du magasin. « J'ai trois billets pour *Kaho Na Pyaar Hai*, lui murmura-t-il, demain en matinée. Au Sangam. Ils le repassent cette semaine. Je ne sais pas pourquoi ils ne peuvent pas nous passer les films qui viennent de sortir, mais celui-là, de toute façon, je voulais le revoir. On sera trois, toi, moi et Subhash. Tu es d'accord ? »

Ramchand s'apprêtait à refuser. N'avait-il pas pris la ferme résolution de ne plus perdre ses dimanches à aller au cinéma avec Hari ? D'un autre côté, il s'était tenu à ses livres de façon très assidue ces derniers temps. Pourquoi ne pas s'octroyer un moment de détente ?

« D'accord, ça marche, murmura-t-il à Hari.

— Pour la séance du matin, reprit celui-ci, Subhash et moi, on pense aller voir *Gadar*. Celui-là, c'est un film récent et il a un énorme succès. Tu veux venir avec nous ? Le problème, c'est qu'on n'a pas encore de places. Ils passent ça à l'Adarsh. Ça fait trop loin juste pour aller prendre des billets à l'avance. Avec un peu de chance, on en trouvera en arrivant au guichet demain matin. Tu es des nôtres ?

— Deux films dans la même journée ? demanda Ramchand d'un ton hésitant.

— Et pourquoi pas ? » dit Hari, tout joyeux.

Ramchand hésita un instant, puis se rappela ses bonnes résolutions. Il savait par ailleurs que la plupart des films avec Sunny Deol étaient d'une grande violence.

« Non, non, allez voir *Gadar* tous les deux et retrouvez-moi devant le Sangam pour *Kaho Na Pyaar Hai*, d'accord ? J'irai juste voir celui-là.

— Comme tu veux, fit Hari. Mais t'es bien sûr ? Parce que *Gadar*, c'est vraiment à voir. Et puis *Kaho Na Pyaar Hai*, tu l'as déjà vu.

— C'est vrai, mais j'ai presque tout oublié. Je ne l'ai pas vu cent fois comme toi. Et puis j'aime bien les chansons. Mais *Gadar*, c'est trop violent. J'ai vu les affiches, dit Ramchand, bien décidé à passer sa matinée dans ses livres pour avoir la conscience en paix avant d'aller au cinéma l'après-midi.

— D'accord, comme tu voudras », dit Hari en haussant les épaules.

Le lendemain matin, Ramchand lava ses vêtements, fit le ménage et sa toilette avant de s'asseoir à sa table avec le livre d'essais. Il décida de s'attaquer à un essai intitulé « La science : pour le meilleur ou pour le pire ? ».

Il lisait maintenant beaucoup plus facilement.

La science a accompli de remarquables progrès. Grâce à elle, on a fait de grandes percées dans les domaines de la médecine et de la technologie. On peut désormais guérir de nombreuses maladies. On a également inventé et perfectionné beaucoup d'appareils ménagers qui facilitent l'existence quotidienne. La science a résolu nombre de nos problèmes.

Mais toute médaille a son revers.

Il se peut que la science se révèle aussi la pire des choses. C'est elle qui nous apporte la pollution et les guerres. Les sacs en plastique et les déchets toxiques de l'industrie empoisonnent notre environnement. Notre eau potable est polluée. Il nous faut donc veiller avec la plus grande attention à l'utilisation que nous faisons de la science.

Une phrase dans ce texte étonna Ramchand par sa profondeur : « toute médaille a son revers ». Une théorie peut toujours être vue sous deux angles différents. Personne ne lui en avait jamais fait la remarque. À en croire Gokul, Mahajan, Hari, Shyam, Rajesh et même le propriétaire (Chander, lui, ne lui adressait pratiquement jamais la parole), tout était toujours ou blanc ou noir. Cette nouvelle façon de voir lui ouvrit des horizons. Pour tout dire, il s'en voulait de ne pas avoir trouvé ça tout seul. Les occasions ne lui avaient pourtant pas manqué au magasin de voir un sari dédaigneusement rejeté par une femme faire l'instant d'après le bonheur d'une autre. Mais non, l'idée ne lui était jamais venue. Et quelle jolie manière de la formuler : « toute médaille a son revers ». Il n'avait jamais rencontré une expression aussi originale. Il la nota dans son carnet, d'une écriture soignée qui s'améliorait de jour en jour.

Ramchand gardait un œil sur son réveil. La séance était à trois heures. À deux heures, il se recoiffa, mit un peu d'argent dans son portefeuille pour rembourser Hari et glissa dans sa poche son pot de pommade Zandu contre la douleur, au cas où il aurait mal à la tête. Puis il verrouilla sa porte et descendit l'escalier. Le chien pouilleux qui vivait dans la rue dormait au beau milieu de l'entrée. Ramchand prit soin de l'enjamber et partit en direction du Sangam.

Les bazars étaient fermés. Les chiens errants se chauffaient au soleil. Quelques familles des banlieues nouvelles venaient en voiture dans la vieille ville le dimanche pour visiter le temple d'Or ou le temple Durgiana, avant d'aller manger, un peu plus tard, dans une des *dhabas* à la mode.

Mais devant le Sangam une foule se pressait autour du guichet, se poussant et jouant des coudes. Sur un immense panneau s'étalait une affiche où les visages de Hrithik Roshan et Ameesha Patel étaient quasiment rouge sang.

Ramchand aperçut bientôt ses amis qui faisaient de grands moulinets pour attirer son attention. Il les rejoignit au plus vite.

120

« Espèce d'idiots, leur dit-il, quelle idée d'être allés vous fourrer en plein milieu de la cohue !

— C'est toi l'idiot, lui dit Hari, si tu crois qu'on l'a fait exprès. Les gens nous ont encerclés petit à petit et on s'est retrouvés coincés. »

Ils éclatèrent de rire, se traitèrent joyeusement de tous les noms et s'envoyèrent de grandes claques dans le dos, créant ainsi l'atmosphère propice à une séance de cinéma réussie.

« Heureusement que nous avons les billets, dit Ramchand en voyant la marée humaine qui assiégeait le guichet.

— Oui, dit Hari, on s'est sacrément battus ce matin pour arriver à avoir des billets pour *Gadar*.

— Ah, oui, au fait, comment c'était ? demanda Ramchand.

— *Zabardast !* s'exclama Subhash. Ce Sunny Deol, il est super, *yaar*. Je crois vraiment qu'il serait capable de démolir les Pakistanais s'il les rencontrait.

— C'est pour ça que je ne l'aime pas trop, dit Ramchand.

— Parce que toi, tu crois pas qu'il faudrait les démolir, les Pakistanais ? demanda Hari.

— Pourquoi parler du Pakistan ? répondit évasivement Ramchand. Allons plutôt voir s'ils ont commencé à laisser entrer les gens. »

C'était le cas. Tous trois pénétrèrent bientôt dans la salle obscure. Les murs étaient constellés de taches de bétel, le sol jonché de coques de cacahuètes et de paquets de chips vides. Les billets n'étant pas numérotés, on se battait pour avoir les meilleures places. Ils finirent par être confortablement installés et attendirent le début du film. Hari, qui était assis entre Ramchand et Subhash, sortit un paquet de cacahuètes, qu'ils se mirent à grignoter allègrement tout en bavardant.

Subhash et Hari posèrent les pieds sur les dossiers des fauteuils de devant, et Subhash les régala d'histoires du magasin où il travaillait :

« Un jour, une femme est venue acheter des boucles d'oreilles. Au bout d'un moment, une autre est entrée pour voir des bracelets. Et voilà-t-y pas que tout d'un coup elles aperçoivent en même temps le même abat-jour, vert bouteille avec un galon doré. Tout de suite, elles demandent le prix. Et vous n'allez pas me croire, mais quand on leur a dit qu'on n'en avait qu'un, elles se sont battues comme des chiffonniers. On ne savait plus quoi faire. Elles se sont traitées de tous les noms, j'avais peur qu'elles commencent à s'empoigner par les cheveux. Et tout ça pour un chapeau de lampe, je vous demande un peu. Ah, les femmes ! dit Subhash en secouant la tête. Elles sont vraiment capables de tout.

— On n'a pas ce genre de bagarres chez nous, pas vrai, Ramchand ? dit Hari. Je suis sûr que c'est à cause de ta bouille de singe, Subhash. T'es tellement laid que quand on te voit, il faut qu'on se défoule sur quelqu'un ou sur quelque chose », poursuivit-il en s'esclaffant.

Subhash lui envoya une bourrade dans les côtes, puis s'esclaffa à son tour. Ramchand se joignit à eux et tous les trois riaient bientôt comme des bossus, Hari manquant s'étrangler avec une cacahuète.

« Et je ne vous ai pas parlé de cette femme, dit Subhash, qui s'était penchée au-dessus du comptoir pour examiner de près les pinces à cheveux, sans se rendre compte que je pouvais tout voir dans son corsage. »

À ces mots, Hari redoubla de rire, mais Ramchand, lui, se calma.

« Ramchand est un vrai puritain, ne parle pas comme ça devant lui, plaisanta Hari.

— Pas du tout », dit Ramchand, qui pensait à Sudha, un sourire tranquille aux lèvres. Après tout, quel besoin de se montrer grossier à propos de toutes les femmes qu'on rencontrait ? Sudha lui suffisait.

Tout à coup, les lumières s'éteignirent et l'obscurité se fit dans la salle. « Ça va commencer », dit Hari.

Le générique défila sur l'écran, et les gens se mirent à siffler et à taper des pieds. Deux ans plus tôt, à sa sortie, *Kaho Na Pyaar Hai* avait été un succès extraordinaire. Hari et Subhash se mirent à siffler et à taper des pieds comme les autres.

« Mais vous êtes fous ! intervint Ramchand. Arrêtez ça, voyons.

— Quel rabat-joie tu fais, Ramchand bhaiya ! On est venus ici pour s'amuser. Tu crois pas qu'on a le droit de se défouler un peu quand on passe six jours par semaine à se morfondre dans un magasin ? » demanda Hari.

Ramchand renonça à se faire entendre.

Hrithik Roshan, le héros, jouait de la guitare. Il était pauvre. Ameesha, l'héroïne, elle, était riche. Des groupes de filles et de garçons se déhanchaient sur un paquebot au rythme d'une chanson. Toutes les filles avaient le ventre parfaitement plat, et les garçons portaient des casquettes à la mode. Puis le héros et l'héroïne se retrouvaient seuls sur une île déserte après un naufrage, ils s'avouaient enfin leur amour et interprétaient la chanson qui donnait son titre au film. Ramchand était sous le charme. Il se pencha vers Hari.

« Hari, regarde un peu cet océan, si bleu, si vaste. Quel effet tu crois que ça fait, d'être sur une île, avec tout ce ciel bleu, et tout le bleu de l'océan ?...

— Arrête avec ton océan, espèce d'idiot, l'interrompit Hari. Regarde plutôt les cuisses d'Ameesha Patel. »

Ramchand tapait du pied en cadence, Hari et Subhash chantaient à tue-tête. Deux femmes assises deux ou trois rangs devant eux se retournèrent pour les fusiller du regard.

« Hari, arrête, bon sang ! dit vivement Ramchand. Manifestement, ces femmes n'apprécient pas qu'on chante en même temps que les acteurs. Elles trouvent ça indécent.

— T'as un problème, mon vieux ? s'interrompit Hari. On croirait bien que c'est tes belles-filles à te voir t'inquiéter autant pour elles. »

Puis il se remit à chanter avec entrain : « *Dil mera, har baar yeh, sunne ko bekraar hai...* » Bientôt, toute la salle tapait des pieds et applaudissait à l'unisson. Le vacarme devint assourdissant quand elle entonna d'une seule voix : « KAHO NA PYAAR HAI... »

Ramchand abandonna la partie.

Pendant l'entracte, ils prirent un thé et mangèrent un *samosa*. Ramchand alla aux toilettes. La puanteur était insupportable. Il sortit son pot de pommade anti-douleur et s'en passa un peu sur le front, prenant le temps de la faire pénétrer. Il avait un peu mal à la tête.

Le reste du film était tout aussi passionnant. Hrithik Roshan avait été tué par des méchants, mais son double réapparaissait, vêtu d'un costume noir moulant, en train de danser comme un dieu dans une boîte de nuit. Il y avait de magnifiques paysages – montagnes, prairies verdoyantes et luxuriantes, grandes routes goudronnées... Ramchand s'interrogeait sur tant de merveilles. Ces lieux magiques, les heureux mortels qui les habitaient et qui, tous les matins, contemplaient pareil spectacle, où se trouvaient-ils donc ?

Une fois dans sa chambre, il fut pris d'une tristesse infinie. Après l'excitation engendrée par le film, les beaux paysages, les airs entraînants, l'assistance enthousiaste, l'endroit lui parut particulièrement silencieux et désolé. Il avait décliné la proposition d'Hari : une promenade dans les rues avant d'aller manger chez Lakhan. Il avait prétexté son mal de tête pour refuser.

Sur quoi Subhash l'avait traité de femmelette. Peu rancunier, Ramchand avait souri et était parti de son côté.

Dans sa chambre, il ouvrit la fenêtre de derrière et regarda dans la cour. Il voyait le séjour douillet de la famille du propriétaire. La télévision était allumée, le propriétaire et les enfants regardaient un film. Le premier assis dans un fauteuil, les trois enfants alignés en rang d'oignons sur la banquette, une couverture sur les genoux.

Par la fenêtre de la cuisine, il aperçut Sudha penchée sur une casserole posée sur la cuisinière. La boucle en or qu'elle avait à l'oreille accrochait la lumière de la flamme et scintillait comme une luciole. Il la vit apporter un plateau dans le séjour et le déposer sur la table. Deux tasses de thé, une pour elle, l'autre pour son mari, et de grands verres de lait additionné de Horlicks pour les enfants. Ramchand savait que c'était du Horlicks, parce qu'il l'avait souvent vue rincer et mettre à sécher des bocaux de Horlicks vides, dont elle se servait ensuite pour conserver diverses denrées, *daal*, sel ou *masalas*.

Son corps voluptueux était vêtu d'un *salwaar kameez* épais, et elle s'était enveloppée dans un châle de laine marron. Comme ce devait être confortable, et réconfortant, sous ce châle, se prit à rêver Ramchand. Le propriétaire se réchauffa les doigts en les posant un instant sur sa tasse, avant d'avaler une gorgée avec un plaisir évident.

Ramchand frissonna. L'air froid du soir pénétrait dans la pièce. Il referma la fenêtre et s'assit. Dieu, que sa chambre était triste et nue !

10

Un jour, Chander ne vint pas travailler. Mahajan pesta un peu, mais sans plus. Chander ne se présenta pas davantage les deux jours suivants, ni n'envoya de message pour expliquer son absence. Le troisième jour, Mahajan ne décolérait pas. Il passa la matinée à rabrouer ses employés, disant à Hari qu'un singe sans éducation se révélerait sans doute plus compétent. Un peu plus tard, Hari dit aux autres qu'il leur faudrait un jour demander à Mahajan de leur présenter un singe éduqué, qui sait, un singe titulaire d'une licence. Ramchand s'inquiéta d'entendre Hari parler si fort.

« Tais-toi un peu, Hari. Tu vas finir par le rendre chèvre. Avec cette façon que tu as de sourire ! Je suis sûr qu'il voit tes dents briller à trois lieues à la ronde. »

Hari s'esclaffa et poursuivit son travail, tout en fredonnant *Aati kya Khandaala*.

Toute la matinée, Ramchand veilla à ne pas attirer l'attention de Mahajan. Il se déplaçait à pas de loup, se faisant aussi discret et silencieux que possible. Mais, juste avant midi, le patron l'appela de sa voix de stentor : « Raaamchand ! »

Celui-ci sursauta, soudain terrorisé.

Il se présenta devant Mahajan en se tordant nerveusement les mains.

« Oui, Bauji ? demanda-t-il de sa voix la plus polie.

« Je vais te donner l'adresse de Chander et t'expliquer comment y aller, lui lança l'autre d'un ton brusque. Tu vas t'y rendre immédiatement et voir un peu ce que fabrique ce fainéant. Demande-lui s'il se croit chez lui ici, et s'il peut se permettre d'aller et venir comme bon lui semble. Dis-lui que j'exige de le voir. »

Ramchand, soulagé, se détendit aussitôt. Il redoutait que Mahajan ait découvert qu'il n'avait pas rangé le rayon dont on lui avait dit de s'occuper deux jours plus tôt. D'un autre côté, il ne pouvait se défendre d'une certaine pitié pour l'employé défaillant.

Le patron donna ses explications à Ramchand, qui l'écouta attentivement. « Maintenant, répète-moi ce que je viens de te dire, dit Mahajan d'une voix où perçait toujours la colère. Je tiens à m'assurer que tu as bien compris, je n'ai pas envie que tu te perdes. Ce qui m'obligerait à envoyer quelqu'un d'autre à ta recherche. À ce train-là, vous serez bientôt tous dans les rues à vous promener. Il y a des moments où je me demande si je dirige un magasin de saris ou un asile de fous. »

Fébrile, Ramchand répéta les explications. On ne savait jamais si un petit mot de trop ne risquait pas d'enrager Mahajan encore davantage quand il était d'une humeur aussi exécrable. Mais le patron approuva de la tête après avoir écouté, et Ramchand s'en fut, tout heureux de l'aubaine. Après être resté des années cloîtré dans la boutique, voilà qu'il n'arrêtait pas de sortir. D'abord les visites chez les Kapoor, et maintenant cette nouvelle occasion. Bien sûr, la course n'avait rien de bien enthousiasmant, mais c'était mieux que rien.

*
*   *

Chander habitait très loin du magasin, dans les quartiers les plus pauvres, au cœur de la vieille ville. Ramchand marcha d'un bon pas pendant une demi-heure. Plus il s'enfonçait dans les rues, plus elles étaient sales et encombrées.

Il prit une ruelle au coin de laquelle se trouvait un petit temple à Hanuman, espérant qu'il s'agissait bien de celui que Mahajan avait mentionné dans ses explications. Celui-ci serait furieux si Ramchand rentrait en disant qu'il s'était perdu et avait été incapable de trouver l'endroit où habitait Chander. Ramchand passa devant le temple, d'où lui parvinrent les psalmodies d'un prêtre et le bruit de clochettes agitées furieusement. La rue était très étroite, simple faille entre les murs, comme si les vieilles bâtisses venaient tout juste de s'ouvrir pour laisser passer le flot humain. En ce moment, elle était pleine d'une foule grouillante, et Ramchand était obligé de jouer des coudes pour pouvoir avancer.

Une femme, les mains encombrées de sacs de légumes et le visage rouge d'excitation, l'écarta violemment du coude en le croisant. Il trébucha sous le choc et, instinctivement, avança la main pour reprendre son équilibre. Ce faisant, il effleura accidentellement la poitrine d'une femme qui passait à côté de lui. Celle-ci, vêtue d'un *salwaar kameez* bon marché vert bouteille et d'un *chunni* en nylon noir, s'arrêta et se tourna vers lui, furieuse. « Espèce de connard, tu peux pas regarder où tu vas ? » cracha-t-elle au visage de Ramchand. Celui-ci en resta bouche bée. Cloué sur place, il se contenta de la regarder d'un air stupéfait. Il avait été sur le point de s'excuser, mais aucun mot n'était sorti de ses lèvres. Il y avait quelque chose de sauvage dans le visage dur de la femme, profondément ridé en dépit de sa relative jeunesse, une trentaine d'années, pas plus. Elle semblait sur le point d'exploser. Ramchand continuait à la fixer, la bouche légèrement entrouverte.

Leurs yeux se rencontrèrent et ils se dévisagèrent un instant.

Elle le fusilla du regard, tremblante de fureur, jusqu'à ce que, sous la poussée d'autres passants, elle soit entraînée par la foule. Ramchand la regarda disparaître, sans pouvoir la quitter des yeux. Puis il reprit son chemin. L'incident l'avait empli d'une vague terreur, et il se sentait nerveux. Il déambula dans les rues un moment, complètement désorienté, puis décida de se reprendre. Il s'arrêta devant un kiosque à thé. Puisqu'on l'avait envoyé en course, autant profiter au maximum de l'occasion. Un thé bien chaud le remettrait d'aplomb. Il en profita pour s'offrir quelques *pakoras* que le propriétaire du kiosque était en train de faire frire. Ils étaient chauds et odorants, et à les manger ainsi en se chauffant au soleil, Ramchand sentit une douce torpeur l'envahir. Il but une seconde tasse de thé.

Au bout d'une demi-heure, il se leva, revigoré, et se remit en route, demandant son chemin aux passants. Il finit par se retrouver dans la rue du temple d'Hanuman, et la descendit jusqu'à ce qu'il arrive devant la maison de Chander. Il resta saisi d'étonnement. C'était une baraque délabrée qui donnait l'impression de devoir s'effondrer sous la moindre poussée. Certes, un employé de magasin ne gagnait pas des fortunes, mais une pauvreté pareille ! Qui plus est, Chander n'avait pas d'enfants à élever.

Ramchand avait toujours pensé que la rue dans laquelle il habitait était la plus sale de toute la ville ; il se rendait compte maintenant que les eaux usées s'y écoulaient au moins sans problème dans ses caniveaux à ciel ouvert. Ici, au contraire, à en juger par la puanteur ambiante, les caniveaux étaient bouchés, obstrués par une matière noirâtre et gluante.

Ramchand frappa à la porte et attendit, espérant qu'il ne s'était pas trompé d'adresse. La porte semblait près de tomber. Il frappa à nouveau et entendit des voix se disputer à l'intérieur. Ce qui le surprit, car il n'avait jamais entendu Chander élever la voix. C'était un des hommes les plus doux et les plus tranquilles qu'il connût. Puis la porte s'ouvrit brutalement, et Chander apparut sur le seuil, l'air furieux. Il se calma dès qu'il aperçut Ramchand.

« Qu'est-ce que tu veux ? » lui demanda-t-il, presque sur un ton d'excuse.

Ramchand s'apprêtait à lui répondre, quand il aperçut la pièce derrière Chander. Une femme était recroquevillée dans un coin. Une main avait laissé des marques rouges sur son visage. Elle était tout échevelée ; son *salwaar kameez* vert était en désordre et son *chunni* noir gisait au sol. Des larmes coulaient le long de ses joues. Elle saignait au coin de la bouche. Il reconnut en elle la femme mal embouchée qui l'avait insulté dans la rue. Mais elle semblait bien différente maintenant, frêle et brisée. Les rides de son visage étaient encore plus creusées, ses yeux plus enfoncés. Elle ne bougeait pas, ne disait rien. Ramchand évita de croiser son regard.

« On veut savoir au magasin quand tu reviens », dit-il timidement.

Chander lui faisait soudain l'effet d'un étranger.

« Demain. Je ne me sens pas bien du tout. Explique-le à Mahajan. Et dis-lui que je reviens demain, sûr », marmonna Chander.

Son haleine empestait l'alcool, et ses yeux étaient injectés de sang.

« D'accord, dit gauchement Ramchand, qui ne jeta pas même un coup d'œil à la femme, alors qu'il avait une conscience aiguë de sa présence, comme si elle avait été la seule créature vivante au monde. À demain alors », dit-il à Chander en tournant les talons.

La femme demeura tassée dans son coin, à côté d'une vieille malle en fer-blanc cabossée.

Ramchand resta agité toute la journée.

*
* *

Le soir, il quitta le magasin sans se faire remarquer, peu désireux d'une compagnie pour rentrer chez lui. Bien qu'il fût encore tôt pour dîner, il s'arrêta chez Lakhan pour manger un morceau avant de regagner sa chambre. Quand il arriva, Lakhan était en cuisine, et le *tandoor* n'était pas prêt.

« Assieds-toi, Ramchand, j'en ai encore pour un moment. »

Ramchand s'exécuta. Seul un autre client buvait son thé dans un coin de la salle.

Le four fut bientôt opérationnel, et les braises éclairèrent d'un reflet rougeâtre le visage las de Lakhan. En règle générale, Ramchand évitait toute conversation avec le propriétaire de l'établissement, par peur de l'entendre parler de ses fils morts. Mais, aujourd'hui, il avait encore la femme de Chander présente à l'esprit. Il aurait voulu savoir comment elle allait. Même si, sur le moment, il n'avait pas paru s'intéresser à son sort. Qu'aurait-il bien pu faire ? Après tout, c'était la femme de Chander. Et il ne pouvait guère se mêler des affaires domestiques de son collègue. Il n'en ressentait pas moins une grande envie de savoir si elle allait bien et si elle avait cessé de pleurer. Il regarda donc Lakhan, et son visage marqué par une douleur indélébile, et lui lança :

« Comment vas-tu ?

— C'est l'anniversaire de mon fils aujourd'hui, répondit l'autre d'une voix atone en levant les yeux. De l'aîné.

— Ah ! » se contenta de dire Ramchand.

Il prit deux *rotis* aux légumes et une tasse de thé. Il n'en avait déjà que trop bu aujourd'hui, il en était bien conscient. Il ne fumait pas ni ne buvait, le thé était son seul vice, son remède à tous les maux – migraines, idées noires, désarrois, réprimandes de Mahajan. Malgré tout, en si grandes quantités, cela lui donnait des aigreurs.

Lakhan faisait le tour de la *dhaba*, veillant à sa bonne marche, parlant à ses employés de façon machinale, avec des yeux vides d'aveugle. Quand il s'approcha du coin où était assis Ramchand, celui-ci rassembla son courage et lui demanda : « Et ta femme, elle va bien ? »

À ces mots, le visage jusqu'ici impassible de Lakhan se décomposa.

« Non, pas du tout. Ça fait quinze ans maintenant, mais elle ne s'y fait toujours pas. Moi, je viens ici préparer mon *daal*, faire sauter mes légumes, ça me change les idées, je les garnis de coriandre, je fais du chutney à la menthe, prépare trois fois trop de *kheer*, m'absorbe dans mon travail histoire d'oublier, mais elle... elle reste enfermée à pleurer, à embrasser leurs photos, à se rappeler le moindre incident de leurs vies. Elle parle du jour où l'aîné a fait ses premiers pas. On a été tellement surpris. Le soir même, on l'emmenait au temple d'Or pour avoir la bénédiction du Grand Guru. Et de la fois où le cadet a mangé des *rasmalais*. Un autre gamin l'avait emmené chez Dieu sait quel marchand de bonbons. Dans la nuit, il s'est mis à vomir et à avoir la diarrhée. Le pauvre gosse n'arrivait même pas à garder une gorgée d'eau. Sa mère et moi, on l'a emmené aux urgences, on était morts d'inquiétude. Même quand il a été remis, on l'a surveillé pendant des mois. Un de nous deux se levait toujours à l'aube pour faire bouillir de l'eau, de façon à ce qu'elle ait le temps de refroidir pour qu'il puisse la boire en se levant. Elle n'arrête pas de ressasser tout ça. Elle n'oublie pas et ne me permet pas, à moi, d'oublier. Tu sais comment c'est arrivé ? »

Ramchand sentit son estomac se nouer. Il n'avait pas envie de savoir. Mais il ne pouvait plus reculer maintenant. Lakhan poursuivit du même ton monocorde à peine audible :

« Si on avait pu savoir le matin que la journée se terminerait de cette façon, on aurait au moins prié Waheguru. On aurait demandé la bénédiction du *guru* Nanak. D'un autre côté, à quoi ça aurait servi ? C'est dans sa propre maison que Dieu a laissé faire ce qui est arrivé à nos enfants. Mais peut-être que Lui non plus n'y pouvait rien. Il nous arrive de nous en prendre à Lui, parfois même de cesser de croire en Lui, mais alors nous prenons peur. Si le salut des âmes de nos enfants est entre Ses mains, est-ce qu'en ne croyant plus on ne va pas les empêcher de ne faire plus qu'un avec Lui ? »

Lakhan Singh était maintenant complètement plongé dans le passé.

« Ce jour-là, poursuivit-il, ils n'étaient pas allés au temple d'Or pour prier. Simplement, il faisait très chaud, et ils supportaient mal de rester enfermés à la maison. La chaleur nous rendait tous irritables. J'avais déjà réprimandé l'aîné parce qu'il chantait trop fort, qui plus est une chanson que je ne supportais pas. Je la trouvais vulgaire. Plus il avait chaud et plus il chantait fort, histoire de m'énerver. Le cadet, de son côté, refusait d'obéir à sa mère. Et pour tout dire (à ce stade, le visage de Lakhan s'éclaira d'un demi-sourire au souvenir de ce dernier jour de querelles familiales), ma femme et moi, on s'est disputés aussi. Les garçons ont pris un bain, et puis le plus jeune est allé chercher un turban bleu marine que je venais juste de lui acheter et a commencé à se l'enrouler autour de la tête. Il n'avait que seize ans, et il n'avait pas encore l'habitude de porter le turban. "Il fait très chaud aujourd'hui, lui ai-je fait remarquer, et le turban est tout neuf et amidonné. Pourquoi ne le gardes-tu pas pour une grande occasion ? Tu vas l'abîmer en transpirant. – Parce que j'ai envie de le mettre, m'a-t-il répondu. Parce que j'ai envie d'être beau." J'ai ri, mais sa mère a dit alors que Dieu aurait bien mieux fait de lui donner des filles. Elles auraient au moins témoigné d'un peu plus de considération pour les sentiments de leur mère, surtout par une telle canicule. Moi, il fallait sans arrêt que j'aille à la *dhaba* m'occuper des clients. Pendant ce temps, eux, ils continuaient à ennuyer leur mère, réclamant des sorbets, lui demandant pourquoi elle m'avait épousé, moi, et pas un homme riche, qui ne se serait pas inquiété de savoir si un turban était neuf ou pas. Une remarque la faisait rire, la suivante la mettait hors d'elle : elle était à deux doigts de s'arracher les cheveux tellement ils l'énervaient. "Puisque vous êtes tous les deux habillés pour sortir, a-t-elle fini par leur dire, allez donc faire un tour, histoire de me laisser respirer une heure ou deux !" Ils voulaient aller au Company Bagh. Leur mère trouvait que c'était beaucoup trop loin. Alors l'aîné a dit : "Eh ben, on n'a qu'à aller voir le Darbaar Sahib." Ma femme est montée sur ses grands chevaux : "Si je comprends bien, pour vous le temple d'Or et le Company Bagh, c'est la même chose ? Le premier est notre lieu de culte le plus sacré, à nous autres, sikhs, le second un vulgaire parc, mais pour les deux écervelés que vous êtes il n'y a aucune différence, c'est bien ça ? En fait, tout ce qui vous intéresse, c'est de traîner dans les rues. Allez, débarrassez-moi le plancher." Les deux garçons ont obtempéré et sont partis au temple d'Or. »

Parvenu à ce point, Lakhan s'arrêta. Son chagrin était si intense qu'il en était presque palpable, mais Ramchand gardait toujours le silence. Il attendait que Lakhan poursuive son récit. Il connaissait pourtant le reste de l'histoire – les fondamentalistes sikhs pris au piège du temple d'Or... les ordres d'Indira Gandhi... le siège du temple par l'armée indienne... les soldats pénétrant dans l'enceinte sacrée avec leurs bottes, les sikhs ne s'en étaient jamais remis, eux qui se lavaient les pieds avant d'entrer dans ce Saint des saints... la bataille entre les fondamentalistes et l'armée... les histoires déchirantes de tous les innocents, les visiteurs, les « fidèles », comme les avaient appelés les journaux, qui s'étaient fait piéger à l'intérieur... massacrés, on les avait fait aligner contre le mur et abattus sans sommation... des témoins oculaires qui avaient échappé à la tuerie l'avaient racontée, même si l'armée n'avait jamais rien admis officiellement... on avait parlé plus tard de centaines de corps entassés dans des camions militaires...

Autant de fragments qui revenaient peu à peu à la mémoire de Ramchand. Lequel s'attendait à ce que Lakhan Singh refasse une fois de plus le récit des atrocités commises ce jour-là. Mais il n'en fit rien.

« Mes enfants..., dit-il d'une voix qui laissait présager que les larmes n'étaient pas loin, ils leur ont attaché les mains derrière le dos avec leurs propres turbans. Ils les ont fait aligner avec les autres et ils les ont abattus. Avec des centaines d'autres. On n'a même pas retrouvé leurs corps. C'est Satwinder Singh, un des rares à en être sortis vivants, qui nous a raconté la scène. »

Ramchand ne bougeait pas plus qu'une statue. Il s'abstint de demander qui était Satwinder Singh.

« C'était vraiment terrible, et ce gosse, mon plus jeune, qui portait son turban neuf. Le bleu marine, long et tout empesé. Ils ont dû lui lier les mains dans le dos avec. Ces derniers moments, quand ils ont compris qu'ils allaient mourir, ils ont dû être horribles pour mes fils. Ils étaient tellement beaux. Je leur disais souvent, pour plaisanter, qu'ils ressemblaient à des singes, mais en fait ils étaient vraiment beaux. Pourquoi a-t-il fallu qu'ils meurent ? Pourquoi, mais pourquoi a-t-il fallu qu'ils aillent au temple et pas au Company Bagh ce jour-là ? »

*

* *

Ce soir-là, quand Ramchand ouvrit sa *Correspondance usuelle*, il n'arriva pas à se concentrer. Il avait atteint le chapitre « Clubs, associations, etc. ». Il commença par une lettre d'une association demandant le règlement d'une cotisation en retard. Il chercha sans grande conviction le mot « cotisation » dans son dictionnaire. « Action de cotiser ». Il alla voir à « cotiser ». « Verser une somme (fixée à l'avance) à un organisme, à une association, en vue de contribuer à une dépense commune. » Ses yeux n'arrivaient pas à se fixer sur les mots, se contentant d'une appréhension vague de leurs formes, sans que son esprit enregistre quoi que ce soit. Il sentait poindre un mal de tête. À quoi bon savoir ce que signifiait « cotisation » ? Il avait laissé la femme de Chander assise, recroquevillée sur elle-même, dans un coin de ce taudis. Il ne savait pas en quoi il aurait pu se rendre utile, car, après tout, c'était la femme de Chander, pas la sienne. Mais il n'en éprouvait pas moins un sentiment de culpabilité.

Et il ne s'était pas mieux comporté face à la douleur de Lakhan puisqu'il n'avait eu qu'une envie : partir au plus vite, incapable de supporter l'évocation des souvenirs douloureux de l'autre.

Il avait fini par interrompre Lakhan au beau milieu d'une phrase parce que celui-ci donnait l'impression de ne devoir jamais s'arrêter. Ramchand lui avait brutalement réclamé une autre tasse de thé. Le gargotier, d'abord interloqué, avait pris un air peiné, puis son visage avait retrouvé son habituelle impassibilité. Il s'était levé sans rien dire, était allé passer la commande de Ramchand, puis avait disparu par une porte au fond de la boutique. Ramchand avait bu les dernières gorgées de son thé, presque froid maintenant, tenant son verre dans ses mains tremblantes, avant de jeter quelques roupies sur la table pour payer l'addition et de sortir en toute hâte. Il aurait voulu manger davantage, peut-être boire une autre tasse de thé. Il avait encore faim en sortant de la *dhaba*. Mais, après avoir quitté Lakhan, il ne s'était pas senti le goût d'aller manger ailleurs ou de s'arrêter devant un kiosque, et il était rentré directement chez lui.

Pourquoi fallait-il toujours, dans ces cas-là, qu'il prenne la fuite ? Pourquoi ne pouvait-il pas au moins écouter, essayer de réconforter les gens, de les aider ? Pourquoi fallait-il tout de suite qu'il ait l'impression de suffoquer, de ne pas être à la hauteur ? Que de lâcheté, que d'indifférence et d'égoïsme chez lui ! Voilà ce qu'il avait lu sur le visage malheureux et avide de compassion de Lakhan Singh.

Ramchand se jeta sur son lit, ses modèles de lettres toujours à la main. Comment Lakhan aurait-il pu deviner qu'il fallait qu'il s'en aille à tout prix parce qu'il se sentait mal au point de ne plus pouvoir respirer ?

Que sa vie était donc minable et sordide ! Ou peut-être n'était-ce pas seulement la sienne. C'était peut-être bien la vie tout court qui était sordide. Sordide, minable,

mesquine, dépourvue de sens ! Servile, limitée, veule !
Viciée, corrompue ! Et lui ne valait pas mieux. Le simple fait de vivre était infamant, songea Ramchand,
rongé par ses aigreurs d'estomac. Parce que, finalement, ce n'était pas seulement sa vie à soi qui était en
cause. À quoi bon essayer d'apprendre, de se développer
l'esprit, de repeindre ses murs, quand d'autres se ter-
raient, battus et meurtris, dans des logements innom-
mables ? Ou se retrouvaient enfermés à jamais dans
leurs souvenirs comme dans des chambres misérables
et sombres, sans portes ni fenêtres ?

Il ouvrit la *Correspondance*, fit de son mieux pour se
concentrer sur sa lecture, afin de chasser ces pensées
de son esprit. Mais elles refusaient de le laisser en paix,
s'infiltraient malgré lui dans sa tête.

Il suivait désespérément les mots et lut la lettre d'une
traite :

The Three Turrets,
Borsfield,
Kent

Miss R. Plunkett

Chère Mademoiselle,
Je suis au regret de constater que votre cotisation au
Victoria Tennis Club est encore en souffrance.

Ramchand soupira, s'empara du dictionnaire pour
chercher « en souffrance ». « Dans un état prolongé de
douleur physique ou morale. » Déconcerté, il poursuivit
sa lecture. « En attente de règlement ou de livraison. »
Nouveau soupir. Il n'était pas plus avancé.

Le règlement du club prévoit (§ 7) que toutes les coti-
sations sont échues au 1er janvier de l'année, et que

tout membre qui ne sera pas à jour de sa cotisation au 1er août se verra refuser l'accès aux courts.

(Et si ses mains à lui étaient liées dans son dos et qu'il sache qu'on allait l'abattre ? Qu'éprouverait-il ?)

En considération de quoi, je vous serais reconnaissant de bien vouloir me faire parvenir votre règlement (vingt livres) par retour du courrier.
Sentiments dévoués,

Mr. Jessop.

Dieu seul sait encore ce que c'est qu'une livre, songea Ramchand, découragé, avant de faire claquer son ouvrage sur la table.

La colère qui bouillonnait en lui depuis un moment refusait de retomber. Il finit par mettre de côté livres, plume et carnet, et, pour la première fois depuis des semaines, passa le reste de la soirée allongé sur son lit, le regard perdu au plafond.

11

Le dimanche suivant, Ramchand était assis sur sa malle, devant la fenêtre de derrière ouverte, le livre d'essais sur les genoux. Il se sermonnait intérieurement, s'encourageant à se reprendre en main pour éviter de retomber dans la dépression. Le monde était ce qu'il était, et ce n'était pas une raison pour cesser d'apprendre à lire et à écrire. Il ne résoudrait rien en restant allongé à ne rien faire. Mais il avait beau s'admonester, il ne parvenait pas à se concentrer sur son livre.

C'était la fin de l'après-midi. Les ombres s'allongeaient, et l'on devinait déjà dans l'air la fraîcheur du soir.

Dans la cour, en dessous, le propriétaire dormait sur un *charpai*, le visage protégé de la lumière du jour par un des *chunnis* bleus de Sudha. Ramchand le connaissait bien, ce *chunni*, et l'aimait tout particulièrement. C'était une longueur de coton moelleux à petites fleurs jaunes. Elle le portait souvent.

Sudha était assise dans un coin, ses tâches de la journée accomplies, le dîner prêt à être réchauffé, et feuilletait le dernier numéro de *Sarita*.

Vishnu et Alka faisaient laborieusement leurs devoirs, s'arrêtant de temps à autre pour se disputer une gomme ou un crayon.

Manoj était assis juste en dessous de la fenêtre de Ramchand, une boîte de crayons de couleur ouverte à côté de lui. Il avait fait un dessin qu'il coloriait maintenant, oublieux du reste du monde. Comme il voulait toujours avoir les meilleures notes, il faisait très attention de ne pas déborder. Ramchand examina la feuille que Manoj tenait sur ses genoux. Celui-ci refaisait inlassablement le même dessin, celui qu'on lui apprenait en classe. Jamais il n'essayait autre chose. Ses mains recréaient toujours la même scène – connue, sans risques, enseignée depuis longtemps, assurée d'une excellente note.

Une ligne horizontale au milieu de la feuille représentant l'horizon, des montagnes dans la partie supérieure – triangles bien nets tracés à la règle et ressemblant à des cornets de glace renversés. Puis une cabane – une sorte de cube muni d'une fenêtre, d'un toit pentu et d'une cheminée en brique –, un grand arbre tout maigre et une bande bleue censée figurer une rivière.

Pour finir, il dessinait un soleil dans le ciel, un simple cercle d'où partaient des rayons alternativement longs et courts.

La seule touche humaine venait de ce que Manoj oubliait souvent de faire le soleil avant de colorier le ciel et devait l'ajouter après coup. Le jaune se mélangeait alors au bleu du ciel et donnait au soleil une nuance maladive, un teint brouillé et verdâtre, comme si l'astre s'apprêtait à vomir sur le monde aux couleurs vives crayonné au-dessous de lui.

*
* *

Ramchand en était récemment venu à la conclusion que les lettres ne présentaient pour lui aucun intérêt. Une section du livre lui était cependant apparue claire et potentiellement utile. Il s'agissait d'une page qui répertoriait les diverses formules utilisables au début d'une lettre. L'échantillonnage était large :

Je vous serais très obligé de...
Je vous serais très reconnaissant de...
Je suis désolé de devoir vous dire...
Pour satisfaire à votre demande...
Je vous prie de trouver ci-joint...
C'est avec (un) grand plaisir, (un) grand regret que je...
Je suis dans l'obligation de porter à votre connaissance...

Il aimait tout particulièrement les deux dernières. Il s'imaginait s'adressant à Mahajan en les combinant – « C'est avec grand plaisir (grand regret) que je suis dans l'obligation de porter à votre connaissance que vous n'êtes qu'un sale bonhomme, un égoïste et un grippe-sou, dont la femme doit être la créature la plus malheureuse du monde » – ou en les faisant suivre de tout autre qualificatif suffisamment insultant.

Plus les expressions étaient compliquées et ampoulées, et plus Ramchand les appréciait. Il essayait de les apprendre par cœur ou, à défaut, d'apprendre à les lire à voix haute d'une seule traite.

En dehors de ces locutions, le livre de correspondance, avait-il décidé, ne lui était pas d'une grande utilité. Et puis pourquoi se laisser impressionner sous le seul prétexte qu'il s'agissait d'anglais ? La plupart des lettres semblaient écrites pour et par des oisifs aux préoccupations frivoles, des gens qui ressemblaient fort à certaines des clientes du magasin.

Et Ramchand n'avait aucune envie d'en apprendre davantage à leur sujet. Dans quelque langue que ce fût.

Il en savait bien assez comme ça !

*

* *

Un jour, Shyam et Rajesh arrivèrent ensemble au magasin, comme d'habitude, le visage rayonnant. Ils sortaient d'un temple, ou du moins avaient participé à une *puja* : un long *tilak* leur barrait le front. Shyam tenait également à la main trois boîtes en carton identiques, portant l'inscription « Bansal Sweet Shop ».

La confiserie en question se trouvait très loin de la boutique, dans Lawrence Road, et était l'une des plus chères d'Amritsar. Les deux hommes allèrent directement voir Mahajan et lui tendirent deux des boîtes, accompagnant leur geste d'explications que personne ne pouvait entendre et de sourires que tout le monde pouvait voir. Mahajan sourit aussi, de ce sourire que le manque de pratique avait fini par rouiller. Hari était dévoré de curiosité.

« Regardez, Mahajan qui sourit ! s'exclama-t-il, n'en croyant pas ses yeux.

— Chuuut..., lui intimèrent en chœur Gokul et Ramchand.

— On dirait qu'ils fêtent quelque chose, dit Ramchand.

— Quelle perspicacité ! dit Gokul, moqueur. Je ne m'en serais jamais douté.

— Peut-être que la nuit dernière, dit Hari, en pouffant de rire, le Seigneur Brahma est descendu sur terre et a enfin donné à Mahajan un cœur, un vrai. C'est peut-être ça qu'ils sont en train de fêter. »

Ramchand ne put s'empêcher de sourire. Chander, qui était assis avec eux, n'avait pas dit un mot et regardait par la fenêtre, l'air morose.

Puis Shyam et Rajesh s'approchèrent de l'endroit où étaient assis les vendeurs. Le premier dénoua le ruban qui entourait la dernière boîte. Qu'il ouvrit et offrit à la ronde. Elle était remplie de *barfis* qui avaient l'air succulents.

« Je vous en prie, servez-vous.

— Dites-nous d'abord la bonne nouvelle, dit Gokul, et après on se servira.

— Ma fille, vous savez, celle qui a dix-huit ans, va bientôt, par la grâce de Dieu, devenir la belle-fille de Rajesh, dit Shyam.

— Quels cachottiers vous faites ! lança Gokul, feignant la colère et prenant un bonbon au lait dans la boîte. Vous avez tout manigancé, et c'est seulement maintenant que vous nous mettez au courant. Vous ne nous jugez pas suffisamment proches pour...

— *Arre bhai*, l'interrompit Rajesh, en riant et en lui passant un bras autour des épaules, nous n'avons encore rien fait. Pas de cérémonie, simplement une *puja*. Nous ne sommes pas comme tous ces gros bonnets qui n'arrêtent pas d'organiser des réceptions tout au long de la semaine précédant le mariage. Tu vois, pour l'instant, on s'est simplement mis d'accord officiellement. Le mariage n'aura pas lieu avant un an. Le *pundit* dit que les astres ne sont pas favorables et qu'il faut attendre l'an prochain. Le jour du mariage, vous serez tous invités, bien entendu. Alors, vous les prenez, ces *barfis* ?

— Pourquoi est-ce que Mahajan a eu deux boîtes et pas une ? » demanda Hari.

Gokul fit les gros yeux à Hari, mais Shyam, nullement démonté, répondit : « Une pour lui et l'autre pour qu'il la fasse passer à Bhimsen Seth. »

Hari hocha la tête, satisfait. Ramchand prit, lui aussi, un *barfi*, qui lui fondit dans la bouche.

Rajesh bondit sur ses pieds. « La fête ne serait pas complète sans *samosas* arrosés d'une tasse de thé. Je m'en occupe. » Tout le groupe applaudit à cette suggestion. Ils allaient se faire un petit casse-croûte, et, cette fois-ci, Mahajan ne pourrait rien trouver à redire : les mariages, c'était sacré.

Quelques instants plus tard, ils étaient joyeusement attablés. Mahajan les quitta, un sourire bienveillant aux lèvres. Ils savaient malgré tout que, si une cliente arrivait, l'un d'eux devrait se lever pour la servir.

Ils rirent et félicitèrent Shyam et Rajesh. Seul Chander resta distant et ne dit presque rien.

Plus tard, quand on eut nettoyé les miettes, que le gamin du kiosque à thé fut venu rechercher les verres vides et que l'excitation première fut un peu retombée, Hari demanda à Gokul : « Pourquoi est-ce que Chander a toujours l'air aussi malheureux ? »

Chacun avait maintenant retrouvé sa place. Shyam, Rajesh et Chander d'un côté du magasin, Ramchand, Hari et Gokul en face d'eux.

« Le moins qu'on puisse faire, reprit Hari, quand on vous offre des *barfis*, des *samosas* et un bon verre de thé bien chaud un jour d'hiver, c'est d'avoir l'air content.

— On n'est pas tous des cochons, comme toi. Tu n'es content que quand tu manges, lui dit Gokul.

— Et alors, qu'est-ce qu'il y a de mal à ça ? rétorqua Hari. La vie est courte, et on ne sait jamais ce qui peut arriver. Alors autant en profiter, manger, dormir, voir des films, s'amuser, pendant qu'il est temps. Et qu'est-ce que Chander peut vouloir de plus ? Il a un emploi, non ? Et assez d'argent pour se nourrir ? Alors ?

— Tu es encore bien jeune, Hari, dit Gokul le sage. Tu ne sais rien de la vie. Chander a beaucoup de problèmes chez lui. Quand un homme n'a pas une bonne vie de famille, à quoi lui sert d'avoir un travail ? »

Hari réfléchit un instant.

« Mais, moi non plus, Gokul Bhaiya, finit-il par dire, j'ai pas une bonne vie de famille. Entre mon père qui n'arrête pas de me disputer, ma mère qui me rend la vie impossible...

— Arrête tes idioties, Hari, l'interrompit Gokul. Ton père te sermonne simplement quand tu vas voir deux films au lieu d'un le dimanche. Quant à ta mère, tu n'as pas honte de dire qu'elle te rend la vie impossible, alors qu'elle te prépare ton repas à emporter tous les jours et que c'est grâce à elle si tu as une chemise propre sur le dos pour venir travailler ? »

À ce discours Ramchand s'assombrit un peu.

« Ce que tu peux être bête, Hari ! continua Gokul. Ce ne sont pas des problèmes familiaux. C'est comme ma Lakshmi qui m'asticote sans arrêt. Et ma Munna qui pleure toute la nuit parfois, sans raison. Mais toutes les familles connaissent ce genre de choses. Tandis que Chander, lui, a de vrais problèmes.

— Quels problèmes ? demanda Hari, toujours aussi curieux.

— Sa femme n'est pas une bonne épouse », répondit évasivement Gokul.

Ramchand se souvint de la femme ordurière qui l'avait apostrophé dans la rue et qui n'était autre que l'épouse de Chander. Mais, dans le même temps, il se souvint de la femme recroquevillée dans un coin de la baraque.

« Ce qui veut dire ? demanda-t-il, l'air soupçonneux.

— Oh, il n'y a pas d'autres hommes, dit précipitamment Gokul. Ce n'est pas ça. On le saurait si c'était le cas. Pour l'instant, du moins, ce n'est pas le cas. Mais sait-on jamais avec une femme comme elle... Je ne voulais pas vous en parler, mais puisque vous me le demandez, je vais vous le dire. » Gokul, qui ménageait ses effets, s'accorda une pause avant de déclarer : « Elle boit. »

Hari en eut le souffle coupé. Boire, ce n'était déjà pas rien, mais pour une femme...

« Et elle n'a apparemment rien d'une femme respectable. Elle ne se lave pas le matin, n'observe aucun rite, ne met pas de *sindoor* dans la raie de ses cheveux. Pire, elle ne les peigne même pas. Elle passe son temps à traîner dans les rues. Quant à sa façon de parler... vous n'avez pas idée ! Une honte ! Chander me fait vraiment pitié. Parce qu'elle n'était pas comme ça quand il l'a épousée. Je le sais pour l'avoir entendu dire par des gens qui habitent son quartier. Elle a changé. Il y en a qui disent qu'elle est folle. Qu'elle a fait une fausse couche ou s'est fait avorter, et que ça l'aurait rendue complètement folle. Mais ça ne tient pas debout. Les fausses couches et le reste, c'est banal pour une femme. Si elles réagissaient toutes comme ça, où irait le monde ? »

Hari affichait un air grave.

« Et puis ce n'est pas tout, poursuivit Gokul. Elle lui cause pas mal d'ennuis. Elle est grossière avec les gens. Il lui arrive d'arrêter des inconnus dans la rue, quand elle est ivre, et de leur dire qu'ils lui doivent de l'argent. Quand elle tombe sur le *pundit* du temple de Hanuman à côté de chez eux, elle le traite d'hypocrite et fait mine de ramasser un caillou, comme pour chasser un chien errant. Dans ces conditions, comment voulez-vous que Chander soit heureux ? soupira Gokul. Une femme doit savoir se tenir à sa place. Celle-là a peut-être eu des ennuis ou des problèmes, mais il reste que le devoir d'une femme, c'est d'abord de s'occuper de son mari et de sa maison, ensuite d'elle-même, si elle en a le temps. »

Hari buvait littéralement les paroles de Gokul. Ramchand écoutait en silence, se souvenant des marques rouges sur le visage de la femme de Chander.

« À en croire certains, continua Gokul, il n'y a rien de vraiment grave. C'est simplement une de ces mauvaises femmes dans lesquelles le diable aime parfois s'incarner. Les mères du voisinage cherchent à préserver leurs enfants, surtout leurs nouveau-nés, de son mauvais œil. Elle ne prie jamais. Ne sourit pas.

— Pourquoi est-ce qu'elle ne sourit pas ? demanda Ramchand à voix basse.

— Elle dit que Chander ne lui donne pas d'argent, qu'il n'y a rien à manger à la maison, et Dieu sait quoi encore, dit Gokul, impatient de détourner la conversation. Elle n'arrive même pas à obtenir du travail chez les autres, comme femme de ménage ou cuisinière. Elle est tellement ordurière qu'aucune famille respectable n'accepterait de la prendre. »

« Toute médaille a son revers... » repensa soudain Ramchand.

12

On se souviendrait à Amritsar du mariage de Rina Kapoor comme de la réception du siècle, une soirée où l'on avait servi pas moins de quarante desserts.

L'affaire avait tellement défrayé la chronique que Ramchand mourait de curiosité. Quand Mahajan se rendit en personne chez les Kapoor pour s'occuper des factures, on lui remit gracieusement une invitation.

À son retour, il la montra à Shyam et à Rajesh. « Une invitation au mariage Kapoor », expliqua-t-il, incapable d'éliminer toute trace de fierté de sa voix qui se voulait détachée. Visiblement impressionnés, Shyam et Rajesh tournèrent et retournèrent le bristol entre leurs doigts. Puis, avec la permission de Mahajan, ils le firent circuler parmi les autres vendeurs. « Vous vous rendez compte de ce que chaque carton a dû coûter ? dit Gokul. C'est lustré comme le papier de ces magazines étrangers. »

C'était vrai. Quand Ramchand prit l'invitation entre les mains, il n'en crut pas ses yeux. Non seulement elle était luxueuse, mais elle était belle : un papier argenté épais et rigide, un *Om* en lettres bleues flamboyantes sur le premier volet. À l'intérieur, un message imprimé en anglais invitait cordialement le destinataire à honorer l'événement de sa bienveillante présence. Ramchand fit courir ses doigts sur les lettres, heureux de constater qu'il connaissait pratiquement tous les mots. Il nota la date, l'heure et le lieu.

Hari se montra très excité.

« Tous les gros bonnets d'Amritsar y seront. Vous aussi, Bauji ? demanda-t-il à Mahajan.

— Malheureusement non, dit l'autre en secouant tristement la tête. Mon neveu se marie le même jour. Ce doit être une date particulièrement propice, il y a beaucoup de mariages ce jour-là. Je ne pourrai pas aller chez les Kapoor. Le père de mon neveu, mon frère, est mort, alors il faut absolument que j'y sois. »

Tout le monde approuva du chef, avec un air de compréhension apitoyée.

« Vous êtes un saint homme, Bauji, glissa Hari avec à-propos. Toujours le devoir avant le plaisir. »

Mahajan redescendit, visiblement satisfait, tandis que Hari donnait un coup de coude entendu à Gokul et que tout le monde s'esclaffait.

*
* *

Une fois venu le grand jour, Ramchand passa sa matinée à penser au mariage de Rina Kapoor. Mahajan avait pris sa journée pour celui de son neveu. « Il doit se goinfrer de *pakoras*, de *samosas* et de gâteaux, pendant que nous, on reste à travailler le ventre vide dans ce magasin qui a tout d'un tombeau », dit Hari à un moment. Étant donné que lui-même avait passé une partie de la journée à se gaver d'*alu tikkis* qu'il avait apportés dans un sac en papier et qu'il n'avait strictement rien fait, bien décidé à tirer le meilleur parti de l'absence du patron, personne ne lui prêta la moindre attention. Gokul lui fit cependant remarquer qu'il était important, quand on était un bon artisan, de respecter et son outil et son lieu de travail. Traiter de tombeau le magasin où il gagnait sa vie risquait fort de lui porter malheur. Sur quoi, Hari se mit à déblatérer contre la boutique, et à grommeler des insultes à l'encontre de Mahajan et de ce « vampire de Bhimsen Seth », avant de sortir acheter des cacahuètes grillées. Gokul, de son côté, se lança dans une diatribe peu flatteuse sur Hari, mais davantage par habitude que par réel ressentiment.

C'est à peine si Ramchand entendit les remarques de Gokul : il continuait à penser à la réception à la résidence Kapoor.

Le soir, il eut un coup de chance. Gokul s'était plaint toute la journée d'un mal de tête et se sentait un peu fiévreux. Au moment où Ramchand rangeait la marchandise qu'une cliente en colère avait sortie en cherchant un sari à fine bordure, Gokul lui demanda :

« Ramchand, tu me rendrais un service ?

— Si je peux, bien sûr, Gokul bhaiya, répondit Ramchand, inquiet à la vue des traits tirés de son ami.

— Est-ce que tu pourrais prendre mon vélo pour rentrer chez toi ce soir, et me le ramener demain matin ? J'ai l'impression que ma tête va exploser. Je me demande si je n'ai pas de la fièvre. Remarque, si j'ai mal à la tête, c'est peut-être bien à cause de ce crétin de Hari et de ses jacassements de singe. »

Ramchand sourit. Il savait qu'en dépit de mots parfois durs Gokul avait un faible pour Hari et son toupet.

« Je crois que je ferais mieux de prendre un *rickshaw* pour rentrer, dit Gokul en se frottant les tempes. Ça ne t'ennuie pas, pour le vélo ?

— Je veux bien m'en occuper de ton vélo, moi, Gokul bhaiya, proposa Hari, de l'air de celui qui se sacrifie pour un ami. T'as pas de soucis à te faire.

« — Il n'en est pas question, Hari, dit Gokul. Je n'ai pas envie de le retrouver en morceaux. Alors, Ramchand, c'est d'accord ? »

Ramchand accepta volontiers. Peu après, Gokul, geignant et grommelant, partit dans un *rickshaw* cahotant. Hari quitta lui aussi le magasin, l'air déçu. Il avait espéré pouvoir emprunter le vélo pour aller jusqu'à un kiosque à *kulfis*, à trois kilomètres de là, et s'offrir une bonne glace crémeuse, avec des pépites d'amandes et de pistaches, accompagnée de vermicelles, des *faloodas* blancs et moelleux.

Une fois sorti de la boutique, sa journée terminée, Ramchand s'aperçut, la main posée sur le guidon étincelant de Gokul, qu'il lui fallait absolument se rendre à la résidence des Kapoor. Juste un coup d'œil ! La tentation était vraiment trop forte.

Il partit donc en direction de Green Avenue. Le soleil était couché. Le bazar fermait. Les boutiquiers baissaient leurs rideaux de fer et s'apprêtaient à rentrer chez eux. La soirée était superbe. Une légère brume poudrée, vestige du jour, colorait encore le ciel. Les lampadaires étaient allumés ; les vendeurs de quatre-saisons avaient accroché des lanternes à pétrole au-dessus de leurs charrettes et de leurs éventaires. Des piles de tomates rouges, d'aubergines violettes et de poivrons verts reluisaient sous la lumière. Des ménagères promptes à s'emporter et des hommes entre deux âges marchandaient devant chaque étal, sachant qu'il était plus facile de faire de bonnes affaires à cette heure de la journée.

Ramchand poursuivait sa route, plein d'une excitation tranquille et d'un sentiment de total bien-être.

*
*   *

Il atteignit Green Avenue et tourna dans la rue des Kapoor. Il fut aussitôt subjugué. À l'entrée, on avait dressé une arche dont l'armature en fer était complètement recouverte d'un entrelacs de soucis, de roses, de jasmin et de feuillage.

Le parfum des soucis dominait, réveillant chez Ramchand de lointains souvenirs. Un moment, celui-ci se retrouva transporté dans une enfance qui n'avait pratiquement pas laissé de traces dans sa mémoire, et revit un visage souriant, orné d'un gros *bindi* rouge et d'un clou en forme de feuille dans la narine, tandis que lui revenaient aussi l'odeur des pétales de souci qu'il tenait dans ses mains et le bruit des clochettes qui tintaient gaiement au temple le lundi matin.

Il resta là un moment à rêver, plongé dans une douce euphorie, avant de poursuivre son chemin. Tous les murs, tous les arbres, tous les buissons du voisinage étaient décorés de guirlandes lumineuses qui scintillaient dans le soir. L'espace d'un instant, il eut l'impression que le monde réel, c'était celui-là, et que les quartiers déshérités et sales du centre de la ville n'étaient que le produit de son imagination maladive. Quand la brise légère agitait les feuilles, toutes les petites lumières se mettaient à danser.

On avait même nettoyé la rue. Ramchand arriva sans encombre jusqu'à l'entrée de la résidence.

La maison était brillamment illuminée. Toutes les entrées étaient décorées de guirlandes de fleurs. Dans le parc, en face, d'immenses tentes rouge et blanc agitaient majestueusement leurs toiles dans la brise. Des gens en tenue de soirée allaient et venaient entre les tentes et la maison. Bien qu'il fût encore tôt, de longues automobiles aux chromes étincelants s'alignaient le long du trottoir.

Ramchand mit pied à terre. Il commençait à pousser son vélo lentement devant lui, fasciné par le spectacle, quand quelqu'un l'interpella :

« Hé, toi, qu'est-ce que tu viens faire par ici ? »

Brutalement, Ramchand retomba de son rêve sur le pavé.

C'était un garde chargé de la sécurité.

Ramchand lui jeta un regard plein de rancune. Il savait que, s'il avait été bien habillé et avait eu l'air prospère, l'autre ne l'aurait pas arrêté. Puis il vit que le garde avait une arme coincée dans sa ceinture et il se mit à bégayer. « Je... en fait... »

De grosses gouttes de sueur commencèrent à perler sur son front.

Le garde attendait. Un autre arriva et vint se poster au côté du premier.

Ramchand fit une nouvelle tentative, cherchant désespérément quelque chose à dire.

« Vous comprenez..., finit-il par bredouiller, Rina Memsahib, elle...

— On ferait mieux de l'emmener voir Rina Memsahib et de lui demander, dit le second garde à son collègue. Sinon, elle risque de piquer une crise. »

Sans un mot, les deux costauds entraînèrent Ramchand, qui se mit à transpirer abondamment, jusqu'au grand portail. Qu'allait-il se passer maintenant ?

*
* *

Rina se contemplait dans sa glace en pied, heureuse de ce qu'elle y voyait. Doutant des compétences des instituts de beauté d'Amritsar, elle avait longtemps hésité à s'adresser à eux pour cette occasion unique entre toutes, et avait fini par faire venir, par avion, une esthéticienne de Delhi. Cette dernière, une femme maigre aux cheveux courts, dirigeait un salon attaché à un hôtel cinq étoiles de la capitale et répondait au nom de Dolly. Elle avait travaillé cinq heures durant sur la tenue, les cheveux et le visage de Rina, et venait de prendre une pause de dix minutes ; après quoi, elle s'occuperait de Tina.

« Comme j'ai eu raison ! dit Rina, s'adressant à sa sœur, assise derrière elle sur le lit, vêtue d'un *lehnga* vert bien plus coûteux qu'il n'en avait l'air. Je suis sûre que les gens d'ici m'auraient complètement ratée. Tu me vois sur mes photos de mariage, les joues rubicondes, trois colliers autour du cou, un rouge à lèvres écarlate et un fard à paupières à faire peur ?

— Sûr que tu as eu raison, abonda Tina. Ils sont nuls ici. Aucune classe. »

Et il est vrai que Rina ne ressemblait guère aux autres mariées. Le *lehnga* qu'elle portait ne venait pas de la maison Sevak. Il avait été conçu spécialement pour elle par un célèbre styliste de Bombay : dans ce vêtement d'une riche couleur bordeaux, l'artiste avait utilisé la soie, le tulle, le brocart et le fil d'or pour créer une somptueuse parure.

À la place des habituelles chaînes d'or, souvent trop nombreuses, elle portait un seul collier en or magnifiquement ciselé à la main et rehaussé de rubis et de diamants. Des boucles appareillées brillaient à ses oreilles, et un *tikka* de la même couleur, partant de la raie qui partageait ses cheveux, lui éclairait le front. Des *kaleeres* de prix étaient accrochés au bracelet traditionnel des jeunes mariés, qui était, lui, en ivoire véritable. Deux jours plus tôt, une *mehndi-wala* du Rajasthan avait couvert les mains et les avant-bras de Rina d'un superbe dessin au henné, qu'elle avait reproduit sur ses pieds et ses fines chevilles. Délicates arabesques où se mêlaient fleurs, paons, feuilles, palanquins et autres motifs compliqués que cette femme du Rajasthan tenait de sa grand-mère.

Aujourd'hui, le henné luisait de tout son éclat.

Dolly avait appliqué un fond de teint mat sur le visage de Rina, mis ses yeux en valeur d'une main experte, lissé ses cheveux vers l'arrière pour les rassembler sur sa nuque en un chignon élégant, idéalement conçu pour recevoir le *pallu*.

Oui, décidément, Rina était satisfaite.

Elle s'était préparée pour son mariage à sa manière, dédaignant la plupart des instructions et conseils prodigués par sa mère et les autres femmes de la famille.

On frappa à la porte. Tina alla ouvrir. La bonne était sur le seuil, dans un sari rose fluorescent, une guirlande de fleurs de jasmin dans les cheveux.

« Il y a quelqu'un en bas qui dit que Rina Memsahib l'a invité. Les gardes voudraient savoir si c'est vrai.

— Dis-leur d'attendre dans le hall. Je descends dans une minute », fit Rina, le regard à nouveau sur son image dans la glace.

Voilà qui était tout à fait irrégulier, et la bonne ne l'ignorait pas. Mais elle n'osa souffler mot, car Rina Memsahib n'en faisait jamais qu'à sa tête. Quand elle était en colère, elle était capable de mots durs et cinglants, et ne se gênait pas pour insulter les gens en public.

D'ordinaire, la future mariée restait sagement assise dans une pièce, entourée de jeunes filles ricanantes et livrée aux attentions de matrones qui passaient leur temps à lui ajuster et lui réajuster son *pallu* et ses bijoux, tout en l'inondant d'un flot de recommandations à l'usage des jeunes épousées.

Pareille conduite était peu faite pour Rina Kapoor ! Qui se flattait d'être une jeune femme moderne et éclairée. Elle avait tenu à être seule, n'acceptant que la compagnie de sa sœur et de l'esthéticienne d'importation. Elle avait également demandé qu'en cas de doute tous les domestiques et les gardes chargés de la sécurité viennent la trouver, elle, au lieu d'aller déranger sa mère, occupée à recevoir les épouses des VIP. La bonne acquiesça et quitta la pièce.

Au bout de quelques minutes, quand elle eut fini d'ajuster ses bijoux et son *pallu* à sa convenance, Rina descendit l'escalier et gagna le hall, où Ramchand, les oreilles rouges, écrasé d'humiliation, attendait tout tremblant, flanqué des deux gardes et de la bonne. Laquelle se rongeait les ongles tout en le dévisageant sans cacher sa curiosité. Un parfum entêtant de jasmin flottait dans le grand hall.

« Oui ? » demanda Rina Kapoor, consciente de l'effet qu'elle produisait.

L'un des gardes prit la parole, sans lâcher le coude de Ramchand :

« *Memsahib*, on a trouvé cet homme devant le portail. Il dit que vous l'avez invité.

— Je suis le *sari-wala* », bafouilla précipitamment Ramchand.

Rina, qui ne le reconnaissait pas, resta un instant perplexe, puis un sourire amusé finit par jouer sur ses lèvres.

« Et je t'ai invité, c'est ça ? » demanda-t-elle, toujours souriante.

Ramchand ne répondit pas. Il n'aimait guère la manière dont elle souriait. Mais elle le surprit en se tournant soudain vers les gardes pour leur dire : « Oui, en effet, je l'ai invité. »

Sur quoi, les deux hommes plantèrent là Ramchand et s'esquivèrent discrètement. Rina le regarda. À son tour, il contempla, ébloui, la future mariée dans ses superbes atours. Elle eut un petit rire, tourna les talons et remonta l'escalier, l'ourlet de son *lehnga* balayant majestueusement le marbre.

*

* *

Et c'est ainsi que Ramchand eut le bonheur sans pareil d'assister au mariage de Rina Kapoor. Il n'adressa la parole à personne, se contentant de déambuler au milieu de la foule, les yeux écarquillés, tout en sirotant un verre d'une boisson verte et fraîche dont il ignorait le nom. Il grignota des *pakoras* au *paneer* que des serveurs engagés pour l'occasion et vêtus d'élégants uniformes noir et blanc présentaient sur des plateaux. Il goûta également à des petites choses très raffinées qu'il n'aurait pas su nommer non plus, de délicieuses petites choses que l'on prenait avec le cure-dents qui était planté dedans. Puis, quand le cortège du marié arriva, il se glissa à l'arrière de la foule rassemblée pour l'accueillir, tendant le cou pour essayer d'apercevoir celui-ci. Quelques danseurs agiles ouvraient le cortège, précédant le marié qui arriva sur son cheval, la tête sous une petite ombrelle en soie peinte.

L'accueil du cortège, l'échange de cadeaux prirent un temps considérable, mais Ramchand ne se lassait pas du spectacle.

Puis le *baraat*, le cortège du marié, fut admis dans les *shamianas*, les tentes rouge et blanc, pour le dîner. Ramchand entendit quelqu'un dire que le *mahurat* pour la cérémonie de mariage proprement dite n'aurait lieu que très tard dans la soirée, et que seuls la famille et les proches y assisteraient. Il se dit qu'il avait intérêt à manger maintenant, avec le *baraat*, et à repartir sans tarder. Il lui faudrait encore une bonne demi-heure pour rentrer chez lui à vélo.

Il pénétra donc, lui aussi, sous les *shamianas* agités par la brise. De nouvelles merveilles l'y attendaient. Les invités étaient aspergés d'eau de rose à leur entrée. Les tentes avaient été assemblées de manière à former un immense hall. Des lustres vous éblouissaient de leurs feux quand vous leviez la tête. Des lustres sous une tente ! Ramchand n'en croyait pas ses yeux. Et partout des guirlandes de fleurs. Rina n'avait pas voulu des traditionnels fauteuils rouges aux allures de trônes qui servent habituellement de sièges au couple avant et après la cérémonie, et les avait remplacés par une balançoire de l'ancien temps, de la taille d'un petit lit, recouverte de soie rouge. Une fausse fontaine complétait le décor. Des plateaux en argent circulaient, chargés de hors-d'œuvre délicats.

Le dîner se révéla plus grandiose encore. On ne servit ni viande ni vin, car les Kapoor étaient végétariens et ne buvaient pas d'alcool. Les mets, présentés dans des plats en métal aux couvercles tarabiscotés, étaient alignés sur de longues tables recouvertes de nappes blanches amidonnées. Sous chacun d'eux brûlaient de petites flammes, juste ce qu'il fallait pour les garder chauds. Un vrai mystère pour Ramchand. Les assiettes en porcelaine que recevaient les invités étaient tièdes, propres et sèches, et accompagnées de serviettes en papier blanches bordées d'un liséré de fleurs bleues. Ramchand se demanda ce qu'on était censé faire de ces jolis morceaux de papier pliés et décida sagement d'attendre de voir ce qu'en faisaient les autres. Il était tellement impressionné par le festin étalé devant lui qu'il ne put goûter de tout. Il se servit généreusement de *pulao* et de quelques autres plats qu'il fut incapable d'identifier.

Ramchand fut surpris de voir autant de gens qu'il connaissait. Ou, plus exactement, autant de femmes qui fréquentaient le magasin Sevak. Il y avait là Mrs Gupta, dans ce magnifique sari vert émeraude qu'elle avait acheté quelques mois plus tôt, suivie comme son ombre par sa nouvelle bru, couverte de bijoux. Mrs Gupta la présentait à tout le monde, et la jeune femme saluait chacun avec chaleur, sans se départir de son sourire. Il y avait aussi Mrs Sandhu, qui, elle, portait un *salwaar kameez* rose chatoyant. Ce qui, somme toute, était compréhensible de la part d'une *sardaarni*. Elle parlait avec volubilité à une autre femme qui avait l'air, elle aussi, d'une sikhe. Toutes deux passèrent à côté de Ramchand en allant se resservir au buffet, et il entendit Mrs Sandhu dire d'une voix angoissée : « Vous comprenez, le programme est tellement lourd, les livres sont si gros, Manu a des grands cernes noirs sous les yeux. Il travaille tellement dur, le pauvre garçon. J'espère qu'il les aura. S'il réussit ses examens, il n'aura plus à s'en faire, il pourra vivre confortablement jusqu'à la fin de ses jours… » Sa voix se perdit dans le brouhaha quand les deux femmes s'éloignèrent de Ramchand. Mrs Sachdeva était là aussi, dans le sari en soie grège tout à fait quelconque que Ramchand se rappelait encore lui avoir vendu. Il n'était pas près d'oublier ce jour-là ! Elle portait des lunettes et parlait d'un ton docte à un homme grand et chauve qui, pour une raison ou une autre, n'avait pas l'air d'être d'Amritsar. Peut-être un professeur associé. Et il y avait également Mrs Bhandari, accompagnée de son époux, un bel homme, ma foi, et vêtue de ce brocart bleu-vert couleur paon qu'elle avait tant marchandé que même Mahajan avait fini par en attraper mal à la tête. Ramchand regardait tout ce monde-là bouche bée. Un peu surpris de voir toutes ces femmes et leurs saris rassemblés ici.

D'une certaine manière, il avait du mal à admettre qu'elles et leurs atours puissent exister en dehors du magasin, en dehors de son monde à lui. La boutique, qui était toute son existence, le lieu où pour lui tout commençait et finissait, n'était finalement pour ces gens qu'un point de départ. Tandis que lui restait là à montrer des saris, les clientes, elles, les emportaient, avant de les revêtir pour vaquer à leurs occupations.

Il regarda autour de lui. Hari avait raison : tout le gratin d'Amritsar était là. Ramchand prit soudain conscience de ses chaussures usées, de ses pieds malodorants, de sa chemise à rayures ridicule et de ses cheveux indisciplinés. Il se mit à manger plus vite. Certes, il était peu probable que quelqu'un se souvienne de l'avoir vu ici, mais sait-on jamais… Il préférait ne pas imaginer ce qui se passerait si la chose revenait aux oreilles de Mahajan.

À la fin du dîner, il fut choqué de constater que les gens s'essuyaient les mains sur les magnifiques carrés de papier, puis, indifférents au liséré de fleurs bleues, les froissaient avant de les jeter. À quoi pensaient-ils donc ! Ne voyaient-ils pas combien le papier était mince et fragile, et délicat le dessin des petites fleurs, et douce au toucher la serviette ? Il glissa la sienne dans sa poche.

Pour finir, on servit les quarante desserts. Un silence religieux tomba sur l'assemblée quand, le dîner débarrassé, on les disposa sur les tables, dans de grands plats. Ramchand en goûta trois, puis, rassasié, surexcité et passablement étourdi, reprit son vélo pour rentrer chez lui.

*

* *

Trois jours après le mariage de Rina Kapoor, Ramchand eut une surprise. Il était tranquillement assis à parler à Hari, qui lui racontait par le menu, sans rien omettre, toute l'histoire de *Gadar*, qu'il avait vu pour la deuxième fois.

Complètement absorbé par le récit de son collègue, c'est à peine s'il vit Rina Kapoor entrer dans la boutique. Elle était seule.

Ramchand en resta abasourdi. Les jeunes mariées attendaient toujours des mois avant de sortir non accompagnées ! Il leur fallait assister à des cérémonies post-nuptiales, répondre à des invitations à déjeuner et à dîner, accomplir des *pujas* spéciales. Il savait par ouï-dire qu'il y avait tout un rituel à respecter. La conduite de Rina en cette occasion était tout à fait hors norme. Sans compter qu'elle était vêtue d'un banal *salwaar kameez* jaune, sans aucun des atours propres à son nouveau statut. Pas de bijoux non plus, en dehors de quelques diamants, en lieu et place des multiples chaînes en or que portaient les jeunes mariées. Ramchand n'aimait d'ailleurs pas cet amas de joaillerie, encore qu'il eût trouvé Sudha très belle même quand, jeune mariée, elle avait porté sans discrimination tous les bijoux qu'elle possédait. Mais Sudha, c'était autre chose.

Ramchand demeurait assis là, bouche bée. Il vit les grands yeux vifs de Rina faire rapidement le tour du magasin, puis s'arrêter sur lui quand elle l'aperçut. Aussitôt, elle se dirigea vers lui. Un moment, Ramchand fut pris de panique : elle n'avait rien dit le jour du mariage, mais venait se plaindre aujourd'hui. Elle allait le dénoncer à tout le monde. Faire savoir à Mahajan que lui, Ramchand, avait osé venir à son mariage sans y avoir été invité. Elle allait demander qu'on le jette à la porte sans délai.

À cette seule idée, Ramchand se sentit inondé de sueur. Dans l'intervalle, elle était venue se planter devant lui et le dévisageait sans un mot.

« *Namaste*, bredouilla Ramchand.

— *Namaste*, répondit-elle à voix basse, de cet air amusé qu'elle avait eu pour lui parler le jour de son mariage.

— Vous voulez voir des saris, *memsahib* ?

— Si tu veux, dit-elle, sans se départir de son sourire énigmatique et du ton de quelqu'un qui cède à une requête. Montre-moi des saris. »

Mahajan apparut tout à coup au sommet de l'escalier et se précipita vers elle. « Madame, j'ai vu votre voiture et votre chauffeur en bas. Je vous en prie, asseyez-vous. Mais pourquoi vous être dérangée ? Vous n'aviez qu'à appeler, et nous vous aurions fait envoyer ce dont vous aviez besoin. Allons, Hari, va chercher un Coca-Cola pour madame. Avec une paille. Veille à ce que le verre soit propre. Asseyez-vous, asseyez-vous, je m'occupe de vous moi-même. Allons, Gokul… »

Rina leva une main hautaine, ce qui eut pour effet de tarir sur-le-champ le flot de paroles du boutiquier. Mahajan la regarda, interdit, dans une expectative pleine de déférence.

« Comment s'appelle-t-il ? demanda-t-elle en montrant Ramchand.

— Ramchand, madame, répondit Mahajan.

— Bien. C'est lui qui me montrera les saris. Et je ne veux pas être dérangée », ajouta-t-elle d'un air entendu.

Mahajan saisit l'allusion et s'esquiva, l'air étonné.

Ramchand ne savait plus à quel saint se vouer. Elle était venue seule et n'était mariée que depuis trois jours – on n'achetait pas des saris trois jours après son mariage. Elle souriait sans raison et donnait l'impression de savoir quelque chose sur son compte, une sorte de secret dont lui-même ignorait tout.

Il se tourna vers les rayons, puis se rappela qu'il avait omis de lui demander quel genre de saris elle voulait voir.

« Quel genre de saris, *memsahib* ? »

Elle rejeta la tête en arrière et éclata de rire, un rire de gorge qui allait bien avec sa voix.

« En soie », dit-elle en reprenant son sérieux.

Ramchand sortit différentes pièces. C'est à peine si Rina les regarda, se contentant d'un coup d'œil rapide. Au lieu de quoi, elle se mit à parler à Ramchand, l'interrogeant sur lui-même, sur sa vie, voulant savoir ce qu'il gagnait, s'il était marié... Ramchand répondait poliment. Mais les questions se firent bientôt plus personnelles, elle voulait connaître ses goûts, ses passions, avoir son avis sur tel ou tel sujet. Très vite Ramchand se sentit mal à l'aise. C'était la première fois qu'une femme, qui plus est une femme aussi belle, lui posait des questions aussi intimes, et il ne tarda pas à être complètement désarçonné. Il rougit, se fit maladroit et bavard, disant des choses qu'il ne pensait pas, ne finissant pas ses phrases, espérant qu'elle le comprendrait à demi-mot.

Elle, de son côté, affichait toujours son air amusé. Hari réapparut, porteur d'un plateau où trônait un verre de Coca-Cola solitaire, et propre, avec une paille. Elle accepta le verre mais le posa par terre à côté d'elle, sans y toucher. Elle semblait écouter Ramchand avec la plus grande attention. Ce qui ne laissait pas de l'inquiéter, car il savait qu'il était en train de sortir bêtise sur bêtise.

Pour finir, elle le remercia gracieusement, choisit au hasard un sari en soie bleu et noir, lui adressa à nouveau un sourire amusé et complice, et régla la facture avant de remonter dans la longue voiture grise et lustrée.

Mahajan monta voir Ramchand quand elle fut partie. Ce dernier s'attendait à ce que son patron fasse grise mine parce que Rina avait refusé ses services, mais il était au contraire tout sourires.

« Très bien, mon garçon, très bien. Tu as dû leur faire une excellente impression quand tu es allé chez eux. Voilà comment on fidélise la clientèle. C'est très bien, je suis content de toi. »

Il aperçut le verre laissé intact.

« Elle n'a rien bu ? demanda-t-il.

— Non, Bauji, pas même une gorgée.

— Eh bien, il est pour toi, Ramchand. Bois-le, dit Mahajan, toujours aussi rayonnant. Tu l'as bien mérité. »

Ramchand sourit, et Mahajan redescendit l'escalier en se frottant les mains.

Personne ne le regardait. Ramchand s'empara du verre qu'elle avait tenu dans ses belles mains blanches, prit la paille entre ses lèvres et vida le Coca d'un trait, rouge comme une pivoine.

SECONDE PARTIE

1

Le printemps était venu et reparti tout aussi vite, comme il le fait souvent. Déjà, l'air frais et parfumé avait fait place à la chaleur sèche et poussiéreuse de mai.

Les enfants avaient rangé leurs cerfs-volants, le soleil tapait trop fort et de façon dissuasive sur les toits en terrasse d'où ils les envoyaient tournoyer dans le ciel.

Sur les marchés planait l'arôme des mangues, et les ménagères commençaient à mettre en conserve les plus vertes. De gros bocaux de mangues à confire faisaient discrètement leur apparition sur les terrasses et dans les cours bien exposées, là où le soleil allait pouvoir accomplir son travail.

Les jours allongeaient et les gens devenaient de plus en plus irritables. On aspirait à la pluie, mais pas un nuage ne venait obscurcir le ciel aveuglant. L'eau s'évaporait des caniveaux, où stagnait une vase nauséabonde. Les étangs des abords d'Amritsar finirent par s'assécher, eux aussi, et les buffles léthargiques s'enfonçaient plus profond dans la boue gluante, ne laissant plus voir que leurs yeux quand la vase fraîche avait recouvert leur cuir noir et brûlant.

Les rues se couvraient de poussière, et le visage des cyclistes et des piétons prenait une expression de lassitude permanente. Les coupures de courant se multipliaient. Les gens étaient fatigués et énervés, ou amollis et résignés. Les mères n'arrêtaient pas de houspiller leurs enfants, les belles-mères de se prendre le bec avec leurs brus, et les jeunes employés des magasins, des bureaux et des usines de se faire rabrouer par leurs supérieurs.

Des familles entières dormaient sur les terrasses sombres et silencieuses le soir, pendant les coupures d'électricité, leurs souvenirs communs flottant dans l'air chaud, mêlés aux nuées de moustiques. Les vieilles femmes restaient assises sur leur *charpai*, à agiter des éventails de jute et à marmonner des prières en dévidant leur rosaire dans leurs mains moites et ridées. Il semblait qu'une chape de plomb fût tombée sur la ville. Même les riches – et il n'en manquait pas à Amritsar – perdaient leur calme quand, quittant leurs maisons et leurs voitures climatisées, ils s'aventuraient brièvement dans la chaleur sèche et brûlante du monde extérieur.

L'après-midi, on ne voyait plus dans les rues désertes qui empestaient le goudron fondu que des vendeurs de glaces et leur petite charrette, des conducteurs de *rickshaws* qui somnolaient dans leur voiture à l'ombre des arbres et des chiens errants, la langue pendante.

*
* *

La maison de Chander avait des plaques de tôle ondulée en guise de toiture, et il suffisait que le soleil de mai tape dessus pendant une heure pour transformer l'endroit en fournaise. C'est là qu'était assise un matin la femme de Chander, son corps décharné trempé de sueur.

Elle s'appelait Kamla, même si tout le monde à la maison Sevak la connaissait sous le nom de « la femme de Chander ». Enfant, Kamla avait une tresse hirsute qui lui pendait dans le cou, un corps maigre et de grands yeux curieux. Elle vivait dans une petite maison à Jandiala, ville minuscule, insignifiante, à peine plus grande qu'un gros bourg, située à une vingtaine de kilomètres d'Amritsar, avec son père, sa mère et un frère, plus âgé qu'elle, puisqu'il avait treize ans quand elle n'en avait que huit. Son père travaillait dans une petite usine, qui fabriquait une marque locale de poudre à laver du nom de Chamki.

Une fois son père parti pour l'usine et son frère pour la boutique du tailleur où il était apprenti, sa mère s'en allait chez les autres, faire le ménage et la cuisine. Parfois, Kamla l'accompagnait et lui donnait la main.

À huit ans, Kamla n'avait en tout et pour tout que deux robes, toutes deux données par des gens chez qui travaillait sa mère parce que trop petites désormais pour être portées par les filles de la maison. L'une était à carreaux rouges et bleus, avec des poches, et l'autre d'un rose passé et bordée d'une dentelle déchirée au col et à l'ourlet.

Kamla était censée se prendre en charge elle-même, bien que sa mère s'occupât du linge de son frère, lui préparât ses repas et nettoyât derrière lui. Mais elle disait à Kamla que les filles devaient apprendre à s'acquitter de toutes les tâches ménagères, et que plus tôt elles commençaient, mieux elles s'en trouvaient. C'est pourquoi, une fois par semaine, soucieuse d'imiter sa mère, Kamla s'accroupissait à côté du robinet et frottait ses deux robes, les rinçait, les tordait pour les essorer, tellement fort qu'elles n'étaient plus que nœuds, puis les accrochait au soleil pour les faire sécher. Elle avait un faible pour celle à carreaux, même si elle trouvait que la dentelle de la rose lui donnait une certaine classe, et la faisait un peu ressembler à ces filles qui vivaient dans des grandes maisons, ne se déplaçaient qu'en voiture et achetaient des chocolats emballés dans du papier violet. Elle n'en préférait pas moins celle à carreaux. Elle avait des poches où on pouvait caser toutes sortes de choses, et elle avait l'air plus neuve que la rose, plus colorée aussi et bien plus gaie. Mais elle les portait à tour de rôle, sans jamais déroger à la règle – un jour la rose, et le lendemain les carreaux rouges et bleus.

Elle portait la seconde le jour où sa mère était morte. Kamla était seule à la maison avec elle. C'était le soir, et elles préparaient ensemble le repas.

Kamla venait juste d'apprendre à peler les pommes de terre. Elle était assise par terre, un couteau à la lame émoussée à la main – sa mère n'osait pas encore lui en confier un vraiment tranchant –, et parlait à sa mère d'une voix haut perchée. Cette dernière, juchée sur un tabouret, essayait d'attraper un bocal de conserve de légumes tout en haut d'un placard.

« Et alors, m'man, Ganga a dit que Mina était toujours en train de tricher. Elle a dit que la pierre était juste au bord de la ligne à la craie, mais que Mina l'avait poussée avec son pied. Mais moi, je l'ai vue, m'man, et c'est pas vrai. Tu crois que Ganga a menti ? Moi, je crois pas, parce que c'est pas une menteuse. Peut-être qu'elle s'est trompée. Elle est toujours tellement sûre d'elle. M'man, moi, je crois... »

Sa mère, dressée sur la pointe des pieds, s'étirait pour attraper le bocal, tout en hochant la tête de temps en temps. Kamla, elle, continuait à babiller, sans même attendre de réponse.

« La sœur de Ganga s'est mariée, et quand elle est revenue, elle lui a donné un bracelet en argent. En vrai argent, m'man, tu te rends compte ! T'as pas idée comme il est joli, il a plein de petits grelots qui font du bruit quand elle bouge. Et elle arrête pas de remuer le bras, Ganga, exprès, rien que pour faire sa maligne... »

La mère de Kamla était enfin parvenue à agripper le bocal. Elle s'en saisit avec précaution et l'attira vers elle. « Ah, le voilà quand même. Bon, je crois que pour le dîner, avec les pommes de terre et les piments, on pourrait... »

C'est à ce moment qu'elle vacilla sur le tabouret, un peu surprise, les sourcils relevés, les mains agrippant toujours le bocal. Puis elle glissa, le tabouret tomba sur le côté avec un bruit sourd, accompagné d'un grand craquement, et la mère de Kamla se tut. Une flaque de sang se forma lentement sous sa tête. Le bocal en verre s'était brisé, lui aussi. Une tache d'huile commença à s'étendre en direction du sang, puis les deux liquides se mélangèrent. Des morceaux de citron vert et de carottes macérés parsemaient comme autant de cailloux la petite mare qui s'était formée. Kamla restait assise sans bouger, sans rien dire, la bouche légèrement entrouverte, pétrifiée, ne quittant pas sa mère des yeux, une pomme de terre à moitié épluchée dans la main gauche, le couteau émoussé dans la droite, assise au milieu des fines spirales des épluchures.

C'est dans cette position que la trouva son frère deux heures plus tard, en rentrant du travail. Il parcourut la pièce du regard, un flux de bile lui remontant dans la gorge sous le choc. Il lui enleva le couteau des mains et l'envoya chercher leur tante, la sœur de leur père, qui habitait dans le voisinage.

Kamla refusa d'abord de bouger, mais bientôt son frère, la voix étouffée par les sanglots, la secoua doucement. « Va, Kamla. Va chercher Bua. Dis-lui ce qui est arrivé. Et elle viendra. Comme ça, moi, je pourrai aller à l'usine prévenir Pitaji. »

Dans un état proche de l'hébétude, Kamla emprunta le chemin familier qui menait chez sa *bua*. Une fois là-bas, elle ne cessa de répéter que le bocal de pickles était cassé. Puis elle finit par éclater en sanglots. Bua la prit par les épaules et lui demanda ce qui s'était passé. « Le bocal est tombé, répéta Kamla, et m'man avec. »

Bua accompagna Kamla chez elle. Celle-ci vécut les jours qui suivirent dans une sorte d'état second. Son

173

père et son frère lui semblaient lointains, absorbés qu'ils étaient par les préparatifs de la crémation et de la *puja*. Bua n'avait guère de temps à elle non plus, car elle devait s'occuper des repas et des lits des parents venus pleurer la défunte. Kamla devait l'aider tout le jour à couper des légumes et à plier des couvertures, alors que son cœur saignait. « Maintenant que ta mère n'est plus là, lui avait dit sa tante, il va falloir que tu t'occupes de la maison. Que tu prennes soin de ton père et de ton frère, d'accord ? Tu es une grande fille. »

Kamla avait acquiescé.

Elle commença à travailler chez les anciens employeurs de sa mère. Comme cette dernière, sa tante gagnait sa vie en faisant le ménage et la cuisine dans les grandes maisons. Elle prit donc sa nièce sous son aile et l'emmena bientôt travailler avec elle. Kamla apprenait vite, elle maniait le balai avec adresse, allant jusque sous les lits, s'allongeant presque par terre pour atteindre les coins les plus reculés, nettoyant derrière les banquettes et sous les tapis. Elle récurait les rayonnages des cuisines, frottant les taches d'huile et de graisse avec un chiffon humide jusqu'à ce qu'elles disparaissent. Nettoyait les éviers, enlevant soigneusement les miettes de nourriture et les bouts de feuilles de salade qui risquaient de les boucher. Coupait et éminçait les oignons, le gingembre et les tomates, les empilant soigneusement et les recouvrant d'une assiette en fer-blanc pour qu'ils soient encore frais quand la maîtresse de maison préparerait son repas. Ses patrons étaient contents d'elle, et elle ne tarda pas à rapporter cent roupies par mois à la maison, où il lui fallait encore s'occuper des repas de la famille.

Elle continua à porter ses deux robes à tour de rôle, jusqu'à ce que celles-ci soient trop petites et qu'elle-même puisse prétendre au *salwaar kameez*.

Son frère se maria, alors qu'elle avait quatorze ans, et l'épouse de celui-ci, soucieuse de s'assurer une position dans la maison, prit en main les destinées de la cuisine, reléguant Kamla dans une position subalterne.

C'était maintenant Bhabhi qui décidait de la composition des repas, s'occupait des provisions et cuisinait comme elle l'entendait. Kamla se trouva ravalée au rang de vulgaire femme de ménage, obligée de se charger des tâches que l'autre lui demandait d'exécuter.

*
* *

À seize ans, quand elle épousa Chander, Kamla était une jolie fille aux yeux vifs, presque toujours gaie, quoique parfois sujette à un abattement qui laissait ses proches perplexes. Dans ces moments-là, elle n'adressait la parole à personne et se contentait de fredonner des airs pour elle-même ou de broder des fleurs sur des morceaux de popeline que son frère rapportait de l'usine de prêt-à-porter où il travaillait comme coupeur et tailleur. Elle refusait de répondre aux questions qu'on lui posait, fût-ce d'un hochement de tête ou d'un signe de la main. Pareille attitude exaspérait son entourage, mais, dans la mesure où elle ne portait pas à conséquence, on la laissait faire et l'on attribuait ses sautes d'humeur à l'instabilité des adolescentes. Tout rentrerait dans l'ordre, plaidait-on, quand elle serait mariée.

Kamla était maintenant une excellente cuisinière et travaillait dans trois maisons différentes, préparant les *daals* et les légumes, faisant cuire le riz et nettoyant les divers ustensiles à la perfection.

Elle gagnait désormais quatre cents roupies par mois, recevait, de temps à autre, quelques vieux vêtements, et avait droit à un repas par jour dans la grande maison peinte en blanc et une tasse de thé dans la jolie maison dont le portail s'ornait d'une bougainvillée pourpre. Dans l'une comme dans l'autre, on lui donnait également vingt roupies pour la fête de Diwali et quelques friandises. Il lui arrivait même de rapporter chez elle deux ou trois *chapatis* qui restaient d'un repas, farcis de morceaux huileux de mangue confite.

Un jour, en balayant le sol d'une des grandes maisons, Kamla aperçut par terre une jolie perle en verre rouge. Elle brillait et était percée aux deux extrémités pour qu'on puisse y passer un fil. La main de Kamla s'immobilisa sur son balai. De l'autre, elle ramassa la perle. Elle la tendit dans la lumière qui entrait à flots par la fenêtre, et sourit en la voyant étinceler dans le soleil.

Sa patronne, une femme facile à vivre qui passait le plus clair de son temps devant la télévision à regarder les films de la chaîne câblée locale, leva les yeux et lui demanda :

« Hé, Kamla, qu'est-ce qui te fait sourire comme ça ?

— C'est cette perle, Bibiji, elle est très belle. Vraiment trop belle.

— Oh, ça ? dit la femme en souriant. Ça ne vaut vraiment pas grand-chose. Ma fille en a acheté une pleine boîte pour faire des colliers à ses poupées. Elle ne s'en amuse plus maintenant. Qu'est-ce qu'elle peut perdre comme temps à des bêtises ! Je ne la vois jamais étudier. Je me demande ce qu'elle va devenir. De nos jours, même pour se marier, il faut un diplôme universitaire. » Puis, revenant à la perle, elle dit à Kamla : « Les autres doivent être quelque part par ici, elles vont nous encombrer pendant des années. Tu veux les emporter avec toi ? »

Kamla hocha la tête. La femme se leva lentement, alla fouiller dans un placard d'où elle sortit une boîte en carton. Elle revint et la tendit à Kamla.

Celle-ci ouvrit la boîte pleine de perles rouges, polies et lumineuses.

« Merci beaucoup, Bibiji, dit Kamla en serrant la boîte contre sa poitrine, les yeux brillants de plaisir.

— Contente ?

— Oh, oui !

— Alors, veille à frotter le linge comme il faut aujourd'hui. La chemise blanche n'était pas bien lavée hier.

— C'était une tache de curcuma, Bibiji. On a beau frotter, ces taches-là, ça ne part pas. »

*
* *

Ce soir-là, Kamla enfilait les perles rouges sur un fil à l'aide d'une aiguille quand son père revint de la fabrique de savon. En règle générale, il rentrait fatigué et le plus souvent ne parlait à personne tant que sa fille ou sa belle-fille ne lui avaient pas fait une tasse de thé. Mais, ce jour-là, il avait à peine posé la boîte métallique à trois compartiments dans laquelle il emportait le repas préparé par sa fille qu'il appela toute la famille. Le frère de Kamla, rentré quelques minutes plus tôt, s'approcha, l'air inquiet, redoutant un désastre d'ordre financier, suivi de sa femme, qui tenait son nouveau-né dans ses bras. Kamla resta où elle était, l'aiguille, le fil et les perles toujours sur les genoux. Le père de Kamla annonça alors à la famille rassemblée qu'il avait le jour même arrangé le mariage de sa fille avec le fils d'un de ses collègues de travail. Le frère sourit, la belle-sœur vint vers elle et la serra dans ses bras, tout le monde avait l'air heureux. Kamla eut un sourire indifférent. Elle s'attendait depuis quelque temps à une telle annonce, et la nouvelle la laissa de marbre. On élevait les filles dans l'idée que le mariage devait arriver un jour ou l'autre, Kamla n'était donc pas prise au dépourvu.

Son père et son frère se mirent ensuite à discuter des préparatifs, tandis que Kamla et sa *bhabhi* allaient à la cuisine préparer le thé. Kamla garda le silence, seule attitude convenable dans les circonstances, pendant que sa *bhabhi*, volubile, se lançait dans des propos auxquels elle prêta à peine attention.

Plus tard, quand tout le monde se fut retiré pour la nuit, elle se remit à enfiler ses perles à la lumière de l'ampoule. Le mariage, c'était banal, les perles rouges, en revanche, étaient bien plus rares.

Huit jours avant son mariage, pourtant, ce fut la catastrophe : elle découvrit que l'homme qui allait devenir son mari, cet homme qu'elle n'avait jamais vu et qui ne l'intéressait guère, vivait et travaillait à Amritsar. Elle allait devoir s'exiler là-bas.

Kamla fondit en larmes dès qu'elle apprit la nouvelle et dit à son père qu'elle refusait de se marier. Sa belle-sœur tenta de la réconforter, mais elle repoussa ses bras consolateurs. Son père lui remontra gentiment qu'elle ne devait pas dire des choses pareilles. L'affaire était conclue, et tout était déjà prêt : elle n'avait plus qu'à se résoudre à être une bonne épouse.

Kamla se raisonna – son père avait sans doute raison –, mais n'en continua pas moins à s'inquiéter. Il ne lui était pas venu à l'esprit que Chander, car c'était là son nom, pouvait vivre ailleurs qu'à Jandiala. Elle n'était jamais sortie de son village, et la perspective de vivre seule, loin des siens, dans une ville inconnue la terrifiait. Elle avait eu jusque-là très peu de contacts avec le monde extérieur. En dehors des gens chez qui elle travaillait, elle ne voyait que sa famille et les parents qui leur rendaient visite. Son père avait pris soin de la tenir à l'écart des dangers du monde, vivant dans la crainte qu'en l'absence d'une mère Kamla s'écarte du droit chemin et finisse mal.

La petite maison était donc tout l'univers de Kamla, et elle aimait en retrouver la sécurité chaque jour après son travail. Il n'y avait que deux petites pièces. Dans l'une vivaient son frère et sa femme. Ils venaient d'avoir un petit garçon et avaient donc absolument besoin d'une pièce pour eux trois. L'autre n'était guère qu'une sorte d'alcôve, juste assez grande pour contenir le lit de son père et un broc d'eau. Kamla, elle, dormait dans un coin de la cuisine, sur un lit pliant recouvert d'un dessus-de-lit vert qui, plié en deux, lui servait parfois de châle. Elle conservait sous le lit une malle en fer-blanc renfermant toutes ses possessions.

Ce petit monde, composé d'objets familiers bien à leur place, allait disparaître pour faire place à l'inconnu. Loin de l'enchanter, pareille perspective l'emplissait de crainte.

Ses parents, ainsi que ceux de Chander, continueraient à vivre à Jandiala.

Elle serait seule, toute seule, à Amritsar, avec un étranger. Dans une maison inconnue.

Elle restait éveillée, soir après soir, à se répéter ces deux phrases jusqu'à en avoir mal à la tête. Et puis, une nuit, elle en eut assez de s'inquiéter. De toute façon, elle n'y pouvait rien. Les filles n'avaient pas le choix : il fallait qu'elles s'adaptent. Elle se retourna dans son lit et s'endormit.

*
* *

Et c'est ainsi qu'un beau matin Kamla épousa Chander.

Plus tard, c'est à l'odeur des *laddus* qu'elle associerait le plus spontanément son mariage. Des douceurs jaunes et sucrées empilées en pyramides bien régulières sur des plats en métal, offertes aux invités vêtus de couleurs criardes, volées par les enfants du voisinage au milieu des rires étouffés, présentées aux dieux en guise d'offrandes, emballées dans des boîtes en carton rouge pour être données à la famille.

Une petite fille réussit même à en apporter un à Kamla le matin de son mariage, alors que celle-ci était assise dans la pièce où dormaient son frère et sa belle-sœur. Kamla, vêtue de rouge, examinait les paumes de ses mains décorées au henné. La veille, sa *bhabhi* et quelques filles du voisinage avaient écrasé du *mehndi* dans un petit bol en fer. Puis sa belle-sœur, à l'aide d'une allumette qu'elle trempait dans la mixture, avait dessiné des cercles parfaits au centre de ses paumes avant de les remplir. À leur tour, les filles, pouffant comme des gamines, s'étaient occupées des extrémités de ses doigts. Le *mehndi* avait coloré ses paumes d'un joli orange foncé. Le bout de ses doigts jetait aussi des flammes, mais elle aurait aimé que sa belle-sœur fasse preuve d'un peu plus d'imagination. Quand la gamine entra avec son *laddu* enveloppé dans un mouchoir sale, Kamla le prit machinalement, mais elle était trop nerveuse pour seulement songer à le grignoter. L'odeur des *laddus* avait envahi la maison, elle imprégnait l'air de la petite cuisine enfumée, son vieux couvre-lit vert, ses vêtements et jusqu'à ses cheveux.

Elle ne gardait de l'événement qu'un seul autre souvenir : elle avait supplié sa tante, des larmes plein la voix, de lui laisser porter ses perles en verre rouge le jour de son mariage.

Demande aussitôt rejetée par cette dernière.

« Non, tu ne les porteras pas, Kamla. Que penseraient les gens ?

— Mais, Bua, elles sont exactement assorties à mon *kameez* », avait rétorqué Kamla, au bord de l'hystérie. Elle portait un *salwaar kameez* ordinaire fait dans un tissu synthétique rouge et brillant, que son frère s'était procuré pour pas cher à l'usine où il travaillait. Elle avait acheté un *chunni* tout aussi ordinaire, l'avait fait teindre du même rouge et y avait cousu elle-même des parements dorés pour lui donner l'allure d'un *chunni* de mariage. Bhabhi avait ajouté à la longue écharpe quelques paillettes scintillantes. Son *chunni* ainsi drapé autour de la tête, Kamla était très jolie, mais elle ne pouvait se résoudre à abandonner l'idée du collier.

« J'ai vraiment envie de le mettre. Je t'en prie, Bua.

— Non, Kamla, tu ne porteras que la fine chaîne en or que t'a laissée ta mère et les boucles d'oreilles en or que ton père a fait faire spécialement pour l'occasion. Ce n'est peut-être pas grand-chose, mais pour des gens comme nous c'est suffisant. Que va-t-on penser si tu portes des perles en verre le jour de ton mariage ?

— Bua, si je vais à Amritsar avec mes perles, je me sentirai mieux. J'aurai l'impression… d'être encore moi, balbutia Kamla, à nouveau au bord des larmes.

— Qu'est-ce que tu me racontes là ? Je ne vois pas qui tu pourrais être d'autre que toi-même. Écoute, Kamla, continua sa tante d'une voix radoucie, toutes les filles sont un peu nerveuses le jour de leurs noces, mais il faut que tu sois raisonnable. Calme-toi et écoute tes aînés. Il va falloir que tu deviennes une bonne maîtresse de maison. Fini les enfantillages, maintenant.

— Mais, Bua…

— Ça suffit, Kamla, arrête tes jérémiades. Sois sage et sois reconnaissante à ton père de tout ce qu'il a fait pour toi. Il se peut qu'il soit pauvre, mais tu n'es pas la fille d'un balayeur des rues pour porter des babioles en verre le jour de ton mariage. »

Bua refusa de se laisser convaincre, et Kamla finit par céder.

Voilà à peu près les seuls souvenirs qu'elle conservait du jour de ses noces.

Kamla vint donc vivre à Amritsar avec Chander, apportant toutes ses possessions dans sa vieille malle en fer-blanc. Elle y avait rangé les deux saris neufs que lui avait achetés son père, les quelques *salwaar kameez* que lui avaient gentiment donnés ses divers employeurs, tous ses sous-vêtements, ses corsages et ses jupons, son peigne, sa glace, les nécessaires à *sindoor* et à *bindis* et les serviettes hygiéniques faites maison.

L'opération s'était déroulée sous le contrôle de Bua et selon ses instructions.

Mais une fois sa tante partie, Kamla avait rouvert sa malle pour y glisser en cachette quelques bricoles supplémentaires. C'est ainsi qu'elle avait également apporté à Amritsar son précieux collier de perles en verre, ses deux robes d'enfant – la rose et celle à carreaux –, au cas où elle aurait une fille, le tube neuf de Fair & Lovely qu'elle avait acheté avec le fruit de deux mois d'économies, une épingle de sûreté d'importation en cuivre et un vieux foulard chinois en soie que lui avait donné un jour une des dames des grandes maisons. Sans oublier la ferme conviction que l'on a beau frotter, les taches de curcuma, ça ne part pas.

2

Kamla avait commencé sa vie de femme mariée de la même façon que toutes les filles qu'elle connaissait. On n'attendait plus d'elle qu'elle aille travailler au-dehors désormais. En revanche, elle était censée avoir des enfants, et Chander lui avait dit qu'il ne voyait pas grand intérêt à ce qu'elle prenne un emploi qu'elle devrait bientôt quitter : « Tu pourras toujours commencer à travailler quand les enfants seront un peu plus grands. Jusque-là, on se débrouillera. Je ne suis quand même pas pauvre à ce point. »

Tous les jours donc, elle préparait les repas, faisait la lessive et le ménage dans sa nouvelle maison, une seule pièce avec une plaque de tôle ondulée en guise de toit. Chander lui dit qu'ils s'installeraient bientôt dans un endroit plus confortable, il suffisait qu'il économise un peu. Et la prime de Diwali n'était plus très loin maintenant.

Chander n'avait pas beaucoup d'argent, mais de longues journées de travail. Il partait pour la fabrique de vêtements de bonne heure le matin et rentrait tard le soir. Kamla devait rogner sur tout et économiser sou à sou, mais elle en avait l'habitude. Les choses n'étaient pas si différentes du temps où elle était chez son père, si ce n'est qu'elle n'était jamais seule à cette époque. Elle devint une ménagère très économe, raccommodant les vieux vêtements, reprenant et renforçant les coutures, rentrant les bords élimés ou effrangés. Au lieu de la jeter, elle mettait soigneusement de côté l'huile de friture qui avait déjà servi et la réutilisait plusieurs fois. De même avec le moindre morceau de tissu ou de papier. Elle préparait les repas avec un minimum d'épices, ne mettait jamais d'ail et découvrait, à la fin de chaque mois, que ses efforts répétés lui avaient permis d'épargner quelques sous.

Mais quelque chose s'était détraqué. Kamla trouvait sa nouvelle vie difficile à supporter et s'était mise à broyer du noir. Chander buvait souvent et la battait. Ce n'était pas là chose rare, elle le savait. Il arrivait souvent qu'un mari batte sa femme. C'était comme ça, et ça n'avait rien à voir avec elle. Elle n'aurait pas dû s'en soucier outre mesure.

C'était pourtant le cas, et son humeur ne tarda pas à s'en ressentir. Elle passait ses journées seule dans la maison, à laver, à récurer, à préparer des repas, le front constamment barré d'un grand pli, étouffant dans la solitude de cette petite pièce dont la minuscule fenêtre ne laissait passer que quelques rais d'une lumière grise.

Les heures s'étiraient, paresseuses, et elle s'occupait à des tâches qui lui semblaient plus absurdes de jour en jour, tout en regardant la lumière passer d'un gris terne le matin à un gris à peine plus lumineux à midi, pour retrouver sa couleur de départ à la tombée du jour. Puis venait l'obscurité, et elle allumait l'unique ampoule du logement, dont les fils qui la reliaient à l'interrupteur étaient à nu.

Une fois le repas du soir préparé, elle attendait Chander. Il rentrait en titubant, ivre, parfois après minuit, tombait sur le lit et s'endormait comme une masse, ou bien cherchait la bagarre et la battait. Quand il voulait ensuite la consoler et la caresser, c'était d'une voix pâteuse et les mains moites.

Six mois après son mariage, son père mourut. Elle apprit la nouvelle par son frère, qui avait appelé l'usine où travaillait Chander et demandé au patron de transmettre le message ; celui-ci n'avait guère apprécié que l'un de ses employés ait donné le numéro de téléphone à des parents. Chander était aussitôt rentré lui annoncer la nouvelle, et avant que Kamla ait eu le temps de la digérer, l'avait mise dans un car des Punjab Roadways, lui fourrant un billet de vingt roupies dans la main pour le voyage.

À sa descente du car, à Jandiala, elle s'attendait à voir son frère ou quelqu'un de la famille, mais elle n'aperçut pas un seul visage familier dans la foule qui se pressait à l'arrêt. Pour la première fois de sa vie, et non sans inquiétude, elle prit un *rickshaw* toute seule, afin de se rendre chez son père. Chander la rejoignit le jour suivant.

Un mois plus tard, son frère perdait son travail à la fabrique de vêtements : l'achat de nouvelles machines avait entraîné le licenciement de bon nombre d'ouvriers spécialisés, tailleurs et coupeurs.

Frustré en permanence, il passa deux mois à chercher un autre emploi : les usines des alentours n'avaient rien à offrir. Accompagné de sa femme et de son fils, il alla s'installer à Jalandhar, où son beau-frère avait promis de l'aider à trouver du travail. Une fois là-bas, totalement pris par sa nouvelle existence, il ne donna plus signe de vie. Kamla feignit l'indifférence, mais elle savait bien au fond d'elle-même qu'elle avait perdu le seul foyer qu'elle eût jamais connu.

La maison de Chander serait désormais son unique refuge. C'était là qu'elle commencerait et finirait chacune de ses journées. Plus seule que jamais, elle se réfugia dans le silence.

*
* *

Puis elle tomba enceinte. Jusqu'alors, elle ne s'était guère posé de questions sur l'instinct maternel, ne voyant dans la grossesse qu'un incident parmi d'autres dans la vie d'une femme, au même titre que le mariage. La perspective d'avoir un enfant ne l'avait jamais intéressée.

Elle n'aurait pas cru pouvoir être aussi heureuse. Son univers sembla se transformer du jour au lendemain, prit des couleurs plus fraîches, plus neuves, et les nuages qui, cette dernière année, obscurcissaient son horizon se dissipèrent. Il lui arrivait maintenant de sourire quand elle travaillait. Elle se mit à attendre avec impatience la venue de l'enfant. Elle savait qu'elle ne s'ennuierait plus jamais, ne se sentirait plus jamais seule ni abattue une fois qu'il serait là.

Elle commença à s'intéresser davantage au monde qui l'entourait. Elle sortait parfois sur le pas de sa porte et observait la vache blanche qui vivait dans la rue fouiller du mufle le tas d'ordures en face de la maison. Regardait les enfants du voisinage dessiner à la craie une marelle au milieu de la rue et se disperser comme un vol de moineaux chaque fois qu'un vélo s'engageait dans la ruelle, ou écoutait attentivement les femmes se disputer l'usage du robinet municipal.

Quelques jours après son mariage, Kamla avait découvert par hasard le secret du robinet. Elle s'était réveillée à l'aube, avec l'impression d'étouffer dans cette pièce qui empestait l'alcool et la transpiration, et s'était précipitée dehors, enroulée dans son châle. Elle avait ouvert le robinet de cuivre sans trop d'espoir, mais un filet d'eau s'en était bel et bien échappé, qui lui avait permis de s'asperger le visage avant de rentrer. Personne ne savait que le robinet laissait couler un peu d'eau à cette heure, et elle avait soigneusement gardé son secret. Maintenant elle remplissait toujours son seau en plastique vert à quatre heures du matin, de manière à ne pas avoir à faire la queue en plein soleil avec les autres femmes à neuf heures. Quand le robinet crachotait au-dessus de son seau, elle ne le quittait pas d'un pouce, silhouette fantomatique dans la pénombre, pleine de reconnaissance envers la municipalité pour cette négligence.

Kamla commença à s'ouvrir un peu à la vie du quartier. Quand elle s'asseyait sur le pas de sa porte et regardait les gens s'activer, voyait ces femmes à la vie bien remplie bavarder entre elles, elle se demandait si elle ne devrait pas essayer de faire leur connaissance. Peut-être qu'elles accepteraient de lui parler, même si elle n'était qu'une étrangère. Peut-être arriverait-elle à s'intégrer à la communauté. Si elle ne tentait rien, avec qui jouerait donc son enfant ? Il fallait qu'elle se secoue, et sans tarder.

Mais rien de tout cela ne s'avéra nécessaire – au cours du troisième mois de sa grossesse, Kamla fit une fausse couche.

Chander était à son travail, et Kamla fut prise de panique à la vue des caillots rouges qui lui maculaient les jambes. Quand elle comprit ce qui se passait, elle se précipita dehors et gagna l'avenue d'un pas rapide. Pour la deuxième fois de sa vie, elle prit un *rickshaw* toute seule et dit au conducteur de l'emmener à l'hôpital le moins cher. Elle resta assise, jambes serrées, à pleurer des larmes amères les deux kilomètres qui l'en séparaient.

Elle en voulait à sa belle-mère de ne pas être là, à sa mère d'être morte, à Chander de l'abandonner tout le jour. Elle pleura à chaudes larmes, la haine au cœur, de plus en plus effrayée par cette sensation de froid humide au creux des cuisses.

À l'hôpital, tout était froid. Depuis l'odeur des désinfectants jusqu'aux visages qui l'entouraient, en passant par la tenue blanche du personnel, l'humidité entre ses jambes et les civières métalliques peintes en blanc, portées par des aides au visage vide et indifférent.

Terrorisée, elle suivit les couloirs encombrés de l'hôpital, se fraya un chemin au milieu des odeurs écœurantes des médicaments et du sang, au milieu de gens ensanglantés qui attendaient qu'on s'occupe d'eux. Malades et parents, venus des villages alentour, dormaient, mangeaient et bavardaient dans les salles d'attente, dans les couloirs, débordant même dans un débarras rempli de civières. L'urgence se lisait sur certains visages, la fatigue et l'attente en avaient crispé d'autres. Les joues inondées de larmes, Kamla demandait à droite et à gauche à qui elle devait s'adresser, sans que quiconque daigne l'écouter. Finalement, un infirmier aperçut des traces de sang, en bas de son sari, autour de ses chevilles. On la poussa dans une grande salle pleine de malades qui gémissaient. Un homme ramassait dans une panière de vieux bandages sanguinolents. Kamla sentit qu'elle allait vomir.

Dans la salle on la fit aussitôt s'allonger, et un médecin aux gestes brusques – une femme courtaude à la mâchoire lourde et à l'haleine qui empestait l'oignon – vint l'examiner.

Kamla fut admise et sortit dans la même journée. Taraudée par l'épouvante et une douleur intolérable, elle n'eut qu'une vague conscience de ce qui se passait autour d'elle. Des mains la touchaient... des visages flottaient, indistincts, autour d'elle... et toujours cette sensation de froid... En dehors de cela, rien. Avant qu'elle quitte l'hôpital, ignorant pratiquement tout de ce qui s'était passé, uniquement consciente d'une douleur dans l'abdomen que ravivait le moindre de ses pas, le médecin lui dit brutalement qu'elle avait perdu son bébé et qu'elle ne pourrait jamais en avoir d'autre. Il en resta là, se contentant de vitupérer entre ses dents contre les gens de la campagne et leur ignorance, avant de passer, l'air excédé, au malade suivant.

Kamla régla la facture avec l'argent qu'elle avait économisé sur ses dépenses ménagères. Dans un état second, elle prit un autre *rickshaw* pour rentrer, regardant sans la voir la ville étrangère qui défilait devant elle. Ce soir-là, elle attendit avec impatience le retour de Chander.

Il rentra tard, plus ivre encore qu'à l'accoutumée. Elle lui raconta tout, déglutissant à maintes reprises pour retrouver sa voix, qui tremblait mais ne se brisa pas une seule fois. Il fallait qu'elle surmonte ses larmes jusqu'à ce qu'elle ait fini son récit. Après, elle pourrait pleurer tout son soûl sur son épaule, et il la consolerait.

Il l'écouta attentivement, le regard vitreux.

Puis il lui dit qu'il était anéanti. Il ne fit même pas allusion à sa fausse couche, mais se mit à divaguer, la voix pâteuse. Ce n'est qu'au bout de plusieurs minutes d'élucubrations que Kamla finit par comprendre de quoi il retournait : ils seraient bientôt à la rue. Apparemment, il avait perdu son travail. La fabrique où il était employé avait subi de grosses pertes et allait fermer. Chander n'avait pas touché de salaire depuis trois mois. Non seulement il n'avait plus d'argent, mais il avait fait des dettes.

« Tu m'as porté la poisse, Kamla. C'est vrai, depuis que je t'ai épousée, je n'ai eu que des ennuis », lui dit-il d'une voix égale, monocorde, l'élocution soudain plus claire.

Horrifiée, incrédule, Kamla fixait son visage impassible.

« Tu as même porté la poisse à ta famille », ajouta-t-il, alors que l'incompréhension se peignait sur le visage de sa femme.

Puis il éleva la voix. « Tu as le cœur noir, oui, le cœur noir, reprit-il, chancelant, les yeux larmoyants et injectés de sang. Tu as tué ta mère. Dévoré ton père. Ton frère a perdu son travail. Et voilà que maintenant tu as tué mon enfant. Tu vas bientôt me dévorer, moi aussi. »

Les lèvres serrées, silencieuse, le regard dur, Kamla avait le visage inondé de larmes.

« J'aurais dû m'en douter. Le premier jour où tu as mis le pied ici, tu as apporté la poisse avec toi. Le lendemain de notre mariage, j'ai fait tomber la photo de ma mère en débarrassant un rayon pour faire de la place pour tes affaires. Le verre s'est brisé. Tu te rappelles, Kamla ? »

Elle secoua la tête, toujours muette.

« Elle ne se rappelle rien, dit-il, écœuré. Le verre s'est cassé et je me suis coupé le doigt. J'aurais dû comprendre que ce signe ne présageait rien de bon. »

Puis il se mit à pleurer et s'agenouilla, les mains jointes. Il pleura, en appelant aux dieux, leur demandant pourquoi ils avaient fait de sa vie un enfer en le laissant épouser une sorcière jeteuse de sorts. Il bavait. La salive dégoulinait sur ses mains jointes. Il était ivre mort.

Kamla garda les yeux sur lui encore un instant, sans un mot. Bientôt, ses larmes se tarirent. Machinalement, elle alla lui chercher un verre d'eau, le regarda l'avaler d'un trait, regarda sa gorge se contracter et se dilater au passage du liquide, attendit qu'il ait bu jusqu'à la dernière goutte. Puis elle lui prit le verre des mains, le posa par terre sans le laver et alla s'allonger sur le lit. Elle s'endormit dans l'instant, épuisée.

Le lendemain matin, Chander, le visage fermé, ne dit pas un mot. Kamla ne se leva pas pour faire le thé ni lui préparer à manger. Elle se contenta de rester assise sur le lit, absorbée dans son silence. Chander ne réclama rien.

Mais juste avant de partir, au moment où il allait passer la porte, il se retourna et lui lança : « Ton enfant est mort, ton mari à l'agonie, et toi, tu as dormi comme une souche toute la nuit. »

Kamla ne répondit pas.

*
* *

Chander gardait souvent une bouteille de rhum bon marché à la maison. Il buvait d'ordinaire attablé avec quelques-uns de ses collègues de travail dans de petits bistrots, mais aimait aussi avoir une bouteille sous la main chez lui, sous le *charpai* ou dans un coin, à côté du balai. De temps à autre, il se levait la nuit et buvait quelques lampées à même le goulot.

Kamla commença par une gorgée ou deux, ici ou là. Elle buvait très peu à la fois et remettait le liquide au même niveau en ajoutant de l'eau, prenant bien soin d'essuyer la bouteille et de sécher le bouchon avec un bout de son *pallu*.

Puis elle se mit à prélever quelques pièces dans la poche de la chemise de Chander. Le soir, elle attendait qu'il ronfle avant de se glisser silencieusement jusqu'au clou où était accroché le vêtement. Elle fouillait dans la poche, ne prélevant que les petites pièces pour qu'il ne remarque rien. S'il grognait ou se retournait dans son sommeil, elle se figeait sur place et attendait que les ronflements reprennent.

Quand elle avait rassemblé suffisamment d'argent, elle allait acheter une bouteille d'alcool local chez un fabricant du coin. Chander passait toutes ses journées dehors à chercher du travail. Il ne vint même pas à l'idée de Kamla qu'elle aussi pourrait se mettre en quête d'un emploi semblable à celui qu'elle occupait avant son mariage. Un seul problème la préoccupait maintenant et mobilisait toute son énergie : comment se procurer la bouteille suivante.

Elle se découvrit un talent jusqu'ici insoupçonné pour la ruse et la dissimulation, continuant à s'approvisionner en alcool local alors que leurs finances étaient au plus bas et qu'ils en étaient réduits à un repas par jour.

Chaque soir, Chander rentrait énervé, le plus souvent ivre, et la battait, la giflant et la jetant contre le mur, avant de se laisser tomber sur son lit. Sans remarquer l'état de stupeur dans lequel était plongée Kamla, ni son petit sourire quand sa tête allait cogner contre le mur – un sourire qui n'aurait pas manqué d'effrayer un homme dans son état normal. Le même scénario se renouvelait jour après jour, et elle finit par avoir le front couvert de bosses.

C'est à peine si son esprit embrumé et abruti par l'alcool enregistra la nouvelle que lui apporta un jour Chander : il avait enfin trouvé du travail dans un magasin de saris. Quand il lui reprocha de ne pas manifester plus d'enthousiasme, elle se contenta de le regarder, sans un battement de cils. Chander n'arrivait pas à comprendre où avait pu passer la jolie fille si gaie qu'il avait épousée ni qui pouvait bien être ce monstre au regard dur qu'il avait devant lui.

Un beau jour, il rentra tôt de son travail. Les mois de chômage, les excès de boisson, une nourriture irrégulière commençaient à faire sentir leurs effets. Pris de vertige, il avait failli tomber la tête la première dans l'escalier du magasin. En voyant son visage blême et ses traits tirés, Mahajan lui avait donné congé.

À son arrivée, Chander trouva la porte de la maison ouverte. Kamla était assise par terre, une bouteille dans les mains. Il en resta bouche bée. Elle leva les yeux vers lui et retourna à sa bouteille. Profondément ulcéré à l'idée que sa propre femme puisse boire, il la battit comme plâtre, avant d'aller s'asseoir dans le temple d'Hanuman, en essayant de refouler ses larmes.

Kamla se mit alors à boire sans plus se cacher. Ses yeux devinrent chassieux, son langage ordurier. Elle cessa de tenir la maison, de prier devant la statuette en argile de Shiva dans un coin de la pièce – celle-là même à laquelle elle avait dans le passé si dévotement fait ses offrandes de fleurs chaque matin – et de se laver. Ses saris furent bientôt crasseux, la maison empesta et Chander prit un air hagard. Des cernes noirs apparurent sous les yeux de Kamla, son teint se fit blême et elle se mit à perdre ses cheveux par poignées. Elle ne faisait guère que pleurer et boire, et chaque jour Chander la battait, avant de fondre lui-même en larmes.

Plus Chander lui criait dessus, et plus elle le narguait. Plus il la battait, et plus elle buvait. Elle tomba dans un mutisme d'où elle sortait rarement, ne parlant jamais sans y être obligée.

Elle connaissait le sort réservé à beaucoup d'autres femmes dans sa situation, et pourtant, sans raison apparente (elle n'était même pas instruite), elle avait du mal à l'accepter. L'idée commençait à se faire jour en elle que, en dehors des taches de curcuma, il y avait d'autres choses qui ne partaient pas, même si l'on frottait avec l'énergie du désespoir. Un poison amer coulait dans ses veines et, quand il se mêlait à l'alcool, la rage lui faisait perdre toute retenue.

Alors elle sortait pour aller se mesurer au monde, le sang bouillant d'une colère fouettée par l'alcool, les yeux rouges comme ceux d'un démon, injuriant et insultant tous ceux qu'elle croisait. Les coups résignés administrés quotidiennement par Chander, loin de diluer le poison, firent bientôt d'elle un animal.

Elle grondait d'un air féroce à l'adresse des voitures qui ne ralentissaient pas suffisamment pour la laisser traverser. Glapissait des insultes à la tête des hommes qui, voyant qu'elle était ivre, se permettaient des attouchements.

Un jour, elle s'en prit même au prêtre du temple voisin, qui se touchait les deux oreilles chaque fois qu'il la voyait, priant apparemment pour le salut de l'humanité, mis en danger à cause de femmes comme elle. Elle lui cria ce qu'elle pensait de lui et de ses petites pratiques. Hurla qu'il s'engraissait grâce aux noix de coco et au riz que les fidèles apportaient en offrandes au temple. L'épisode se répéta, et même si le *pundit* réagissait avec une vertueuse indignation, il redoutait de la voir se déchaîner et lui lancer en pleine rue des accusations pour le moins embarrassantes. Parfois elle faisait mine de ramasser un caillou et de le jeter sur lui, ce qui ne laissait pas de l'effrayer et de réjouir les enfants témoins de la scène. Kamla devint une honte pour tout le voisinage.

Soulagé d'avoir trouvé un emploi chez Sevak, Chander refusa de lui dire où il travaillait, au cas où il lui prendrait la fantaisie de venir faire une scène à Mahajan. Cette seule pensée lui donnait des frissons.

Il buvait beaucoup moins désormais, même s'il lui arrivait de rechuter. Il était heureux d'avoir ce nouveau travail et bien décidé à le garder.

Il se mit à ignorer l'existence de Kamla, l'abandonnant à son sort, vivant sa vie de son côté, prenant la plupart de ses repas dans des *dhabas* ou des kiosques.

C'est à peine si lui et Kamla s'adressaient encore la parole.

*
* *

Ce jour-là, Kamla avait bu plus encore qu'à l'accoutumée. Elle était assise par terre, complètement ivre, à pleurer et à hoqueter.

Le sol était jonché de vêtements sales. Des ustensiles de cuisine sales dégageaient une odeur rance dans un coin de la pièce. Elle-même ne s'était pas lavée depuis trois jours et empestait. Elle avait des rougeurs sur la peau à cause de la chaleur, les cheveux en bataille et les yeux hagards.

Des pensées décousues se bousculaient dans sa tête. Mais de cette débandade émergea bientôt une idée claire et nette.

Elle savait qui était responsable de son malheur.

Pas question de laisser vivre ces gens-là en paix. La fureur qu'elle connaissait bien maintenant lui enflamma le sang, et elle réussit à se mettre debout.

3

Dans la maison de Mrs Gupta, Shilpa, mariée et heureuse depuis maintenant cinq mois, venait de découvrir qu'elle attendait un bébé.

C'est avec les habituelles appréhensions de la jeune mariée que Shilpa était entrée dans la maison cinq mois plus tôt. Grand, beau garçon, en bonne santé, doté d'une grosse usine, son mari, Tarun, ne poserait pas de problèmes. Et puis, de toute façon, lui et son beau-père seraient absents toute la journée.

Non, le gros point noir, c'était Mrs Gupta. N'allait-elle pas connaître avec elle la situation que connaissent toutes les jeunes mariées avec leurs belles-mères : petites brimades, luttes d'influence et de territoire ?

À supposer que tout se passe bien de ce côté, quelle impression allait-elle faire à sa belle-mère ? La dame était localement réputée pour être une femme du monde, avisée et spirituelle à la fois.

Or, Shilpa n'entretenait guère d'illusions sur elle-même. Elle avait réussi tant bien que mal à terminer le lycée et à faire une année de faculté, attendant le merveilleux mariage que ses parents ne tarderaient pas à lui arranger. Non pas que le lycée ou l'université eussent une grande importance – pratiquement aucune des jeunes filles de la grande bourgeoisie ne s'intéressait aux études –, mais Shilpa se savait déficiente dans d'autres domaines. Elle n'avait pas l'esprit incisif ni les talents de certaines de ses cousines. Le cheveu plutôt fin, elle n'était pas d'une beauté renversante. Et, pour comble de malheur, elle parlait un anglais fort médiocre. Son plus gros atout, c'était son père, un homme d'affaires riche et connu. Elle avait toujours su que ses parents lui trouveraient un brillant parti.

Et pour être brillant, il l'était. Rien de moins que Tarun Gupta, le fils aîné de la famille. Une véritable aubaine ! Il appartenait à une famille en vue, et ses cousines lui avaient dit, après l'avoir bien regardé, qu'il avait quelque chose de Salman Khan. Elle l'avait rencontré une fois, quand il lui avait rendu visite avec sa mère. Ils avaient parlé à bâtons rompus pendant quelques minutes, puis s'étaient acceptés l'un l'autre officiellement.

Le mariage avait été somptueux. Tous les gros industriels d'Amritsar étaient là, y compris Ravinder Kapoor, qui avait annoncé aux Gupta que sa propre fille se marierait trois semaines plus tard. Un mariage d'amour qui ne l'enchantait guère, puisque Rina avait choisi d'épouser, entre mille, un capitaine de l'armée indienne ! Ravinder Kapoor ne s'en était toujours pas remis, même s'il faisait de son mieux pour cacher sa déception. Comme il le disait à qui voulait l'entendre, il avait suffisamment d'argent pour entretenir deux familles, voire six s'il le fallait. Ce qui importait, c'était le bonheur de Rina. Une fille brillante, dont on ne pouvait exiger qu'elle devienne la femme d'un homme d'affaires et reste toute la journée confinée chez elle à ne rien faire, avait-il déclaré fièrement. Il veillerait à ce que Rina continue à avoir le train de vie auquel elle était habituée, même après son mariage. Les parents de Shilpa avaient accusé le coup, mais personne n'avait bronché.

Lors de la réception qui avait suivi la cérémonie, on avait conclu beaucoup d'accords, noué beaucoup de contacts, et l'on pouvait sans conteste affirmer que la fête avait été un franc succès.

Les parents de Shilpa avaient offert à Tarun une Opel Astra blanche et engagé un architecte d'intérieur pour décorer, entièrement à leurs frais, la chambre des jeunes mariés. L'homme de l'art, s'inspirant d'un magazine, avait réalisé quelque chose de très tendance, dans des tons crème et vert pistache. Le couvre-lit et les tentures étaient dans les mêmes nuances. Moquette, banquette luxueuse semée de coussins crème et vert, et table en fer forgé avec un plateau en verre complétaient le décor.

Les parents de Shilpa avaient également fait installer dans la chambre un climatiseur. Qui aspirait toute la chaleur de la pièce, la laissant saine et fraîche.

À tout cela – décoration, mobilier, climatiseur, voiture – venaient s'ajouter le liquide, les bijoux et la garde-robe qu'avait reçus Shilpa, ainsi que tous les cadeaux de vêtements et de bijoux qu'ils avaient faits à ses beaux-parents et à son mari. En vérité, elle avait toutes les raisons de garder la tête haute dans sa nouvelle famille.

N'empêche, avec une belle-mère on ne savait jamais comment les choses pouvaient tourner…

Mais Shilpa s'était inquiétée à tort. Mrs Gupta était bien trop avisée pour engager des hostilités regrettables avec sa belle-fille. Elle avait vu trop de maisons dans lesquelles les querelles incessantes créaient un climat délétère qui finissait par affecter tous les membres de la famille.

Elle traitait donc Shilpa, comme elle aimait à le répéter à ses amies lors de leurs soirées de bienfaisance, comme sa propre fille.

Elle l'instruisait en tout – habillement, maquillage, maintien, recettes de cuisine. Elle était douce et gentille à son égard, tout en la surveillant de près et en exerçant un contrôle strict sur la manière dont elle s'habillait et se conduisait. Shilpa n'était pas dupe, mais acceptait de bonne grâce une situation qui, au regard de ce qu'elle avait pu voir dans d'autres familles, était loin d'être insupportable.

Et puis Shilpa savait que Mrs Gupta mère finirait un jour par vieillir, et qu'alors l'usine, la maison et tous les autres biens lui reviendraient.

C'est ainsi que les deux femmes instaurèrent entre elles une relation somme toute confortable – néanmoins fragile car réclamant un constant rééquilibrage : un geste apaisant ou un coup de coude complice par-ci, un petit désaccord ou un sourire reconnaissant par-là. Elles avaient commencé à se comprendre et, en dépit d'une circonspection qui ne devait jamais tout à fait disparaître, passaient leurs journées ensemble de manière relativement amène. Une fois les maris expédiés au travail, une fois venues et reparties les domestiques et les repas préparés, elles s'installaient devant la télévision et les feuilletons à l'eau de rose de la chaîne Star Plus. Pendant les spots publicitaires, elles se faisaient une tasse de thé et bavardaient.

Mrs Gupta avait un esprit de compétition assez développé. Il fallait toujours qu'elle soit la meilleure. Dans son cercle d'amis et de relations, elle aimait avoir le plus joli teint, la maison la plus propre, les plus beaux vêtements. Et elle avait fini par déteindre sur Shilpa, jusqu'ici plutôt dépourvue d'ambitions, lui insufflant l'envie de s'améliorer dans tous les domaines.

Il leur fallait absolument faire mieux que toutes les femmes de leur entourage. Elles essayaient de nouvelles recettes, dont elles envoyaient le fruit à leurs voisines dans de petites boîtes en métal, en guise de « bonnes manières », acceptant gracieusement leurs compliments en retour. Tâtaient de nouveaux mélanges maison de masque facial tout en regardant *Kyunki Saas Bhi Kabhi Bahu Thi*. Se demandaient ce que Mrs Sandhu pouvait bien utiliser pour avoir une peau aussi lumineuse. Faisaient ensemble de longues marches à pied pour garder le ventre plat et finissaient en général dans des ventes de produits importés de Chine, où elles achetaient de jolis abat-jour qui donneraient une touche exotique à leur salon.

*
* *

Ce matin-là, Shilpa avait préparé des pâtes à l'italienne pour le petit déjeuner. Elle avait suivi les cours de cuisine occidentale de Mrs Singh pendant les quatre mois qui avaient précédé son mariage et était très impatiente de faire goûter ses pâtes à la famille Gupta.

Tout le monde avait adoré.

Elle avait ensuite débarrassé la table du petit déjeuner pendant que sa belle-mère surveillait la femme qui venait faire le ménage tous les jours.

Au dernier moment, juste avant de partir pour l'usine, Mr. Gupta avait déclaré ne pas se sentir très bien. « Peut-être que je couve quelque chose, avait-il précisé d'une voix indécise. La grippe, peut-être. Je crois que je n'irai pas à l'usine aujourd'hui. »

Cette nouvelle n'avait pas eu l'air d'enchanter son épouse, qui, pour tout dire, n'était pas totalement convaincue, mais il avait soigneusement évité son regard.

Mrs Gupta avait soupiré. La présence de son mari allait déranger leur train-train habituel, mais il n'y avait pas grand-chose à y faire.

Sur ces entrefaites arriva la femme qui venait préparer les repas et faire la vaisselle, et Mrs Gupta l'accompagna à la cuisine.

Pendant ce temps, Shilpa fit les lits et épousseta les délicats bibelots en porcelaine et en cristal qu'aucune femme de ménage n'avait le droit de toucher.

Après quoi elle porta une tasse de thé à son beau-père dans sa chambre et se retira dans la sienne. Elle rangea un peu, puis s'assit sur le lit avec une pile de vêtements appartenant à son mari qu'elle entreprit de plier. Elle passait autant de temps que possible dans cette chambre. Une pièce si confortable ! Ses parents n'avaient vraiment pas lésiné sur la dépense.

*
* *

C'est pendant qu'elle était assise à plier les chemises Arrow de Tarun que le médecin avait appelé sa belle-mère pour lui donner les résultats du test de grossesse. Toutes affaires cessantes, Mrs Gupta était venue, rayonnante, les communiquer à sa belle-fille.

Shilpa fut surprise, même si elle s'y attendait un peu. Elle rendit son sourire à sa belle-mère, et les deux femmes s'étreignirent.

« Je vais aller annoncer la nouvelle à ton *papaji*, dit Mrs Gupta. Ensuite, Shilpa, il faudra que nous ayons une longue conversation, continua-t-elle en lui tapotant l'épaule et en lui souriant affectueusement.

— Oui, *mummyji* », dit Shilpa, un sourire timide aux lèvres et le rouge aux joues.

Elle était contente, sans plus, d'avoir accompli ce qu'on attendait d'elle.

Elle espérait ardemment que ce serait un garçon. Sa position dans la famille s'en trouverait définitivement consolidée.

*
* *

Quand Mrs Gupta redescendit au rez-de-chaussée annoncer la nouvelle à son mari, lequel somnolait devant un show sur Zee TV, Shilpa s'abandonna à la rêverie. Comment était-on censée se conduire quand on était enceinte ? Qu'attendait-on d'elle au juste ? Un régime alimentaire spécial, bien sûr, et une femme qui viendrait lui masser doucement les jambes tous les jours : elle avait suffisamment de cousines pour le savoir. Mais quoi d'autre ? Dans la famille de ses parents, on célébrait la cérémonie de Godbharai. Était-ce la coutume ici aussi ? Si oui, elle recevrait de nouveaux vêtements, quelques parures de bijoux... Il fallait que ce soit un garçon... les choses s'en trouveraient tellement simplifiées... Elle ne voulait pas d'une fille...

Toujours perdue dans ses pensées, lèvres serrées, mains occupées à plier les chemises de son mari, elle entendit soudain un cri. Qui semblait venir de la grille d'entrée. Shilpa se leva, s'approcha de la fenêtre et écarta le rideau vert bordé de pompons crème.

Une femme débraillée, échevelée, manifestement une femme du peuple, était debout devant la grille. Elle portait un sari violet bon marché en nylon à grosses fleurs blanches et fixait les fenêtres de la maison d'un œil furibond. On aurait dit un chien enragé.

« C'est vous les responsables ! Les responsables de notre malheur ! hurlait-elle, le visage déformé par la colère. Et vous croyez pouvoir vivre en paix maintenant ? »

Déconcertée, Shilpa se demanda qui pouvait bien être cette femme. Elle prit soin d'observer la scène par une fente du rideau, de manière à ne pas être vue.

L'autre se mit tout à coup à jurer, égrenant un chapelet de mots que Shilpa n'avait jamais entendus ou qu'elle n'avait entendu prononcer qu'à voix basse par ses aînés, parce qu'il s'agissait là de *vilains* mots. De ceux dont s'abstenaient les filles de bonne famille. Et voilà que cette femme les hurlait à tue-tête, pour que tous les voisins les entendent, devant la grille de ses beaux-parents.

Shilpa se précipita au rez-de-chaussée, où elle trouva ses beaux-parents, l'air agité et indécis. Le chauffeur était sorti. Le domestique était allé au marché chercher des légumes. Dehors, les cris étaient assourdissants, et la femme s'en prenait maintenant à la grille. Une brève accalmie fut bientôt suivie d'une nouvelle bordée d'injures.

« Gupta, hein ? Grosse famille, hein ? Des salauds, voilà ce que vous êtes. Des chacals qui se nourrissent de charogne. Vous êtes bien pires que nous. »

« Fais quelque chose, gémit Mrs Gupta à l'adresse de son mari. Je t'en prie, fais quelque chose. Tous les voisins peuvent l'entendre. Mais qui est donc cette femme ? Qu'est-ce qu'elle veut ? Fais quelque chose, bon sang. »

Son mari sortit et cria, de loin : « Hé, vous, qui êtes-vous ? Allez, partez ! Allez-vous-en ! » Mais constatant que les voisins, depuis leurs terrasses et leurs balcons, ne perdaient pas une miette de la scène, il s'empressa de battre en retraite.

Kamla continuait à vociférer : « Que Dieu vous fasse tous brûler dans votre grande baraque ou votre grosse voiture ! Que vous creviez la bouche ouverte comme des poissons ! »

Quand Mr. Gupta rentra, ce fut pour trouver sa femme au téléphone, le visage blême, en train de composer le numéro de son fils à l'usine. La ligne était occupée.

« Et votre fils aussi, c'est un salopard. Et votre petit-fils, ça sera pareil. Y en a-t-il un seul parmi vous qui soit un peu charitable ? »

La femme continuait de hurler dehors, d'une voix mal assurée, hystérique.

Chez Shilpa, la stupéfaction fit place à la peur. Elle se dandinait d'un pied sur l'autre, sans quitter ses beaux-parents des yeux. Mrs Gupta, au bord des larmes, avait repris le téléphone d'une main tremblante. « Qui est cette femme ? demanda-t-elle à son mari. À nous maudire de la sorte, et aujourd'hui justement, alors que nous venons juste d'apprendre la nouvelle. Il va falloir que l'on procède à un *havan* pour conjurer son mauvais œil. Shilpa, ne t'approche surtout pas de la porte ou des fenêtres. »

Shilpa acquiesça, le visage blême d'inquiétude.

« Si la ligne de l'usine est occupée, appelez Tarun sur son portable, dit-elle à sa belle-mère.

— Mais oui, bien sûr, pourquoi n'y ai-je pas pensé plus tôt ? » dit Mrs Gupta, formant le numéro en toute hâte.

Des larmes dans la voix, elle fit à son fils un récit détaillé des événements. Quand elle eut terminé, elle écouta attentivement ses instructions, approuvant de la tête. À peine soulagée, elle reposa le combiné et se tourna vers son mari. « Tarun dit qu'aucun de nous ne doit sortir sous aucun prétexte. D'après lui, la femme pourrait devenir violente. Elle est peut-être folle. Il dit qu'il faut appeler la police. Il connaît quelqu'un au commissariat. Il rentre tout de suite. »

Ils s'empressèrent de mettre ces consignes à exécution. Quand ils eurent appelé la police, ils commencèrent à attendre, sans un bruit, sans un mot.

Dehors, la femme multipliait les invectives et les imprécations, mêlant à ses accusations insultes et jurons.

Une dizaine de minutes plus tard, une Jeep de la police s'arrêtait devant la grille. Deux hommes passèrent prestement les menottes à Kamla et la poussèrent dans la Jeep. Au moment où ils repartaient, Tarun arrivait de l'usine à vive allure dans son Opel Astra blanche, l'air un peu inquiet mais assez sûr de lui. Il serra la main des policiers, les remercia, leur glissa à chacun un billet de cinq cents roupies pour être intervenus aussi rapidement. Pour finir, la Jeep s'éloigna et la famille poussa un soupir collectif de soulagement. Ils rentrèrent et jetèrent un œil noir au domestique qui venait du marché avec son panier de légumes, comme s'il était responsable de toute l'affaire. Ils s'abstinrent pourtant de toute remarque, lui ordonnant simplement d'aller faire du thé.

« Non, mais vous l'avez entendue ! dit Shilpa, toujours sous le choc, berçant déjà son bébé en imagination. Comment a-t-elle pu dire des choses pareilles à ton sujet ? continua-t-elle à l'adresse de son mari. Toi qui es l'homme le plus doux et le plus gentil qui soit. »

Tarun lui sourit avec bienveillance. Assis tranquillement à boire un thé parfumé dans de belles tasses en porcelaine, ils retrouvèrent enfin leur calme.

C'est alors qu'on apprit à Tarun qu'il allait devenir papa. Il sourit et regarda Shilpa, qui s'empourpra.

Tarun décida de ne pas retourner à l'usine ce jour-là et attendit d'être seul avec sa femme pour lui parler : « Ne te fais aucun souci », lui dit-il, bouleversé de la voir si ébranlée. Elle était tellement émotive, sa jeune épouse ! Pourquoi avait-il fallu que cette horrible femme vienne ici, justement aujourd'hui ? Il effleura le visage de Shilpa d'une main et lui releva le menton de l'autre. « Je ne laisserai jamais personne te faire du mal. Tu es en sécurité avec moi. Il ne faut surtout pas que tu t'inquiètes, c'est mauvais pour toi et pour le bébé, dit-il en lui souriant. Oublie ce qui est arrivé aujourd'hui, d'accord ? »

Shilpa acquiesça et sourit à travers ses larmes, tendrement, libérée de ses appréhensions. « Je n'aurais pas pu rêver un meilleur mari », dit-elle.

Ce soir-là, il l'emmena dîner dans un nouveau restaurant chinois, dont le chef cuisinier était originaire d'un village à une cinquantaine de kilomètres d'Amritsar. Elle avait mis un sari bleu à parements brodés de dessins compliqués, le premier que lui avait offert sa belle-mère.

Au cours du dîner, Tarun se fit confirmer que sa chère épouse ne trouvait pas difficile sa double vie de femme d'intérieur et de belle-fille. Ils avaient maintenant tout oublié du déplaisant incident de l'après-midi.

Pendant qu'ils dînaient, Kamla se faisait violer par les deux policiers qui l'avaient ramenée au commissariat. Puis l'un des deux, un homme marié, s'en alla retrouver sa femme, tandis que l'autre restait à boire du rhum bon marché et à écouter à la radio des chansons extraites de films à succès, en espérant pouvoir abuser à nouveau de Kamla avant de la relâcher, le matin venu.

Le lendemain, Kamla sortit du commissariat en titubant et rentra chez elle. Où l'attendait Chander.

« Alors, ça te suffisait pas, hein ? lui lança-t-il, furieux, en la frappant au visage, ses yeux injectés de sang ruisselant de larmes. Maintenant tu passes la nuit dehors, complètement ivre, et Dieu sait où. Si tu étais encore capable de la moindre honte, Kamla, tu mettrais fin à tes jours. »

Puis il partit. Dans ses yeux cernés de noir se lisaient à la fois le désespoir, la colère et la résignation. Ceux de Kamla, aussi cernés de noir, étaient enfoncés dans leurs orbites, et vides.

4

Ce matin-là la température à Amritsar continua de monter, plus qu'elle ne l'avait jamais fait en ce mois de mai. Ramchand se rendit au magasin, vidé de toute son énergie, écrasé par la chaleur. Il avait laissé repousser sa moustache. Décidément, sans elle, il avait l'air un peu trop crâne. Elle donnait à son visage une humilité de bon aloi.

La chaleur lui avait ôté l'appétit et il avait encore maigri depuis l'hiver.

Il était sans ressort avant même d'avoir commencé sa journée. À midi, Mahajan fit irruption dans le magasin, tempêtant et tonitruant. Chander était encore absent. Une fois de plus ! Mais que se passait-il donc dans cette boutique ? Est-ce qu'ils croyaient vraiment qu'on menait une affaire comme ça ? N'importe où ailleurs, Chander se serait fait renvoyer depuis longtemps ! Ramchand devait de ce pas se rendre chez lui et le ramener à la boutique, par la peau du cou s'il le fallait. Et peu importait son état !

Ramchand écouta le couplet de Mahajan dans un silence respectueux, tout en se désespérant intérieurement à l'idée d'avoir à faire tout ce chemin à pied par cette chaleur. Il se demanda s'il ne pourrait pas trouver une excuse, mais l'humeur de Mahajan l'en dissuada. Il descendit l'escalier de mauvaise grâce. Quand il mit le pied dehors, il manqua suffoquer.

Il se souvenait de la première fois où il était allé chez Chander. Il espérait bien ne pas le trouver à nouveau ivre. Furieux, il traita Mahajan de tous les noms. Comme si lui, Ramchand, allait pouvoir traîner un Chander ivre mort jusqu'au magasin ! Mais comment ne pas obéir à Mahajan ? Il partit d'un pas lourd en direction du domicile de son collègue.

Le soleil était haut dans le ciel, Ramchand avait le visage inondé de sueur et sa chemise trempée lui collait à la peau. Les mouches se traînaient sur le sol devant la boutique du *halwai*, et les kiosques à thé lui renvoyaient la chaleur de leurs petits braseros.

Il poursuivit son chemin, traînant toujours les pieds, la gorge desséchée. Il s'était levé fatigué. Le propriétaire venait d'acheter une machine à laver quelques semaines plus tôt, et Sudha faisait maintenant sa lessive avec enthousiasme à toute heure du jour et de la nuit. La machine était bruyante, ce n'était pas un de ces modèles récents presque silencieux. À maintes reprises, et aujourd'hui encore, elle avait réveillé Ramchand sur le coup de six heures du matin.

À mesure que les quartiers qu'il traversait se faisaient plus pauvres et plus sordides, les boutiques devenaient plus petites, moins luxueuses que celles du grand bazar. Elles avaient pourtant toutes des enseignes, que Ramchand lisait l'une après l'autre, prononçant les mots doucement pour lui-même : « Garage Pappu », « Pharmacie Deepak », « Équipements électriques Durga », « Jhilmil, de la musique pour vos mariages »... Ramchand déchiffrait maintenant sans difficulté, sans hésiter ni trébucher sur chaque lettre. Ces cinq derniers mois, il s'était tenu avec beaucoup d'assiduité à son programme. Dans sa chambre, ses livres, son carnet, son dictionnaire étaient toujours sur la table, dans un état de plus en plus piteux. La bouteille d'encre Camlin

Royal Blue s'était cassée et avait été remplacée par une autre de Chelpark Permanent Black. Il avait certes perdu de son enthousiasme initial et ralenti l'allure, mais il n'avait pas renoncé. Peu à peu, il avait appris à assembler lettres et syllabes pour percer le mystère des mots. Et s'il ignorait encore le sens de bien des termes difficiles, il ne perdait pas espoir.

Il était enfin arrivé au bout des mots commençant par la lettre A dans son dictionnaire. L'entreprise lui avait pris bien plus de temps que prévu, cinq mois pleins, mais il avait persisté. C'est avec un réel soulagement et une grande joie qu'il avait atteint le mot « azur ». Qui signifiait « bleu vif (couleur) ; ex. : un ciel azur ». Sur quoi il s'était accordé trois jours de repos. Pas plus tard que la veille au soir, il avait attaqué le B, essayant de se familiariser avec « baba », « babeurre » et « babil ».

Il lisait régulièrement les essais, plus rarement la *Correspondance usuelle*, dont il voyait de moins en moins l'utilité. Il avait acheté deux autres livres, qu'il lisait tout aussi méthodiquement, même si ces jours-ci la chaleur lui avait ramolli l'esprit au point de l'empêcher de penser d'une façon un tant soit peu cohérente. Les lamentations de Mahajan au cours de la journée lui ôtaient le courage de se mettre à ses livres en rentrant du travail. Il n'avait toujours pas non plus repeint sa chambre. Mais à la lecture d'une nouvelle enseigne, « Magasin Mahesh Kiryana », il ressentit une certaine fierté : il avait pris une décision et s'y était tenu.

*
*   *

Les deux nouveaux ouvrages qu'avait achetés Ramchand au cours des cinq derniers mois l'avaient fort occupé.

Un jour, après avoir lu l'essai « Pandit Jawaharlal Nehru » (ou « Notre leader bien-aimé ») dans *Pages immortelles*, il avait constaté que, autant que la *Correspondance usuelle*, le livre commençait à l'ennuyer sérieusement. Il s'était donc à nouveau rendu chez les bouquinistes pour essayer de dénicher autre chose. Le premier ouvrage qu'il avait repéré dans une des boutiques avait l'air prometteur, et il avait bien failli se laisser tenter. Écrit par un certain Dr Ajay Rai, il était intitulé *Comment améliorer votre anglais*.

Sur la quatrième de couverture, un commentaire l'emplit d'espoir :

Tout le monde s'accorde aujourd'hui sur l'importance de l'anglais. Plus encore sur l'importance d'un bon anglais.

• L'aptitude à maîtriser et à utiliser correctement l'anglais est le préalable nécessaire à la réussite de votre carrière professionnelle, ainsi qu'à l'obtention d'une position de premier plan dans la société.

• L'utilisation efficace de l'ordinateur va de pair avec une bonne connaissance de l'anglais, dans la mesure où près de 90 % de l'information stockée dans un ordinateur est dans cette langue.

Ramchand arrêta là sa lecture. D'abord, il trouvait la langue un peu trop recherchée. Ensuite, l'irruption de l'ordinateur dans un apprentissage déjà fort compliqué lui parut alarmante.

Il feuilleta tout de même le livre, et ce qu'il vit ne fit que confirmer ses soupçons. Le texte était trop difficile pour lui, du moins au stade où il en était encore. Certains passages, que l'on vous conseillait de lire avec le plus grand soin, étaient assortis de deux rubriques :

« Répondre aux questions suivantes » et « Corriger et ponctuer le texte suivant ».

Ramchand reposa le livre sur le comptoir, un peu découragé. Les passages en question étaient presque incompréhensibles au premier regard, et il ne savait même pas ce que signifiait « ponctuer ». Il n'en était pas encore au P, tant s'en fallait. Peut-être qu'un jour, quand il serait un peu plus compétent, il pourrait faire ce genre d'emplettes...

Il reporta donc son attention sur d'autres livres.

L'un d'eux, passablement défraîchi, qu'il pourrait donc avoir pour pas cher, s'intitulait *Citations pour toutes saisons*. La couverture lui apprit que les « citations » étaient des remarques de grands hommes, pleines d'esprit et de sagesse. Il ignorait ce que voulait dire « esprit » dans un tel contexte, mais pensa qu'un peu de sagesse ne lui ferait pas de mal. Autre avantage : les citations étaient courtes. Il n'aurait pas besoin de tout un dimanche ou de toute une soirée libre pour travailler dessus. Un coup d'œil au moindre moment de liberté, en faisant cuire son riz ou chauffer l'eau pour sa toilette, suffirait. Il acheta le livre, après en avoir fait descendre le prix jusqu'à vingt roupies, certain qu'il l'aiderait à remplir ses moments creux de sagesse, et d'esprit aussi, chose dont la possession, apparemment, était souhaitable.

Les citations étaient classées par thèmes, eux-mêmes classés par ordre alphabétique. C'est ainsi que l'on commençait par « Adversité » et que, quelques pages plus loin, on trouvait « Aptitude ». L'ouvrage rapportait les idées et les opinions d'hommes célèbres sur une quantité de sujets, depuis la « Flatterie » jusqu'au « Zèle », en passant par la « Littérature », le « Tact » et le « Yukon ».

Les citations suscitèrent chez Ramchand des réactions mêlées, mais néanmoins passionnées. Il n'en comprit pas certaines, qu'il sauta. Il lui arrivait même de sauter des sections entières, soit qu'il n'en saisît pas le libellé, soit qu'il les trouvât inintéressantes.

Tantôt il approuvait les auteurs sans réserves, tantôt il était en violent désaccord avec eux. En parcourant la section « Aptitude », il fut tout particulièrement impressionné par la citation suivante : « L'aptitude n'est rien si elle n'a pas l'occasion de s'exercer. Napoléon. »

Comme c'était vrai, pensa tristement Ramchand, tout en se demandant qui pouvait bien être ce Napoléon. Un poète étranger, peut-être. L'occasion, tout était là ! Lui-même ne serait-il pas allé dans une école anglophone si ses parents n'avaient pas disparu prématurément ?

Il resta en revanche très sceptique devant une opinion attribuée à un certain Aughey, dont le nom apparaissait à la rubrique « Adversité ». Ramchand chercha d'abord ce mot dans le dictionnaire. Il signifiait « malheur », « malchance ». Il poussa un soupir et lut : « Dieu conduit les hommes en eau profonde, non pour les noyer, mais pour les purifier. »

Ramchand eut un grognement méprisant. Oui, bien sûr, pensa-t-il, et il Lui arrive de les y laisser si longtemps qu'ils finissent par être aussi fripés et ratatinés que les mains d'une lavandière et ne sont plus bons à rien, ni à personne.

Il sauta toutes les citations de la rubrique « Amérique », mais reconnut solennellement la sagesse de la plupart de celles qui illustraient « Emprunt ».

« Les dettes sont un puits sans fond », avait dit quelqu'un du nom de Carlyle. N'était-ce pas ce que son père disait toujours à sa mère quand ils étaient à court d'argent ? « Ça ne fait rien. On se débrouillera avec ce qu'on a. Mais je ne vais certainement pas emprunter de l'argent. Une fois qu'on a mis le doigt dans l'engrenage, c'est fini, et la vie devient un enfer. »

Gokul n'avait fait qu'exprimer la même idée le jour où il lui avait dit : « C'est un tourbillon infernal, Ramchand. Ne te laisse jamais aspirer. Débrouille-toi avec ce que tu as. Limite tes besoins à l'argent que tu as dans ta poche. Une fois que tu es entre les mains des usuriers (hochements de tête entendus) et même si tu empruntes à des amis, à des connaissances ou à des parents, les relations finissent par se détériorer. Mieux vaut porter de vieux vêtements, ne manger qu'une fois par jour et avoir l'esprit en paix que de vivre avec de l'argent emprunté. »

En février, Ramchand avait atteint « Flatterie », après avoir sauté « Capital et travail » et s'être grandement étonné des sottises que l'on trouvait à la rubrique « Chats » : « Il n'y a pas de quoi fouetter un chat. Smollett, *Humphrey Clinker* », « Un chat regarde bien un évêque. John Heywood ».

Non, vraiment, ce que les hommes censément célèbres avaient dit des chats ne l'impressionnait guère.

En avril, il s'acheta un nouveau livre.

Il n'en avait pas eu l'intention, il s'était contenté de feuilleter l'étalage d'un bouquiniste, mais il était tombé amoureux de ce livre comme d'aucun autre avant lui. Il s'intitulait *La Science expliquée aux enfants*. C'était un petit opuscule, en papier glacé, qui contenait des photos en couleurs, de belles illustrations et tellement d'informations qu'il en resta ébahi.

Mais il fut atterré quand il en demanda le prix : cent cinquante roupies. Une somme astronomique, mais le marchand lui affirma qu'il s'agissait d'un livre étranger et qu'il ne pouvait rien rabattre. Même après un marchandage forcené, Ramchand ne réussit pas à le faire descendre au-dessous de cent vingt roupies. Mais il sentit qu'il le lui fallait à tout prix. Sans compter que sa dernière acquisition, *Citations pour toutes saisons*, remontait à plus de deux mois. Il pouvait quand même bien se permettre cette petite fantaisie aujourd'hui. Il cessa de tergiverser et conclut l'affaire.

La Science expliquée aux enfants était tellement passionnante que Ramchand devait s'arracher à sa lecture le matin pour partir au travail. Et il ne pensait qu'à une chose : s'y replonger le soir en rentrant. Il alla même jusqu'à en négliger Sudha, tellement ses découvertes le fascinaient.

L'ouvrage contenait des images d'étoiles et de planètes, de machines, de plantes, et du corps humain. Il expliquait, en termes qu'il comprenait désormais sans difficulté, comment était produite l'électricité ou fonctionnaient les freins d'une voiture, pourquoi les montgolfières montaient dans l'air ou les guitares étaient percées de trous, comment se formaient les arcs-en-ciel. Il expliquait aussi comment les pingouins, des oiseaux que Ramchand n'avait jamais vus et dont il ignorait jusqu'à l'existence, mettaient à profit les mouvements de la houle pour nager. Il regarda avec des yeux éberlués la photo des pingouins qui accompagnait l'explication. Ils lui rappelèrent les serveurs solennels, en nœud papillon et costume noir, qui faisaient circuler les plateaux au mariage de Rina Kapoor.

Le livre expliquait enfin pourquoi les diamants brillent et précisait, à la grande surprise de Ramchand, que le corps humain compte six cent quarante muscles. On y apprenait par ailleurs que les êtres humains étaient en train d'épuiser les ressources de la planète et que, s'ils continuaient à ce rythme, il ne resterait bientôt plus rien.

Ramchand préférait ce livre à tous les autres, même s'il se refusait à l'admettre.

Quand il avait fini sa lecture et qu'il le reposait sur sa pile, de plus en plus haute puisqu'elle comptait désormais cinq ouvrages, il se sentait gonflé de cet orgueil de la possession typique du collectionneur.

Il avait maintenant en tête l'achat d'une *Petite Histoire du monde pour la jeunesse*, qui valait cent roupies. Il se dit qu'il serait plus sage d'attendre le mois d'août, tout en espérant que personne ne viendrait l'acheter d'ici là.

*
* *

Sur le chemin de la maison de Chander, l'humeur de Ramchand vira au beau fixe à mesure qu'il lisait sans plus hésiter les enseignes des magasins : « Fanfare Sunder Ram », « Quincaillerie Sukhvinder », « Épicerie générale Shiv Shankar »...

Les enseignes finirent par disparaître, mais bien avant qu'il atteigne sa destination. Les maisons n'étaient plus maintenant que des baraquements et les magasins de misérables échoppes, sombres et minuscules. Le quartier n'avait rien de bien reluisant la dernière fois qu'il y était venu, mais c'était en hiver. L'été, le spectacle était encore plus désolant. L'endroit empestait, les caniveaux regorgeaient d'immondices, la chaleur rendait la crasse encore plus insupportable.

Quand il atteignit le petit temple d'Hanuman, Ramchand eut l'impression qu'il marchait depuis une éternité. Dans la rue de Chander, un renfoncement dans le mur effrité qui s'étirait le long de la voie abritait le robinet municipal.

Deux femmes s'y disputaient, à grand renfort de cris et de gesticulations. Ramchand ne put passer : la rue était bloquée par des badauds, fort divertis par la scène.

« Tu crois peut-être que c'est le robinet de ton père ? hurlait l'une des femmes. Nous, on n'a pas assez d'eau pour boire ou faire la cuisine, et regardez-moi cette *maharani*, elle donne un bain à son prince. »

Un gamin de cinq ou six ans, nu et maigre, se tenait entre les deux femmes. Il était savonné de partout, crâne, genoux osseux et pieds croûteux compris. Seul son visage échappait encore à la mousse. Il avait l'air malheureux.

Sa mère le retenait fermement par l'épaule, au cas où il aurait voulu s'échapper.

« C'est pas parce que tu te fiches d'avoir des enfants pleins de poux, les genoux noirs comme de la suie, que tout le monde est obligé d'en faire autant ! hurla la mère du gamin.

— Ça te va bien de jouer à la brahmane ! cria l'autre, une main fermement posée sur le robinet. Toi qui jettes tes ordures n'importe où dans la rue !

— Et tu veux que je fasse quoi ? Je suis pas assez intime avec les commerçants, moi, pour qu'ils me donnent gratuitement des poubelles en plastique.

— Espèce de garce ! cria l'autre. Qu'est-ce que tu insinues, hein ?

— J'insinue rien du tout. Je dis simplement que je sais ce qui se passe une fois que ton mari a tourné les talons pour aller vendre ses bananes. M'oblige pas à en dire plus. »

Les deux femmes étaient déchaînées maintenant et hurlaient à tue-tête :

« Au moins mon mari, lui, y va pas trouver d'autres femmes. Moi aussi, j'en sais des choses sur ton ménage, alors t'as intérêt à la fermer. »

L'enfant avait l'air de plus en plus malheureux. Il n'avait certainement pas voulu de ce bain au départ. Ses cheveux se dressaient en piques sur sa tête, et il avait envie de se gratter. La chaleur était telle qu'il transpirait sous sa couche de savon. Sa détresse venait autant de la sueur que de la mousse qui séchait sur son corps, mais la poigne de sa mère ne se relâchait pas sur son épaule, pas plus que celle de l'autre mégère sur le robinet. Quelques gamins parmi les spectateurs se moquèrent de lui. Il leur lança un regard noir.

Il y aurait d'autres querelles, d'autres disputes dans cette rue plus tard dans la journée.

Ramchand était maintenant coincé au milieu de cette foule de badauds, bousculé et ballotté en tous sens, et il dut jouer sérieusement des coudes pour arriver à se dégager.

Il fut soulagé de parvenir à la porte de Chander. Il frappa d'une main lasse. Sans obtenir de réponse. Renouvela sa tentative, plus fort cette fois-ci. Seul le silence lui répondit. Il poussa doucement la porte. N'entendant rien, il s'enhardit et l'ouvrit en grand. Il crut d'abord que la maison était vide. Puis il l'aperçut, tassée contre le mur, dans un coin de la pièce, silencieuse, la tête penchée, la main serrée sur la bouteille de rhum à moitié pleine qu'avait abandonnée Chander en quittant la maison, après l'avoir accusée de n'être pas rentrée de la nuit.

Il s'approcha de Kamla à pas comptés, profondément choqué à la vue d'une femme ivre, une bouteille à la main. Il ouvrit la bouche pour lui adresser la parole, mais la referma aussitôt. Il ne pouvait pas l'appeler *bhabhi*. Les *bhabhis* étaient des femmes convenables, qui vous donnaient une tasse de thé, vous agaçaient parfois à trop parler de leurs enfants et vous demandaient à l'occasion, un sourire complice aux lèvres, pour quand était votre mariage. Cette créature hébétée par l'alcool, qui regardait, sans le voir, le mur en face d'elle, comment devait-il s'adresser à elle ? À la vue de sa tenue négligée, des traces de larmes sur ses joues et de ses traits tirés, il comprit que c'était le genre de personne que l'ivresse ne fait que déprimer davantage. Il se pencha et lui passa un bras autour de l'épaule pour la secouer légèrement. Aucune réaction. Elle continuait à fixer le vide devant elle, avec les yeux blancs d'une morte. Ramchand eut un moment de panique. Se pouvait-il qu'elle soit morte ? Mais il l'entendait respirer. Il la secoua à nouveau légèrement.

Lui revint alors nettement le souvenir, et avec lui un nouvel accès de culpabilité, du jour où il l'avait laissée recroquevillée dans un coin, après que Chander l'eut frappée. Souvenir qui, depuis, l'avait souvent hanté, mais qu'il s'était efforcé de refouler au plus profond de lui. Sans pour autant arriver à effacer totalement un sentiment de culpabilité qui, pour vague qu'il fût, n'en persistait pas moins, même s'il refusait de le reconnaître.

Il rassembla tout son courage et s'assit par terre, à côté d'elle. Puis il lui parla doucement, d'une voix un peu tremblante. « Qu'est-ce qui vous arrive ? Vous ne vous sentez pas bien ? »

Elle continuait à regarder dans le vide. Ramchand se sentait mal à l'aise, à être assis tout près d'une femme qu'il ne connaissait pas. Et si Chander venait à rentrer et le trouvait dans cette position ? Que penserait-il ? Mais quelque chose dans l'attitude de Kamla le retenait sur place, immobile et silencieux. Les minutes s'écoulèrent. Le silence se faisait oppressant, la chaleur plus lourde, et Ramchand transpirait à grosses gouttes. Il s'obstinait pourtant à rester, convaincu qu'il ne devait pas partir, que sa présence ici était en quelque sorte nécessaire. Incapable de s'arracher à cet endroit en dépit de son envie de s'enfuir, il sentait la terreur l'envahir lentement.

Il régnait dans la maison une atmosphère de tombeau qui pesait sur Ramchand comme un couvercle, et formait un contraste frappant avec l'activité bourdonnante de la rue et la rumeur plus lointaine de la ville. C'était un monde à part, isolé, où l'air était lourd de désespoir, de silences, de larmes rentrées. On avait l'impression d'y effectuer un voyage au cœur des ténèbres. L'esprit de Ramchand se vida. Son corps se figea. Dans l'attente.

Au bout d'un moment, elle remua légèrement, faisant craquer une articulation.

Ramchand lui adressa à nouveau la parole, étonné de son audace : « Vous pouvez me dire ce qui ne va pas. Peut-être que je peux vous aider. » Tout en parlant, il s'était pris à espérer qu'elle resterait muette comme la tombe, ce qui lui aurait permis de s'esquiver, la conscience tranquille. Mais à peine avait-il fini de parler que la femme sembla revenir à elle.

Puis elle réagit effectivement, tournant lentement la tête, sans bouger le reste du corps, et le regarda. Ses yeux évoquaient deux tunnels obscurs, sans issue.

Ramchand cilla sous ce regard, mais sans pouvoir s'en détacher. Quelque chose dans ce visage le retenait sur place, immobile, silencieux.

Les lèvres desséchées de la femme s'entrouvrirent, mais aucun son ne sortit de sa bouche. Il vit des traces de vomissures sur son menton. Elle portait un sari en nylon violet bon marché à grosses fleurs blanches. Le *pallu* était de travers. Ramchand aperçut également du vomi sur son corsage. Ses avant-bras étaient couverts de poils duveteux, et elle avait à l'intérieur du gauche une longue cicatrice, déjà ancienne.

Elle réussit enfin à parler. La voix rauque et cassée semblait venir de très loin.

« M'aider ? » dit-elle, ouvrant à grand-peine la bouche pour former les mots.

Elle avait la commissure des lèvres entaillée, des coupures profondes partaient du coin de la bouche et s'étiraient sur les joues en un fantôme de sourire.

Ses yeux vides se mirent soudain à lancer des éclairs. Sa lèvre supérieure se retroussa, comme celle d'une bête hargneuse. Ramchand la regardait, horrifié. Et, soudain, elle se mit à gronder : « *M'aider ?* Tu veux *m'aider ?* »

Ramchand prit peur. Il aurait volontiers bondi sur ses pieds et pris la fuite, mais il n'y parvint pas. Il avait l'impression de ne plus pouvoir commander à ses muscles. Les deux tunnels obscurs des yeux le retenaient cloué sur place.

Il continuait à la dévisager dans un silence effrayant, une main posée sur le sol à côté de lui pour le soutenir.

Elle reprit la parole, les dents toujours serrées : « Mais qu'est-ce que tu peux faire, hein ? Vas-y, dis-moi ce que tu peux faire. »

Puis ce fut une lamentation perçante : « Y a rien, ri-i-en, ri-i-en à faire. »

Une véritable terreur s'empara de Ramchand. Il était incapable de faire face à la situation. Son pouls s'accéléra. Pourquoi, mais pourquoi n'arrivait-il pas à se lever et à partir en courant ? À fuir cette femme et la noirceur de ses yeux. Fuir cette puanteur étrange qui émanait d'elle.

Il restait là, comme pétrifié. Tout en elle, son corps, son attitude, la manière dont elle était tassée contre le mur, suggérait l'animal blessé, sur le point de mourir.

« Tu veux m'aider ? Tu veux savoir ce qu'ils m'ont fait ? dit-elle, hystérique, empestant l'alcool. Tu sais ce qu'ils m'ont fait ? Tu crois qu'ils se sont contentés de me violer ? Et, après, de me laisser partir ? Regarde, regarde ça », dit-elle en montrant son bas-ventre.

Ramchand regarda l'endroit qu'elle lui désignait, sans comprendre.

Puis l'horreur se fit lentement jour en lui. Une horreur qu'il n'aurait jamais cru pouvoir ressentir. Il s'aperçut que la plupart des fleurs blanches du sari en dessous des hanches n'étaient plus blanches. Mais rouille. Couleur de sang séché.

Et tout – les paroles de la femme, ses yeux, la couleur rouille des fleurs – fit soudain sens dans la tête de Ramchand. Il comprit et se mit à trembler de tous ses membres.

« On aurait pu croire qu'ils en resteraient là, qu'ils se contenteraient de me violer… Mais le deuxième… il a fait ça avec un *lathi*… parce que je lui avais envoyé un coup de pied dans le ventre. » À cette dernière évocation, la satisfaction se lut sur son visage et elle ébaucha un sourire crispé.

De plus en plus terrifié, Ramchand sentait les paroles de la femme s'insinuer comme des vers dans ses oreilles pour venir se fixer dans son cerveau.

La paume de sa main droite, celle sur laquelle il prenait appui, était meurtrie, son poignet lui faisait mal, mais pour autant il n'arrivait toujours pas à bouger. L'horrible sourire de la femme s'était figé, et maintenant elle sanglotait sans plus pouvoir s'arrêter.

« Avec un *lathi* », répéta-t-elle. Puis elle leva la bouteille et but au goulot.

C'est alors que Ramchand sentit sa main mouillée. Il ne bougea pas d'un pouce, refusant de baisser les yeux. Son esprit chavira. Ces taches, sur son sari, étaient-elles anciennes ? N'était-elle pas encore en train de saigner ? Il était assis tellement près d'elle. Y avait-il autour d'elle une flaque de sang qu'il n'aurait pas vue ? Était-ce du sang qui lui mouillait la main ? Il se sentit sur le point de défaillir. Il était maintenant agité de violents soubresauts et incapable de toute pensée cohérente, de toute action. Il eut vaguement conscience que son visage était mouillé, lui aussi. Il avait dû pleurer.

Puis il baissa lentement les yeux sur sa main, ses doigts raides, ses jointures blanches, et la porta à ses yeux.

Du rhum, qui s'était échappé de la bouteille. Il examina sa main, la retourna.

Du rhum, rien de plus.

Pas du sang.

« Et tu voudrais m'aider ? » hurla à nouveau la femme.

Ramchand s'entendait maintenant crier à travers ses larmes. Il réussit enfin à se mettre debout et sortit à toutes jambes, courant aussi vite que le lui permettaient les rues encombrées, courant sans s'arrêter jusqu'à l'abri de sa misérable chambre.

5

Cette même semaine parut le roman de Rina Kapoor.

Si elle n'avait été qu'une jeune femme ordinaire, encore célibataire, issue d'un milieu modeste, le roman n'eût pas fait grand bruit à Amritsar, où l'on trouvait beaucoup d'argent mais une seule librairie digne de ce nom. Dans la mesure cependant où Rina venait tout juste de se marier, où elle était riche, connue, brillante et permanentée, et où elle voulait attirer l'attention de la fine fleur de la ville, elle réussit à faire beaucoup parler d'elle. On ne lésina pas non plus sur le lancement du livre à New Delhi, à coups de conférences de presse et d'interviews dans les magazines.

Ravinder Kapoor donna une grande soirée pour la venue de sa fille à Amritsar, multipliant les invitations – gros industriels, fonctionnaires et jusqu'au préfet du district. Rina, elle, convia ses anciennes connaissances, professeurs aussi bien qu'étudiants.

À la soirée, on servit toutes sortes de mets raffinés, préparés par un chef de Delhi, en même temps que des fromages et des chocolats venus de l'étranger. Rina portait un sari noir en mousseline presque transparente, agrémenté de paillettes d'argent. Son mari, la tête haute, superbe dans son blazer bleu marine, était l'image même du militaire au port altier.

Tout le monde s'extasia sur ce couple magnifique !

Le lendemain, les jeunes et jolies maîtresses de maison purent contempler à loisir, non sans une pointe de jalousie, les photos de Rina dans l'*Amritsar Newsline*.

L'idée d'un roman avait germé pour la première fois dans l'esprit de Rina le jour de son mariage, quand elle avait vu son *sari-wala*, tremblant de peur, poussé par les gardes chargés de la sécurité, et l'avait entendu mentir au sujet d'une invitation à la réception. Comme elle en avait ri avec Tina quand elle était remontée à l'étage ! Puis, la curiosité l'emportant, elle s'était mise à repenser à lui. Elle était même allée le voir, lui avait posé des questions, afin de donner corps à son inspiration. Elle avait commencé la première ébauche pendant sa lune de miel et avait bouclé le roman en tout juste cinq mois.

C'était l'histoire d'un vendeur de saris, un certain Sitaram, drôle, superstitieux, malin et éminemment sympathique. Les autres personnages incluaient un *sadhu* qui accomplissait des miracles, un chien très démonstratif et une kleptomane entre deux âges.

Il y avait également une belle villageoise dont Sitaram était amoureux. Elle avait de grands yeux en amande, soulignés de khôl, des fleurs de jasmin dans les cheveux, une démarche ondulante, un sourire ensorcelant, et trouvait Sitaram un peu ridicule mais touchant.

Ce dernier devait avoir recours au vieux *sadhu* et à ses philtres magiques pour gagner l'amour de la belle et l'épouser.

C'était un livre à la structure équilibrée, qui commençait bien et finissait de même, dont les chapitres s'enchaînaient sans heurts et qui contenait une bonne dose d'humour. Les comptes rendus dans les journaux et les hebdomadaires furent dans l'ensemble élogieux. Après avoir lu la plupart d'entre eux, Mrs Sachdeva découpa les meilleurs et les punaisa fièrement sur le tableau d'affichage du département de littérature anglaise, devant lequel vinrent s'agglutiner les étudiants, béats d'admiration.

*
* *

Ramchand lisait, le cœur lourd, dans le livre d'essais :

Un agent de police est un fonctionnaire important et très utile, Il accomplit des tâches très difficiles. Soit il travaille le jour, soit il patrouille dans les rues pendant la nuit. Il protège nos vies et nos biens. Il aide à retrouver les malfaiteurs et à dresser des procès-verbaux. Certains agents sont chargés de régler la circulation d'une manière fluide et ordonnée.
Sa journée commence par une séance d'exercice, ce qui lui permet de se maintenir en bonne forme physique. Il endosse un uniforme kaki et un turban rouge et bleu. L'uniforme est pratiquement le même dans la plupart des États. Ses chaussures sont toujours impeccablement cirées. C'est un homme bien bâti. Relativement grand. Il a à la taille une ceinture en cuir qui indique son matricule et son commissariat. Il porte une baguette épaisse qui s'appelle un bâton.

Ramchand fit l'effort de s'emparer de son dictionnaire. Il avait les membres lourds comme du plomb. Il chercha le sens du mot machinalement. « Bâton » : le sens le plus probable semblait être « matraque de policier ». « Matraque : court gourdin ou trique, attribut, par ex., des agents de police », « Gourdin : bâton muni d'un bout plus épais pouvant servir d'arme », « Trique : court bâton épais utilisé comme arme ».

Un *lathi*, ni plus ni moins, songea Ramchand. Cette fois-ci, sa recherche ne s'accompagnait pas de l'excitation qu'il éprouvait d'ordinaire à pourchasser un mot dans le dictionnaire pour en trouver le sens. Un *lathi*, tout bêtement. Une froide certitude. « Il a fait ça avec un *lathi* » : les mots lui résonnaient encore dans la tête.

En même temps lui revenaient des relents d'huile de friture et de vomi séché.

Dehors, un corbeau croassa. Ramchand le regarda. Il était perché sur le rebord de la fenêtre. Il avait de tout petits yeux. Ramchand remua, l'oiseau s'envola en poussant un cri d'effroi. Ramchand revint à son texte :

Son devoir est de maintenir l'ordre et la paix dans son secteur. Il traque les fauteurs de troubles comme les ivrognes, les joueurs, les pickpockets, ceux qui harcèlent les femmes, etc. Il patrouille également la nuit. Il arrête les voleurs et les criminels et les met en cellule au commissariat.

Ramchand fut incapable d'aller plus loin.

Il faisait une chaleur étouffante dans la chambre. S'il laissait la fenêtre ouverte, la clarté aveuglante du soleil d'été envahissait la pièce et lui donnait mal à la tête. L'air du dehors apportait des bouffées de chaleur qui picotaient les yeux et brûlaient la gorge. S'il la fermait, l'air devenait lourd et irrespirable.

Le ventilateur tournait lentement. Il pouvait censément être réglé au moyen d'un gros bouton noir fixé sur le tableau fendillé des interrupteurs et doté de cinq petits traits, disposés un peu comme les rayons autour du soleil que Manoj s'obstinait à dessiner dans son cahier. Les graduations étaient soigneusement numérotées d'un à cinq en jolis chiffres romains. Malheureusement, le régulateur était vieux et se moquait éperdument des cinq petites marques. Il tournait à vide quand on le manipulait et n'influait en rien sur la vitesse de rotation de l'appareil. L'anarchie régnait en maître dans la chambre de Ramchand.

Le ventilateur tournait donc lentement, à son rythme, ralentissant encore l'allure quand il y avait une baisse de courant.

Ramchand sentait le mal de tête le gagner peu à peu. Impossible de continuer à lire. Les mots dansaient devant ses yeux et dans sa tête, opaques, aussi exaspérants que de petites mouches noires.

Il avait beau faire des efforts, les yeux de Kamla refusaient de le laisser en paix. Plus rien n'avait de sens, en dehors de ces yeux, qui hantaient ses journées et le poursuivaient jusque dans ses rêves. Il était incapable de se concentrer. Quand Mahajan lui avait adressé la parole aujourd'hui, Ramchand n'avait vu qu'un visage vide, un esprit grossier et mercantile, et il avait écouté sans rien dire, incapable de comprendre un seul mot du discours de l'autre. Après des mois d'accalmie, son mal de tête était revenu.

Deux jours s'étaient écoulés depuis sa visite chez Chander, qui lui semblaient une éternité. Depuis, il n'avait pas cessé de réfléchir. Comme avant. Mais ses pensées tournaient à vide, un simple bruit dans sa tête, qui n'arrêtait pas, une sorte de roulement perpétuel, pareil au grondement assourdi de la nouvelle machine à laver de Sudha.

Il regarda d'un œil vide les *Pages immortelles* qu'il tenait à la main et s'assit au bord du lit. Se perdit à nouveau dans le désordre de ses pensées. Visions de dents tachées de bétel. D'or et de saris en soie. De paons faisant la roue. De fleurs de sari blanches qui, ignorées de tous, s'étaient teintées de rouille, à l'insu du monde.

D'un air décidé, Ramchand se leva et referma son livre. Le visage impassible, le geste lent mais précis, il rassembla tout ce qu'il avait acheté avec tant d'enthousiasme quelques mois plus tôt – *Pages immortelles*, *Correspondance usuelle*, *Citations pour toutes saisons*, *La Science expliquée aux enfants*, carnets, stylo, encrier.

La gorge serrée, il en fit une pile qu'il monta sur l'étagère la plus haute, juste en dessous du plafond, celle qu'il n'utilisait jamais, là où tout serait hors de sa vue.

Il se dit ensuite qu'il allait laver son drap et sa taie.

L'oreiller faisait un creux au milieu. Des taches d'huile de noix de coco, où s'accrochaient quelques cheveux, maculaient la taie, que Ramchand enleva. Elle collait un peu aux doigts. Il regonfla l'oreiller en le tapant du poing à plusieurs reprises et enleva le drap, avec ses bords froissés là où il était resté plié sous le matelas.

Quelques minutes plus tard, il était accroupi sur le sol de la salle d'eau, frottant la taie avec la dernière énergie à l'aide d'un morceau de savon bleu, tout entier absorbé par sa tâche, refusant de penser à rien d'autre.

6

Ce n'est qu'un peu plus tard la même semaine que Ramchand apprit la visite de Kamla chez les Gupta et son arrestation.

Comme à l'accoutumée, c'est Gokul qui se chargea de le renseigner.

La matinée avait été très animée. Les clientes entraient et sortaient à un rythme infernal. Et c'était un de ces jours où il y avait beaucoup de visiteuses, mais peu d'acheteuses. La plupart se contentaient de regarder la marchandise avec une moue désapprobatrice, d'obliger les vendeurs à courir d'un bout à l'autre du magasin, de leur faire sortir quantité de saris, avant de repartir au bout d'une demi-heure sans avoir rien acheté.

Pour comble de malheur, Gokul et Rajesh s'étaient disputés.

Gokul avait empilé une collection de lampas qu'il se préparait à ranger dans un placard. Quand il s'était levé pour ouvrir ce dernier, il avait trébuché, les saris lui avaient échappé des mains et s'étaient répandus un peu partout.

« *Arre*, Gokul, tu ne peux pas faire attention à ce que tu fais ? avait aboyé Rajesh, qui, en se levant pour aider Gokul, avait remarqué par terre un sari en mousseline. Et ça, c'est quoi ? avait-il repris d'un ton sec tout à fait déplacé, en s'emparant du sari égaré. Tu commences par ne pas les trier correctement, et puis tu les fous par terre et tu en mets partout. Mais à quoi tu penses ? »

Personne n'avait rien remarqué jusque-là, et personne ne s'attendait à ce que Gokul réagisse comme il l'avait fait.

« À mon travail, comme toujours, avait-il répondu d'un ton plein de dignité. Et je n'en dirais pas autant de tout le monde dans cette boutique.

— Où tu veux en venir, Gokul ? Qu'est-ce que tu sous-entends ? avait calmement demandé Rajesh, les narines frémissant légèrement sous l'effet de la colère.

— Rien de plus que ce que j'ai dit, avait rétorqué Gokul en se détournant.

— Une minute, Gokul, tu ne peux pas sortir des choses pareilles et me tourner le dos comme si de rien n'était. Je sais parfaitement ce que tu veux dire.

— Eh bien, pourquoi tu me le demandes, alors ?

— Laisse-moi te dire une chose, Gokul. Shyam et moi, ça fait un sacré bout de temps qu'on travaille ici. On y était bien avant qu'aucun d'entre vous n'arrive. Si tu crois qu'on va se laisser traîner dans la boue sans broncher, tu te trompes.

— Que vous êtes là depuis longtemps, on ne peut pas l'ignorer. C'est peut-être justement pour ça que vous avez oublié ce que travailler veut dire. J'en fais plus dans ma journée que vous deux réunis. »

Tout le monde, maintenant, écoutait l'échange.

« Ça suffit, Gokul, avait dit Rajesh en haussant le ton. On s'est toujours montrés gentils avec vous tous, et voilà que tu... »

Gokul l'avait interrompu, haussant le ton, lui aussi :

« Parce que vous croyez peut-être que vous pouvez nous tapoter la tête, vous montrer gentils avec nous comme avec des gamins quand l'envie vous en prend, puis nous traiter de haut et aller fumer vos *bidis* pendant des heures, alors que nous, on s'échine au travail ? Et tout ça pour être moins bien payés que vous ?

— Tu auras de mes nouvelles, Gokul, compte sur moi. »

Les deux hommes se faisaient face, comme s'ils étaient prêts à en découdre.

Ce qui avait surpris tout le monde. Ils étaient l'un et l'autre d'un naturel plutôt doux, et pourtant ils avaient failli en venir aux insultes.

L'arrivée d'une bande de filles accompagnées d'une imposante matrone les avait obligés à se calmer promptement.

Les filles étaient bruyantes et gloussaient comme des bécasses. À leur conversation Ramchand ne tarda pas à comprendre qu'il s'agissait d'étudiantes de première année du Government College for Women. Elles étaient toutes originaires de petites villes et de villages avoisinants, et n'étaient envoyées dans cet établissement que parce que la responsable du foyer avait la réputation d'être très stricte. C'était une femme dure, intraitable et autoritaire, qui faisait passer la moralité avant l'instruction. Il y avait fort peu de chances que l'une des filles se trouve un petit ami et compromette l'honneur de la famille pendant qu'elles étaient sous sa coupe.

Il apparut que, ce jour-là, la responsable en question était malade et que c'était son adjointe qui la remplaçait dans ses fonctions. Cette dernière semblait aux abois. Elle déversa son histoire dans l'oreille compatissante de Gokul. Deux des filles voulaient un sari neuf pour la soirée des première année au foyer, ce qui expliquait qu'elle ait amené tout le groupe, sinon elle ne s'y serait jamais risquée, confia-t-elle à son interlocuteur en guise d'excuse. Gokul, compréhensif, opina du chef. Prenant cela comme un encouragement, l'autre se mit à lui raconter à quel point il était difficile de ne pas se laisser déborder par ces épouvantables gamines, et ce d'autant plus que c'était aujourd'hui leur sortie mensuelle. Un mois enfermées dans les bâtiments du foyer, et dès qu'on les lâchait, elles ne se contrôlaient plus. L'air du dehors leur montait à la tête. L'une d'elles, secouée par un rire quasi hystérique, avait traversé la rue sans regarder et avait failli se faire renverser par une voiture. « S'il y avait eu un accident, je n'ai pas besoin de vous dire qui on aurait tenu pour responsable ! »

Pendant qu'elle se lamentait, les gamines se déchaînaient dans le magasin. La responsable en second précisa d'une voix cassée que ce groupe-là était le pire de tout l'établissement.

« Mais quand elles sont avec la responsable, même celles-là sont sages comme des images. Je ne sais pas ce qu'elle leur fait », ajouta-t-elle avec un soupir.

Les filles, qui avaient l'air d'avoir seize ou dix-sept ans, riaient et s'esclaffaient devant les vendeurs. Et se gaussaient chaque fois que leur accompagnatrice leur enjoignait de se tenir correctement.

Ramchand fut heureux de constater que pour une fois il n'était pas le seul à se sentir embarrassé. Hari avait le rouge aux joues et un sourire crispé aux lèvres. Gokul n'était pas plus à l'aise. Ramchand commençait à sourire, contaminé par l'entrain ridicule de ces gamines surexcitées, quand il se souvint des murs noirs de suie et du sari violet. Il se demanda si la femme de Chander avait été, au même âge, une adolescente comme celles-là, bêtasse et moqueuse.

Et son sourire se figea.

Hari garda son sourire imbécile aux lèvres jusqu'au moment où Gokul lui donna une tape amicale sur le sommet du crâne. « Débarrasse-toi de ce sourire, mon garçon. Jette-le par la fenêtre ou bien cache-le sous le matelas. Ne t'occupe que des saris. Tu ne voudrais pas avoir des ennuis, pas vrai ? »

Les filles demandèrent à voir des saris de mariage et des soies et des crêpes très coûteux. L'argent de poche qu'elles touchaient pour une année entière n'aurait probablement pas suffi à payer un seul de ces vêtements. Une fois les saris déballés, elles encourageaient leurs camarades à les acheter.

« Prends-le, toi, tu seras superbe là-dedans.

— Non, non, comment pourrais-je priver une amie d'une pièce aussi rare ?

— Prends ce vert, là, avec la bordure dorée. Tu seras superbe pour passer ton examen de littérature hindi. Et si tu échoues, on se souviendra quand même de toi dans ce sari.

— Tiens, dans ce sari en satin rose tu seras si ensorcelante que le concierge du foyer demandera ta main. Et comme ça, tu pourras aller et venir comme bon te semble.

— Non, attends, ce violet en soie de Kanjeevaram est pour moi. C'est juste la tenue qu'il me faut pour faire bouillir mes pommes de terre à minuit. »

Les filles étaient maintenant toutes pliées en deux.

« Un peu de tenue, jeunes filles, leur intima l'adjointe. Sinon, je fais parvenir un rapport en règle à la directrice. Et puis d'abord, qui a fait cuire des pommes de terre ? Vous savez qu'il est interdit de faire la cuisine dans les chambres. Vous avez de la bonne nourriture, et en quantité suffisante, vous n'avez donc pas besoin de vous faire à manger. Et vous savez aussi que sont interdits réchauds électriques, réchauds à gaz et thermo-plongeurs. Alors, qui est-ce qui vient de dire ça ? Qui a fait bouillir des pommes de terre ? »

Les filles détournèrent toutes les yeux. « Mais, madame, dit l'une d'elles, feignant l'innocence, personne n'a parlé de pommes de terre. On était juste en train de dire combien on appréciait que l'eau qu'on nous donne à boire au foyer soit de l'eau bouillie. »

Cette histoire d'eau potable préalablement bouillie donnée aux jeunes filles était une pure invention des responsables de l'institution, si bien que l'adjointe abandonna son enquête.

« Nous parlions d'eau bouillie, pas de pommes de terre, reprit la gamine, incorrigible.

— D'accord, ça suffit. Maintenant, si vous voulez vraiment acheter quelque chose, dépêchez-vous. Cessez de faire perdre son temps à tout le monde, et de perdre le vôtre par la même occasion. »

Mais les gamines firent exactement l'inverse.

Elles dépêchèrent les vendeurs d'un bout à l'autre du magasin, drapant les *pallus* de soie et les brocarts autour de leurs épaules, se regardant dans les glaces, se poussant du coude à grand renfort de plaisanteries, pour finir par acheter deux saris en nylon parmi les moins chers de tout le stock. Elles choisirent des couleurs criardes pratiquement immettables et quittèrent les lieux, toujours aussi réjouies, suivies de l'adjointe, toujours aussi fébrile. Au moment de partir, elles saluèrent toutes Mahajan, les mains jointes devant le visage, dans un simulacre de déférence, et furent ravies de le voir rougir jusqu'aux oreilles.

Leur visite détendit un peu l'atmosphère pesante qu'avait engendrée la dispute entre Gokul et Rajesh, sans pour autant la dissiper entièrement.

Finalement, vers une heure de l'après-midi, la boutique se vida pendant un quart d'heure environ.

Ramchand en profita pour aller s'asseoir à côté de Gokul et attendit qu'il parle le premier.

« Tu peux penser ce que tu veux, finit par dire Gokul, mais il est grand temps que quelqu'un dise leur fait à

Shyam et Rajesh, et leur fasse bien comprendre qu'ils ne sont pas nos patrons. C'est des employés, comme nous, ni plus ni moins.

— Oublie tout ça, Gokul bhaiya, dit Ramchand en lui tapotant l'épaule. Allez, n'y pense plus.

— Rajesh a dit : "Tu auras de mes nouvelles", dit l'autre, inquiet. Tu crois qu'il va aller se plaindre à Mahajan ?

— Non, je ne pense pas, dit Ramchand, qui se voulait rassurant. Ça ne servirait qu'à attirer l'attention sur leur côté tire-au-flanc. Mahajan y voit clair, tu sais. Il fait comme si de rien n'était, mais je suis sûr que ça ne lui plaît guère. Tu sais comment il est. Si Rajesh et Shyam amènent ça sur le tapis, Mahajan pourrait en profiter pour leur reprocher leur fainéantise, même si c'est à mots couverts. Non, je ne pense pas qu'ils oseront quoi que ce soit. Tu peux dormir sur tes deux oreilles, Gokul bhaiya. »

Ce dernier lui jeta un regard reconnaissant, avant de lui demander :

« Et toi, Ramchand, qu'est-ce qui ne va pas ? Ça fait des jours que je ne t'ai pas vu sourire.

— Rien, rien du tout », mentit promptement Ramchand.

Gokul le regarda, incrédule, mais n'insista pas.

« C'est peut-être la faute aux astres, reprit-il, en soupirant. Tout le monde a des problèmes. Chander a l'air sinistre, lui aussi, depuis quelque temps. Il en a plus qu'assez de sa femme, si une créature pareille mérite encore le nom de femme. »

Ramchand se raidit, avant de demander :

« Pourquoi ? Qu'est-ce qui s'est passé ?

— *Yaar*, dit Gokul, sans remarquer la brusque tension dans la voix de son interlocuteur, c'est de pire en pire. Je ne comprends pas comment Chander arrive à la supporter. Tu es au courant de son dernier exploit ? Pour commencer, elle a passé la nuit dehors – tu m'entends ? –, toute la nuit, et quand elle est rentrée au petit matin, elle a eu le culot de regarder Chander droit dans les yeux. Lui s'est contenté de la gifler, et il est parti. Mais un peu plus tard, on l'a envoyé chercher du commissariat. Il a commencé à paniquer, il se demandait ce qu'il avait bien pu faire. Nous autres, les petits, tu sais bien qu'on ne peut pas se permettre d'avoir affaire à la police. »

Ramchand acquiesça.

« Donc Chander s'est rendu au commissariat, poursuivit Gokul. Il a rencontré un policier. Il ne sait même pas faire la différence entre un simple agent de police et un inspecteur. Celui-là en tout cas avait l'air très en colère. Il a dit à Chander que sa femme était allée chez les Gupta, complètement ivre. Tu te rends compte, se retrouver au poste pour s'entendre dire que sa femme était soûle et qu'elle a fait un esclandre sur la voie publique. Le plus solide des hommes n'y résisterait pas. Le policier lui a dit que son comportement n'avait pas de nom, qu'elle avait même causé des dégâts chez les Gupta, cassant des carreaux et des vitres de voiture, ou quelque chose de ce genre. Ces gens sont respectés, comme tu sais. Ils ne savaient plus à quel saint se vouer. Pour finir, ils ont appelé la police. Ce policier et un autre avec lui se sont aussitôt rendus sur les lieux et l'ont arrêtée. Tu te rends compte de ce que Chander a dû éprouver, là, en plein commissariat, à s'entendre raconter des choses pareilles sur le compte de sa femme, une personne qu'il avait épousée en toute confiance ? Heureusement, ils l'ont relâchée avec un simple avertissement et l'ont renvoyée chez elle, d'après ce qu'a dit le policier à Chander. Mais il lui a bien précisé que si un incident de ce genre se reproduisait, s'il n'arrivait pas à contrôler sa femme, ils ne se montre-raient pas aussi compréhensifs à l'avenir. Ils ont bien voulu la laisser repartir tout de suite parce que c'est une femme et que c'était la première fois qu'elle se condui-sait de cette façon. Il n'empêche, elle n'est rentrée chez elle qu'au matin. Tu te rends compte ? »

Ramchand secoua la tête.

« On peut comprendre sa fureur. Nous autres, les petites gens, je te l'ai dit, on ne peut pas s'offrir le luxe d'avoir des histoires avec la police. Si jamais il y a une prochaine fois, les choses risquent de se compliquer pour lui. Mais tu veux me dire en quoi il est responsa-ble ? Il fait tout ce qu'il peut. Il la sermonne, il la bat, rien n'y fait, elle est têtue comme une mule. Il s'est senti si déprimé après ça qu'il est allé prier au temple d'Hanuman à côté de chez lui. Il y est resté deux heures, tellement il était bouleversé, et puis il est rentré chez lui et l'a battue comme plâtre. Qu'est-ce qu'il pouvait faire d'autre ? Tu crois qu'il a le choix ? Encore que je doute que ça lui fasse le moindre effet, à elle. Pas éton-nant qu'il soit si souvent absent et qu'il ait des ennuis avec Mahajan. »

Gokul s'arrêta le temps de tousser et de s'éclaircir la voix.

« Le lendemain matin, poursuivit-il, Chander est arrivé au magasin un peu en avance. Je suppose qu'il n'avait qu'une envie : ne plus voir sa femme ni l'endroit qui lui tient lieu de foyer. Moi aussi, j'étais arrivé une dizaine de minutes avant l'ouverture. Lakshmi devait aller voir une parente – une cousine qui allait accoucher –, alors elle m'avait préparé mon petit déjeuner de bonne heure et m'avait mis dehors. Elle déteste m'avoir dans les jambes quand elle doit aller quelque part avec les enfants. Mais plus j'en entends sur le compte de la femme de Chander, plus je bénis le ciel de m'avoir donné Lakshmi. Elle parle trop, c'est vrai, elle est soupe au lait, mais au fond c'est une femme bien, Lakshmi, et un cœur d'or avec ça. J'ai vraiment de la chance, tu ne crois pas ? » demanda Gokul en esquissant un sourire.

Ramchand approuva de la tête.

« Bref, dit Gokul, ce jour-là on était les premiers arrivés, Chander et moi. Tu ne vas pas me croire, mais il s'est effondré en larmes sur mon épaule et m'a tout raconté. Je lui ai dit que ce qu'il avait de mieux à faire, c'était de laisser tomber cette sorcière et de se remarier. Il a dit qu'il allait y réfléchir. »

C'est alors que Gokul remarqua l'expression de Ramchand.

« Mais toi, dis-moi, pourquoi est-ce que tu as l'air aussi malheureux ? demanda-t-il, plein de sollicitude. En fait, tu as l'air malade. Tu es pâlot. Tu as peut-être besoin de grand air. Il faut dire que dans cette boutique, poursuivit-il avec amertume, le grand air et les déjeuners de deux heures, c'est réservé à Shyam et Rajesh. »

Ramchand resta sans rien dire.

« *Ay*, Ramchand, dit l'autre en le regardant à nouveau, *tu theek hai* ? Tu ne te sens pas bien ? Qu'est-ce que tu as ?

— Rien », répondit à nouveau Ramchand, sans même réussir cette fois à esquisser un de ses sourires forcés.

Il était en mesure maintenant de reconstituer ce qui s'était réellement passé.

Un moment, il prit un air lointain, puis il demanda à Gokul d'une voix mal assurée :

« Mais pourquoi ? Pourquoi est-elle allée chez les Gupta ? Qu'est-ce qu'elle pouvait bien leur vouloir ?

— Oh, c'est simple, dit Gokul. Il y a quelques années de ça, les Gupta et les Kapoor ont créé une entreprise en partenariat. C'était une usine de prêt-à-porter. C'est là que Chander travaillait avant de venir au magasin. Mais l'affaire n'a pas tardé à péricliter, et, finalement, ils ont dû fermer. Ils n'ont pas payé le salaire des trois derniers mois à leurs ouvriers. Chander n'avait plus un sou. Je ne sais pas au juste ce qui s'est passé après. Ou bien il est tombé malade, ou bien c'est sa femme, mais ils ont traversé une sale période. J'ai entendu dire qu'il était même allé trouver Mr. Gupta et Mr. Kapoor pour leur demander de l'argent, ou tout au moins de lui en prêter un peu jusqu'à ce qu'il ait retrouvé du travail. Ils ont été très gentils avec lui, mais ils lui ont dit que s'ils lui donnaient de l'argent à lui, il n'y avait pas de raison que les autres ne viennent pas réclamer leur part. Chander a eu beau promettre qu'il ne dirait rien à personne, les deux autres n'ont rien voulu savoir. En un sens, on peut comprendre leur point de vue. Ce sont des hommes d'affaires, après tout.

« Je ne connais pas tous les détails, mais, d'après ce que j'ai cru comprendre, Chander et sa femme ont traversé une période vraiment difficile. Ç'a duré des mois, jusqu'à ce qu'il trouve cet emploi de vendeur ici. Mais il a commis une erreur. Un jour où il avait bu, il a donné à sa femme les noms des Gupta et Kapoor, et leurs adresses. Tu parles, il ne lui en fallait pas plus, à elle. Lui, il y a beau temps qu'il a oublié ses démêlés avec ses anciens patrons, parce qu'il faut bien continuer à vivre et que ce genre de choses arrive tous les jours. C'est vrai, c'est la vie. Mais sa femme, cette enragée, elle continue à leur en vouloir, après toutes ces années. Elle est allée les insulter devant tout le monde. Et tu sais qu'ils comptent parmi les plus grosses fortunes d'Amritsar. Alors qu'elle, tu veux me dire qui la connaît ? Personne. C'est une rien du tout. Elle a vraiment agi en dépit du bon sens. Elle aurait au moins pu penser à son mari ! S'il doit vivre dans les mêmes eaux que le crocodile, le petit poisson ne peut se permettre de s'en faire un ennemi. Mais comment veux-tu qu'elle comprenne ça ? Je crois qu'elle est complètement folle. Et, en plus, elle boit. C'est une honte, et c'est vraiment pas de chance pour Chander ! Dieu seul sait ce qui lui passe par la tête quand elle a bu. »

Ramchand écoutait sans rien dire. Il pensait à elle, au sari violet, aux clavicules saillantes, au néant des yeux.

Et, pour la première fois, il conçut un grand dégoût de lui-même. Pour s'être montré aussi déférent avec Mrs Gupta quand elle venait au magasin, pour avoir pris plaisir au mariage de Rina Kapoor, pour s'être senti flatté de l'intérêt que celle-ci lui portait. Pour être tout simplement l'homme qu'il était.

*
* *

Ramchand vécut les quelques jours qui suivirent plus replié sur lui-même que jamais. Gagné par le sentiment que tout allait de travers, il était habité d'une agitation permanente et d'une perpétuelle sensation de vide au creux de l'estomac. Parfois, il se sentait coupable et se reprochait de ne pas avoir dit à Gokul tout ce qu'il savait. Mais aussi, pourquoi la femme de Chander ne s'était-elle pas défendue ? Peut-être qu'elle ne voulait pas que son histoire s'ébruite. Auquel cas, il avait peut-être raison de se taire lui aussi.

Il perdit l'appétit, au point de ne plus supporter l'odeur de la nourriture. Il se sentait sale, même après s'être vigoureusement savonné et avoir changé de vêtements. Il avait constamment un mauvais goût dans la bouche. Buvait de plus en plus de thé. Ne parlait pratiquement plus à personne, se contentant d'écouter sans rien dire quand on lui adressait la parole.

Il perdit jusqu'au réconfort que lui apportaient d'ordinaire ses fantasmes, qu'il s'agît de Sudha ou d'une autre. Quand il s'allongeait, fermait les yeux et commençait à se frotter l'entrejambe sous son pantalon, prêt à se laisser aller au plaisir du rêve éveillé, à trouver un soulagement physique à ses malheurs, les seules images qui se présentaient à lui étaient les traces de vomissures sur le corsage de Kamla et les taches de sang sur son sari.

Il sentait alors les larmes lui monter aux yeux, et tout désir s'évanouissait.

*
*   *

Et puis, un beau matin, Ramchand vit avec horreur la porte du magasin s'ouvrir et Mrs Gupta entrer, accompagnée, comme à l'habitude, de Mrs Sandhu. Seuls lui et Gokul étaient libres.

Il n'était pas question qu'il serve Mrs Gupta. Discrètement, il se leva et gagna un coin de la pièce, espérant qu'on ne le remarquerait pas.

C'est donc en face de Gokul que s'installèrent les deux femmes. Le vendeur leur adressa son plus beau sourire.

« *Aai hai*, il fait tellement chaud », dit Mrs Gupta, en sortant de son sac à main une pochette rose parfumée et bordée de dentelle. Elle s'essuya soigneusement le visage, faisant habilement le tour du rouge à lèvres et se tamponnant doucement les yeux de manière à ne pas faire baver l'*eye-liner*.

La peau claire de Mrs Sandhu avait viré au rouge. Elle s'éventait avec le bout de son *chunni* bleu.

« Puis-je aller vous chercher de l'eau ? demanda Gokul, plein de sollicitude.

— Non, non, dit Mrs Gupta en fouillant dans son sac pour en extraire un billet de dix roupies qu'elle tendit à Gokul. Envoyez chercher une bouteille d'eau minérale bien fraîche. Bien fraîche, hein ? Et attention, de la Bisleri et rien d'autre. »

Gokul fit signe à Hari, qui venait de vendre un sari pêche à une femme maigre et soucieuse, et affichait un air suffisant. Il faut dire qu'il concluait rarement une vente sans aide.

Gokul lui tendit le billet et lui donna ses instructions, avant de lui glisser dans l'oreille à voix basse : « Et reviens tout de suite. Ne va pas te baguenauder ou t'acheter des *pakoras*. »

Hari prit un air offensé.

« Tu m'as déjà vu faire des choses pareilles, Gokul bhaiya ? dit-il d'un ton offusqué. Ah, ça m'est peut-être arrivé, ajouta-t-il, mais il y a longtemps. Tu ne l'as peut-être pas remarqué, mais je travaille dur ces temps-ci. On ne me voit plus bayer aux corneilles. Et tu sais…

— Oh, la ferme, Hari ! C'est pas le moment de faire ton cinéma ! Allez, dépêche-toi. »

Gokul, à nouveau tout sourire, se tourna vers les deux femmes.

« Montrez-nous des saris légers, pour l'été. Mais quelque chose qui ne se froisse pas trop, d'accord ? dit Mrs Gupta.

— Du coton, mais de la meilleure qualité », ajouta Mrs Sandhu.

Gokul hocha la tête et fit de grands signes à Chander à l'autre bout de la pièce. Celui-ci avait l'air épuisé. On l'entendait dans tout le magasin discuter âprement avec une cliente du prix d'un sari bordé d'une broderie or. D'un mouvement de tête, il signifia à Gokul qu'il avait compris et, tout en continuant à parlementer, tendit le bras vers le rayon situé derrière lui et sortit quelques saris de leurs emballages. L'un après l'autre, il les lança d'un geste précis à Gokul, qui les attrapait au fur et à mesure avec adresse.

Gokul ouvrit les emballages, vantant les mérites des différentes pièces. Hari revint avec une bouteille d'eau minérale bien fraîche. Ramchand resta tassé dans son coin, observant la scène en silence, tout en pensant à la femme de Chander.

Chander était-il au courant ? Fallait-il qu'il lui parle, qu'il lui demande s'il savait, pour l'histoire du viol ? Mais comment lui parler d'une chose aussi intime ? Il regarda le visage animé et bavard de Mrs Gupta. Fallait-il le lui dire, à elle ? Quelle était la meilleure conduite à suivre ?

Il gémit doucement et posa la tête sur ses genoux ramenés sous son menton. Il avait envie de pleurer, de sangloter tout fort, d'ameuter le magasin et de tout raconter. Alors, à n'en pas douter, quelqu'un ferait bien quelque chose.

Pas sûr...

Ramchand ne bougeait toujours pas, les doigts de pied fermement agrippés au matelas moelleux.

« Ramchand ! » La voix le fit sursauter et il leva les yeux.

Mahajan le dominait de toute sa hauteur.

« Qu'est-ce que tu fabriques ? Le magasin est plein à craquer, personne n'a même le temps de se gratter la tête, et toi, tu restes assis là à te la couler douce. Tu te crois peut-être sur un banc dans le parc de Company Bagh ?

— Bauji..., commença Ramchand.

— Ça va, ça va, ne me sers pas tes excuses habituelles. Va au moins donner un coup de main à Gokul, si tu n'as rien de mieux à faire », dit Mahajan, qui fit brutalement demi-tour et s'éloigna.

Ramchand regarda disparaître le dos flasque et malveillant de son patron avec une rancune renouvelée.

Il s'apprêtait à aller rejoindre Gokul quand il vit entrer Mrs Bhandari en compagnie de Mrs Sachdeva. Il eut l'impression d'être dans un rêve. Il se souvenait d'un après-midi semblable – ou était-ce un matin ? –, l'hiver dernier, où elles s'étaient toutes retrouvées au magasin au même moment, et où il avait dû s'occuper d'elles, à tour de rôle.

Il se consola en se disant que, au moins cette fois-ci, il n'aurait pas à servir Mrs Gupta. Il s'avança vers les deux femmes, un pâle sourire aux lèvres. Elles ne lui accordèrent pas un regard, mais parcoururent des yeux les rayons autour d'elles avant de s'asseoir devant lui, tout en conversant à voix basse, contrairement à Mrs Gupta et à Mrs Sandhu, dont les voix haut perchées s'entendaient dans toute la boutique.

« Montrez-nous les nouveaux batiks », dit Mrs Sachdeva. Ramchand se leva pour aller les chercher. Il n'avait pas envie d'avertir Hari, plus proche que lui du rayon concerné, et de le voir grimacer avant de lui lancer la marchandise.

Il fouilla un moment dans le rayon pendant que les deux femmes attendaient. Shyam croisa son regard et fronça les sourcils. La maison Sevak considérait comme un crime de faire attendre les clientes. Il convenait de les noyer sous un flot de saris, jusqu'à ce qu'elles n'aient plus d'autre issue qu'acheter, ne fût-ce que pour échapper au déluge. Ramchand se dépêcha de sortir quelques pièces et regagna sa place.

Les femmes commencèrent leur manège habituel, tâtant les tissus, échangeant des impressions à voix basse, examinant les bordures d'un œil critique.

Ramchand ne disait pas grand-chose, n'essayant ni de leur forcer la main, ni d'attirer leur attention sur un trait particulièrement remarquable de tel ou tel vêtement. Il se contentait de rester assis là et de leur tendre les saris l'un après l'autre.

À nouveau, Shyam croisa son regard et leva un sourcil interrogateur, l'air légèrement agacé. En l'absence de Mahajan, Shyam et Rajesh se considéraient comme responsables de la bonne marche du magasin, du moins tant que celle-ci n'empiétait pas sur les pauses qu'ils consacraient au thé et aux *bidis*.

Ramchand détourna ostensiblement les yeux.

Il fit de son mieux pour garder son calme quand Mrs Sachdeva s'empara d'un sari marron et dit à Mrs Bhandari : « Tenez, celui-ci aurait été parfait si la bordure n'avait pas été aussi large, vous ne trouvez pas ? »

Ramchand se souvint du jour où, dans le salon des Kapoor, il avait écouté Rina parler à Mrs Sachdeva. Ces mêmes Kapoor, associés des Gupta dans l'usine de prêt-à-porter, qui avaient refusé de payer son salaire à Chander et déclenché du même coup la colère de sa femme.

« Vous m'écoutez, oui ou non ? aboya Mrs Sachdeva. Je vous ai demandé si vous aviez le même sari, même couleur, même motif, mais avec une bordure plus étroite. »

Ramchand secoua la tête. Elle prit un air contrarié.

Il regarda les plis qui barraient son front. Que dirait-elle si elle savait ?

C'était censément une femme cultivée. Puis une autre pensée lui vint : Rina Kapoor savait-elle que son père ne payait pas ses ouvriers ? Du moins, pas toujours.

Fallait-il qu'il aille trouver Mrs Sachdeva et qu'il lui parle ? Mais à quoi bon ? Qui serait prêt à le croire ? Aux yeux de cette femme, Ravinder Kapoor n'était probablement que le papa gâteau de son élève la plus brillante.

Ramchand se pinça le nez en fermant les yeux pour essayer de retrouver ses esprits. Tout semblait soudain si confus, si précipité. Que pouvait-il bien faire ?

C'était maintenant au tour de Rajesh de regarder Ramchand le sourcil froncé. Celui-ci fut saisi d'une brusque amertume à l'égard de cet être stupide qui parlait, parlait, parlait, sans jamais réfléchir une seconde à ce qu'il disait !

Ramchand fit un nouvel effort pour prêter davantage d'attention aux exigences de ses clientes. Il déballa encore quelques saris.

« Oh, bonjour, madame Bhandari ! s'exclama soudain Mrs Gupta.

— Ah, bonjour, dit l'autre en levant les yeux, l'air surpris. Je ne vous avais pas vue. On fait des courses ? »

Quelle remarque stupide ! se dit Ramchand. Que pouvaient-elles bien faire d'autre dans un pareil endroit ?

« Vous connaissez Mrs Sandhu ? demanda Mrs Gupta en désignant du geste sa voisine. Son mari est ingénieur en chef à l'Office régional de l'électricité.

— Comme c'est intéressant ! dit Mrs Bhandari, sans conviction aucune. Et je suis sûre que vous connaissez Mrs Sachdeva. Chef du département d'anglais... »

Mrs Gupta l'interrompit avec un grand sourire :

« Bien sûr, je me souviens parfaitement d'elle. Je crois bien que nous nous sommes toutes rencontrées au mariage Kapoor, vous savez, le mariage de la fille de Ravinder Kapoor...

— Absolument, dit Mrs Sachdeva. Mais pourquoi désigner ainsi cette jeune femme ? Elle est tellement brillante que "Rina Kapoor" suffit, on sait immédiatement de qui on parle. Elle s'est forgé une identité bien à elle, vous savez, elle n'est pas simplement "la fille de Ravinder Kapoor". »

S'ensuivit un instant de silence gêné. Puis Mrs Bhandari demanda :

« Alors, madame Gupta, quoi de neuf chez vous ? Comment va votre belle-fille ? Shipra, c'est bien là son nom ?

— Shilpa, dit Mrs Gupta, rayonnante. Vraiment, Dieu se montre très généreux avec nous. Très, très généreux. Touchons du bois. Elle est enceinte. De trois mois. »

Sourires de ces dames.

« Eh bien, félicitations. Il n'y a plus qu'à attendre l'arrivée du bébé et la réception que vous donnerez en son honneur, dit Mrs Bhandari.

— Oui, bien sûr. Ma belle-fille est parfaite, soumise et si bien élevée. Et puis, grâce à Dieu, l'usine de mon fils, Tarun, marche à merveille. Quant à mon cadet, il appelle des États-Unis toutes les semaines. »

Mrs Sachdeva la regarda, avant de détourner les yeux et de revenir au sari qu'elle avait dans les mains. « Comme c'est bien ! » dit-elle à voix basse.

Mrs Gupta se rengorgea.

Puis Mrs Bhandari se tourna vers Mrs Sandhu.

« Et comment vont vos enfants ? demanda-t-elle aimablement.

— Oh, ils se débrouillent bien, répondit l'autre d'une voix lente et placide. Mon aîné, Manu, il s'appelle Mandeep en fait, mais nous l'appelons Manu, a été reçu à ses examens. Il va entrer à la faculté de médecine d'Amritsar. Je peux enfin me servir de mon robot et de mon lave-linge sans avoir peur de faire du bruit et de le déranger. Que Waheguru soit béni !

— C'est vrai, un diplôme universitaire, c'est important de nos jours, dit Mrs Bhandari. Ma Rosie est allée à Delhi pour préparer sa maîtrise de sciences. Je lui ai dit : "Mais pourquoi tu ne restes pas ici ?" Elle n'a rien voulu savoir. Nous avons de très bons partis en vue pour elle, mais elle dit qu'elle n'a pas envie de se marier pour l'instant. Qu'il n'y a pas que le mariage et l'argent dans la vie. »

Mrs Gupta eut une moue dédaigneuse. Mrs Sandhu dit avec un sourire béat :

« Les jeunes d'aujourd'hui veulent tout. Ils ont beau dire, ils veulent aussi l'argent. Mon cadet, qui n'est pourtant qu'en quatrième, est toujours en train de réclamer quelque chose. Le voilà maintenant qui s'est mis en tête d'aller au collège en mobylette. Et qu'est-ce qu'on peut y faire ?

— Nous ne valons pas mieux qu'eux, si ? dit Mrs Gupta avec un sourire complice. Je viens tout juste d'acheter un nouveau micro-ondes, et j'ai bien envie d'un barbecue maintenant.

— Je vous dis, il n'y a rien à y faire ! Rien du tout, dit Mrs Sandhu. On a bel et bien besoin d'argent, *bhai*, quoi qu'on en dise.

— C'est vrai, dit soudain Mrs Sachdeva d'une voix égale, l'argent est très important. Ne serait-ce que pour avoir un certain niveau de vie. Mais il n'y a pas que ça dans la vie. Regardez un peu Rina Kapoor. Elle avait tout. Argent, beauté, famille. Et pourtant elle s'est fait un nom en écrivant un livre, elle s'est bâti une réputation toute seule. Son livre, vous l'avez lu ? demanda-t-elle à Mrs Gupta et à Mrs Sandhu, qui, l'une comme l'autre, secouèrent négativement la tête.

— Où trouver le temps ? dit Mrs Gupta. Vous, c'est votre métier, bien sûr, mais nous… il faut s'occuper de tellement de choses dans une maison ! »

On sentait maintenant une certaine tension dans l'atmosphère.

« Au fait, madame Gupta, dit soudain Mrs Sachdeva avec un sourire des plus amicaux, votre belle-fille est très jeune, n'est-ce pas ?

— Oui, elle a vingt et un ans.

— Et qu'est-ce qu'elle a ? demanda Mrs Sachdeva d'un ton détaché.

— Que voulez-vous dire ? bafouilla Mrs Gupta.

— Comme diplômes ?

— Eh bien... elle avait commencé une licence, mais elle n'a pas pu la terminer, vous comprenez, avec le mariage et...

— Ah. »

Mrs Sachdeva n'en dit pas davantage.

Un moment, Mrs Gupta eut l'air déconcerté, puis elle reprit :

« Mais elle sait tout ce qu'il y a à savoir dans sa position. Bien sûr, elle ne fait pas partie de ces filles qui connaissent les noms de toutes les capitales du monde, mais ignorent celui du *daal* qu'elles sont en train de manger.

— Il n'y a pas de raison pour qu'une fille ne sache pas les deux, intervint aussitôt Mrs Bhandari. Prenez ma Rosie, c'est une excellente cuisinière, et une étudiante brillante. Elle me manque tellement.

— Je n'en doute pas, dit Mrs Sandhu d'un ton apitoyé, ce doit être terrible pour vous. Surtout que vous n'avez pas d'autre enfant. »

Puis, au bout de deux secondes, elle ajouta, comme si elle venait juste d'y penser : « Comme je suis heureuse que mes fils soient aussi obéissants ! Du moins, le plus souvent. »

Pendant toute la conversation, Gokul et Ramchand étaient restés assis à regarder et écouter ces femmes qui retenaient sur leurs genoux les saris oubliés, à attendre qu'elles veuillent bien se souvenir de la raison qui les avait amenées ici. Mais ce n'était pas là chose rare. Il arrivait souvent à ces dames de rencontrer des connaissances au magasin et de s'embarquer dans d'interminables conversations, tandis que les vendeurs attendaient. Il n'y avait rien à y faire.

Gokul patientait, l'esprit ailleurs. Il se demandait s'il allait finir par acheter une nouvelle cuisinière – Lakshmi en réclamait une à cor et à cri depuis maintenant deux mois.

Ramchand avait soigneusement écouté la conversation, mais sans se laisser impressionner le moins du monde cette fois-ci. Quelle vie banale semblaient mener ces femmes, mais, comme le disaient les *Pages immortelles*, toute médaille a son revers.

Dans l'univers qui était le leur, l'épouse de Chander n'avait aucune place.

Ramchand regardait ces quatre femmes, essayant de comprendre. Mais là où il aurait dû trouver connaissance et compréhension, il ne sentait qu'un grand vide. Et à l'endroit du cœur, une douleur sourde. Oui, là où était censé être le cœur, à gauche, dans sa poitrine.

Tout à coup, Mrs Bhandari croisa le regard de Gokul et baissa les yeux sur le sari marron oublié sur ses genoux.

« Non, mais regardez-nous ! dit-elle avec un petit rire. Nous avons complètement oublié nos achats.

— Chose rare s'il en est », dit Mrs Sandhu en riant.

Elles revinrent toutes les quatre à leurs affaires.

Mrs Sachdeva et Mrs Bhandari furent les premières à se décider, choisissant chacune un batik traditionnel, l'un mauve et l'autre bleu ciel.

Avant d'en arriver là, elles reprirent leurs chuchotements, sous le regard impassible de Ramchand et à portée de son oreille.

Il entendit Mrs Sachdeva dire d'une voix presque inaudible : « Ces femmes… toutes les mêmes… rien dans la tête en dehors de l'argent et de toutes leurs bêtises… on ne devrait même pas leur adresser la parole ! »

Quelque chose lui échappa dans la réponse de Mrs Bhandari, mais il réussit à en saisir la dernière phrase : « Après tout, nous vivons dans la même ville… on ne cesse de les rencontrer… il faut bien se montrer poli. »

Mrs Sachdeva acquiesça, puis fit signe à Ramchand d'emballer les deux saris.

Elles sourirent et, avant de quitter le magasin, agitèrent la main en direction de Mrs Gupta et de Mrs Sandhu, qui les saluèrent à leur tour.

Mais elles n'avaient pas sitôt franchi la porte vitrée que Mrs Gupta s'exclamait en se tournant vers sa compagne :

« Vraiment, ces deux-là, je me demande bien d'où leur vient ce complexe de supériorité. Mrs Sachdeva n'a pas d'enfants, et son mari n'est qu'un vulgaire professeur. C'est une rien du tout. Quant à Mrs Bhandari, son mari a beau être chef de la police du district, sa Rosie a vingt-sept ans bien sonnés, je crois, et n'est toujours pas mariée. De très bons partis en vue, laissez-moi rire ! Des partis, elle n'en a aucun, alors elle va à Delhi, histoire de décrocher un diplôme ronflant et de faire étalage de sa science. Et vous les avez entendues parler de nous ?… Du dépit, oui, de la jalousie pure et simple !

— Oh, quelle importance ? dit Mrs Sandhu, sans se départir de sa placidité coutumière. Ça n'est pas notre problème. Elles sont probablement frustrées. Nous devrions remercier Dieu pour tout ce qu'Il nous a accordé. »

Un moment plus tard elles partaient, après avoir acheté chacune un sari de prix au lieu de ceux en coton qu'elles étaient venues chercher. Un lampas, un de ceux qui avaient fait se pâmer les jeunes étudiantes quelques jours plus tôt, pour Mrs Gupta, et une pièce en soie ocre rosé, rehaussée d'un filigrane, pour Mrs Sandhu.

« Ces femmes sont vraiment impossibles, dit Gokul dès qu'elles eurent tourné les talons. Elles en ont toujours plein la bouche – quand ce n'est pas de leur maison, c'est du mari, quand ce n'est pas du mari, c'est des enfants. Et ça jacasse, et ça jacasse. Ramchand, est-ce que tu crois que je devrais acheter une de ces nouvelles cuisinières à gaz Clix ?

— Je ne m'y connais pas du tout en cuisinières à gaz, Gokul bhaiya. Moi, je n'ai qu'un réchaud à pétrole », dit Ramchand à voix basse.

Le réchaud à pétrole, le sari violet, les fleurs... Ramchand se rendit dans les minuscules toilettes situées à côté de la réserve, au dernier étage, et s'y enferma pour pleurer un moment. Puis il s'essuya le visage avec son mouchoir, sortit et regagna sa place dans la boutique.

7

C'était dit, il allait le faire. Ramchand avait pris sa décision, la plus importante qu'il eût jamais prise. Il ne pouvait plus continuer à se taire. Lui que le seul fait de déplier un sari devant une cliente rendait nerveux, il allait rassembler tout le courage dont il était capable, quitte à fouiller pour ce faire jusqu'au tréfonds de son être. Oui, il allait le faire – la prochaine fois que Mrs Sachdeva viendrait au magasin avec Mrs Bhandari. Après tout, la première était une femme cultivée, et la seconde avait pour mari le chef de la police. Et puis c'étaient des femmes. Elles comprendraient certainement l'urgence de la situation.

Ramchand promenait partout ses traits tirés, son teint maladif, sa maigreur et ses yeux profondément enfoncés dans leurs orbites. Ses épaules saillaient désormais sous le mince coton de ses chemises d'été.

Une fois sa décision arrêtée, l'attente commença. Pendant les quelques jours qui suivirent, chaque fois que s'ouvrait la porte vitrée du premier, il relevait la tête en sursautant, les battements de son cœur s'accéléraient, pour ralentir aussitôt quand il voyait que ce n'étaient pas celles qu'il espérait. Ramchand les attendait d'un moment à l'autre, car toutes deux venaient souvent au magasin. Comme il avait entendu Mrs Sachdeva le dire plus d'une fois à sa compagne, quand on enseigne tous les jours dans un établissement de bon standing, on ne peut pas remettre indéfiniment les mêmes tenues. Mais les semaines passaient sans qu'apparaisse l'une des deux femmes.

Et puis un jour, alors qu'il regardait par la fenêtre, absorbé par le spectacle du vendeur de jus de fruit en train de réparer la roue de sa charrette – Ramchand redoutait que la pile d'oranges ne s'écroule sous les mouvements de bascule infligés au véhicule –, il entendit la porte s'ouvrir et tourna brusquement la tête. Mrs Sachdeva ! Elle était là. Mais seule, sans sa compagne habituelle.

Ramchand fut un peu décontenancé. Il aurait voulu pouvoir leur parler à toutes les deux. Mais il se reprit vite. La voyant se diriger vers l'endroit où était assis Chander, il s'avança précipitamment. « Je vous en prie, venez avec moi, madame. Qu'est-ce que vous aimeriez voir ? »

Une fois en face de lui, elle sortit de son sac à main une pochette en velours, qui, une fois ouverte, révéla une parure d'une grande beauté : de minuscules pierres vertes serties dans un collier en or très fin, et des boucles d'oreilles assorties. Elle la montra à Ramchand, tout en attirant son attention sur les pierres.

« Voilà mon problème. Je veux un sari du même vert que celui-ci, exactement le même, et en mousseline. Uni ou imprimé, peu importe, mais je ne veux surtout pas de bordures trop criardes. »

Ramchand hocha la tête d'un air absent et sortit quelques saris en mousseline verte. Puis il lui demanda : « Voulez-vous venir près de la fenêtre ? Vous serez sûre de ne pas vous tromper sur la couleur. Ici, sous les néons, c'est plus risqué. Il vaut mieux voir les choses à la lumière du jour. »

Elle eut l'air ravi d'autant de prévenance.

Elle se dirigea vers la fenêtre, où Ramchand la suivit, les bras chargés de saris dans diverses nuances de vert.

Ils s'assirent. Ici, personne ne pourrait entendre ce qu'il avait à lui dire. Mrs Sachdeva pinça les lèvres, le front barré d'un pli sous l'effet de la concentration, et se mit à examiner les saris l'un après l'autre, dans un va-et-vient incessant de la parure au tissu.

C'était le moment ou jamais. Le pouls de Ramchand s'accéléra, son souffle se fit plus court, mais, cette fois-ci, il était bien décidé à ne pas se dérober, à tout tenter.

« Madame, il y a quelque chose dont je voudrais vous parler. »

Il ne reconnut pas le son de sa voix, tant il lui parut peu naturel.

Elle eut l'air surpris.

« Quelque chose de très grave, reprit Ramchand.

— De quoi s'agit-il ? demanda-t-elle d'un air méfiant.

— Vous voyez cet homme, à l'autre bout de la pièce, dit-il en désignant Chander du geste.

— Je ne vois aucun homme, dit-elle.

— L'employé, madame, le grand.

— Ah, lui ! dit-elle en hochant la tête. Oui, et alors ?

— Il s'appelle Chander. J'aimerais vous parler de sa femme. »

L'autre le regarda comme s'il était devenu fou.

Puis, hésitant un peu, bafouillant ici et là mais gardant l'esprit clair, Ramchand, les oreilles de plus en plus rouges mais le cœur plein d'un courage qu'il ne se connaissait pas, raconta à Mrs Sachdeva l'affreuse et sordide histoire de Kamla, assemblant tant bien que mal les différentes pièces du puzzle.

Mrs Sachdeva le regardait, sans voix.

Quand elle put enfin rassembler ses idées, son visage sembla se décomposer. Ses traits donnaient l'impression d'onduler, comme ondulent les vaguelettes sur l'eau calme où l'on a jeté une pierre. Elle voulut l'interrompre, mais il leva la main pour l'en empêcher, s'efforçant au calme et à la fermeté. « Je vous en prie, laissez-moi finir. »

Ce qu'il fit, tandis que Mrs Sachdeva s'agitait de plus en plus, des larmes dans les yeux.

Quand il eut fini, Ramchand était épuisé. Il n'était pas surpris de voir cette femme aussi troublée. Il n'aurait pas été lui-même dans un état bien différent si on lui avait raconté pareille histoire.

Ce qui le stupéfia en revanche fut la fureur qui explosa soudain sur le visage empourpré de Mrs Sachdeva.

« Comment osez-vous ? siffla-t-elle d'une voix que la colère faisait trembler. Comment osez-vous, vous, un vulgaire employé, m'amener dans ce coin du magasin pour me raconter des histoires immondes sur le genre de femmes que vous semblez fréquenter ? »

Il s'apprêtait à répondre, mais elle ne lui en laissa pas le temps : « Les Gupta sont des gens respectables. Il se trouve que ce sont des amis des Kapoor. Est-ce que vous vous rendez bien compte de ce que vous racontez ? Où sont les preuves de ce que vous avancez ? Et pourquoi me dire ça, à moi ? Qu'est-ce que j'ai à voir avec toutes ces horreurs ? »

D'indignation elle bégayait, la voix pleine de larmes, même à travers la colère.

« *Memsahib*, je vous en prie, écoutez-moi. Peut-être que les Gupta ignoraient ce qui allait se passer, mais ce sont eux qui l'ont fait arrêter. Et les policiers ont bel...

— Oh, assez, voulez-vous ! » dit-elle, les dents serrées.

Elle n'avait pas envie que quiconque dans la boutique surprenne leur conversation.

« Je ne veux plus entendre parler de ces abominations, et, qui plus est, en hindi. Mais pourquoi venir m'ennuyer, moi, avec cette histoire ? Ça ne me concerne pas.

— Parce que vous êtes une femme respectée, dit Ramchand, le désespoir dans la voix. Et que le mari de votre amie, Mrs Bhandari, est le...

— Ah, nous y voilà. Il s'est passé des choses épouvantables, abominables, et maintenant on voudrait y mêler des gens respectables ? Laissez-moi vous dire une chose : ne vous avisez pas de recommencer ce petit jeu avec moi, sinon je parle au directeur du magasin. Et ça pourrait vous coûter votre emploi, c'est compris ? »

Sur quoi elle rassembla ses bijoux soigneusement dans la pochette en velours, repoussa les saris verts qui lui encombraient les genoux et sortit de la pièce, les jambes tremblantes.

*
* *

Deux mois passèrent. Juillet arriva, mais Amritsar était toujours aussi sec et poussiéreux. La mousson était en retard. Un jour où Ramchand, accablé par la chaleur, poussait la porte vitrée du magasin après avoir grimpé l'escalier en bois peut-être pour la millième fois, il trouva tout le personnel rassemblé, la mine sombre, parlant à voix basse en petits groupes. Shyam avait l'air pensif, Rajesh acquiesçait à une remarque de Mahajan, Gokul ne disait rien, se contentant d'écouter ce que Hari, surexcité, lui chuchotait à l'oreille. Personne n'avait encore ouvert les fenêtres, et on étouffait dans la pièce.

Ramchand s'aperçut alors que Chander n'était pas là. Il sentit la panique l'envahir. L'autre étant absent, on allait encore l'envoyer, lui, Ramchand, le chercher. Pas question qu'il obtempère cette fois-ci. Il arriverait ce qu'il arriverait, mais il ne retournerait certainement pas là-bas. Il feindrait une migraine… dirait qu'il ne se sentait pas bien… qu'il voulait rentrer chez lui…

Mais personne ne lui dit rien. Chacun continuait à chuchoter avec son voisin dans son coin.

Gokul croisa le regard de Ramchand et lui fit signe d'approcher. Celui-ci s'avança à pas lents, un mauvais pressentiment au cœur.

« Que se passe-t-il ? demanda-t-il à Gokul. Pourquoi est-ce que Mahajan a l'air aussi grave ? Où est Chander ? Il s'est fait renvoyer ? Et pourquoi vous êtes tous…

— Chuuut, fit Gokul, ses yeux sombres empreints d'une gravité solennelle. Chander n'a rien. Mais sa femme, Kamla, tu t'en souviens ? Je t'en ai déjà parlé. »

Ramchand attendait.

« Eh bien… elle a été tuée, dit Mahajan. C'est arrivé hier soir. Chander ne viendra pas travailler aujourd'hui.

— Quoi ? » murmura Ramchand.

Il fut pris de vertige.

« Tuée ? Mais qui a… ? »

Gokul se tourna à nouveau vers Hari, qui lui demandait quelque chose, toujours dans un murmure.

Tout cela n'avait aucun sens pour Ramchand. Il tira sur la manche de chemise de Gokul.

« Oui ? demanda Gokul.

— Est-ce que Chander… enfin… qui est-ce qui l'a tuée ? »

La situation lui parut absurde : comment arrivait-il encore à parler d'une chose pareille logiquement, raisonnablement, en plein jour, au milieu du magasin, au vu et au su de tout le monde ?

« Non, non, Chander ne l'a pas tuée. Attends un moment, je te raconterai tout plus tard », dit Gokul, l'air mystérieux, le cheveu plus rare et plus gris que jamais.

À ce moment-là, une femme bien en chair entra dans le magasin suivie de sa belle-fille, tout aussi enrobée, et demanda à voir des saris en coton imprimé. Chacun des vendeurs regagna immédiatement sa place. Gokul servit la cliente avec une politesse et une efficacité plus appuyées que jamais. Mahajan croisa son regard et lui fit un signe de tête approbateur avant de redescendre.

Ce n'est que plus tard dans la matinée, une fois tari le flot des clientes, que Gokul put conter son histoire à Ramchand.

À l'en croire, Kamla avait encore fait des siennes. Elle s'était soûlée honteusement. Puis elle s'était rendue à la résidence Kapoor, oui, chez les Kapoor, pas moins.

Plantée devant la grille d'entrée, elle s'était mise à hurler à tue-tête. Quand les Kapoor avaient envoyé leur chauffeur, leur jardinier et divers autres domestiques pour tenter de la maîtriser, elle les avait abreuvés d'injures, avant d'insulter la famille Kapoor tout entière, pour la plus grande joie des passants. Ne voyant pas d'autre façon de régler la situation, Ravinder Kapoor en personne était finalement sorti de chez lui.

À sa vue, Kamla avait ramassé une pierre qu'elle avait lancée avec force dans sa direction. Le projectile avait décrit un demi-cercle rageur avant d'atteindre sa cible en plein front. Le bord tranchant de la pierre avait profondément entaillé la peau, et le sang avait coulé sur la *kurta* de soie blanche de Ravinder Kapoor. L'homme était resté là, frappé d'une stupeur incrédule.

Kamla venait de sceller son sort. Ravinder Kapoor n'avait pas le choix. Il en allait de son prestige. Il était hors de question qu'il laisse une femme du peuple en réchapper après un tel sacrilège.

Plus encore que son prestige, c'était son honneur qui était en jeu.

L'incident s'était produit la veille au matin. Le soir même, vers sept heures, quatre hommes faisaient irruption au domicile de Chander. Kamla était seule. L'un des hommes l'avait retenue prisonnière pendant que les trois autres s'employaient à tout casser dans la maison, jusqu'au pichet de terre. Jetant dehors tous les ustensiles de cuisine. Vidant les pots de riz et de *daal* sur le tas d'ordures devant la maison. Faisant voler en éclats le carreau enfumé de la fenêtre et l'ampoule qui éclairait la pièce. Vidangeant le pétrole du poêle. Dans l'intervalle, un groupe s'était formé à l'extérieur, et les quatre hommes avaient fait en sorte qu'aucun de leurs gestes ne passe inaperçu. Personne n'avait osé protester.

Ils avaient procédé méthodiquement, sans plaisir ni colère apparents. En dix minutes, l'habitation déjà passablement misérable était complètement et irrémédiablement saccagée.

Puis les hommes s'en étaient pris à Kamla.

Ils lui avaient délibérément cassé la clavicule et donné des coups de pied, lui fracturant deux côtes. Lui avaient ouvert le crâne en la jetant contre un mur, où son sang avait laissé une tache en forme de cloche.

Puis ils l'avaient traînée à l'extérieur et l'avaient promenée dans le quartier, les mains liées derrière le dos, pour que tout le monde puisse voir quel sort attendait ceux qui outrepassaient leurs droits.

C'était à peine si elle pouvait encore marcher, il avait fallu la traîner et la pousser. Pour finir, ils l'avaient jetée dans la maison, avaient verrouillé la porte et répandu de l'essence en abondance un peu partout avant d'y mettre le feu.

Quand il était rentré du travail, Chander avait trouvé les restes calcinés de sa maison et de sa femme.

L'histoire était courte. Sortie tout droit d'un film masala de Bollywood. Banale, somme toute, et contée en peu de mots. Mais des mots qui revenaient sans cesse à Ramchand, comme les vagues impitoyables d'un océan qui viendraient se briser encore et encore sur le rivage.

Rien ne bougeait dans le magasin. De la cendre tremblait à l'extrémité d'un bâton d'encens. Une mouche se cognait contre la vitre de la fenêtre fermée. Les gens étaient statufiés. Les saris, oubliés. En bas, la ruelle qu'il voyait de la fenêtre évoquait un tableau, un instantané dans son cadre de bois. Sans rien de réel. Pareille à l'image du cottage au toit de chaume accrochée dans sa chambre depuis toujours. Seule la légende avait changé : au lieu de... *Là où est ton cœur est aussi ta maison*, les mots qui s'inscrivaient désormais étaient...

... Les mains liées derrière le dos... ils ont attaché les mains de mes fils derrière leur dos avec leurs propres turbans... elle a encore fait des siennes... les restes calcinés... vous me voyez au regret de devoir vous dire... Kamla venait de sceller son sort...

Il passa la demi-heure qui suivit dans une hébétude totale, se contentant de se répéter l'histoire tout en la mélangeant avec d'autres bribes qui lui traversaient l'esprit. Il était vaguement conscient de la présence des autres, discutant toujours de l'affaire à voix basse.

Puis il vit le visage de Hari se fendre d'un sourire narquois. « Vous savez quoi ? l'entendit-il dire. Je n'en suis pas certain, mais il paraît qu'avant ils l'ont promenée toute nue dans les rues. »

Et puis... et puis Hari rejeta la tête en arrière et éclata de rire.

Ses dents bien alignées brillèrent, découvrant l'intérieur de sa bouche.

Dans l'instant qui suivit, tout le monde fut surpris d'entendre Ramchand – sans raison apparente – émettre un son à mi-chemin entre un gémissement et un cri, et de le voir tout à coup se tourner vers la porte pour se précipiter dehors. Ils l'entendirent dévaler à grand bruit les dernières marches de l'escalier et partir en courant, martelant le sol sous ses pas. Puis ce fut le silence.

Le rire de Hari.

Ramchand n'arrivait pas à y croire.

Hari l'insouciant, l'enjoué, avait ri.

Hari, son ami ? Ramchand se précipita dehors à l'aveuglette, une seule pensée cohérente émergeant du brouillard : jamais il ne remettrait les pieds dans cet endroit. Il se trouvait maintenant dans la rue, en dessous de l'enseigne. Des gens se pressaient sur les trottoirs, des inconnus, le visage impassible. Impossible de savoir ce qu'ils cachaient derrière ces façades en apparence normales et placides.

Ramchand avait du mal à respirer, mais poursuivit sans faiblir. Il se frayait un chemin à coups de coude dans la cohue. C'était donc là son nom – Kamla. Il l'avait ignoré jusqu'à ce jour. Il était inondé de sueur quand il sortit enfin de la rue. Il n'avait qu'une envie : en finir, en finir avec cette sensation de claustrophobie qui l'assaillait dans le magasin, en finir avec Hari et son rire bizarre.

Il ralentit le pas. Maintenant qu'il était loin de la boutique, il était désemparé, trop agité pour pouvoir rentrer directement chez lui.

C'était une émotion puissante qu'il ne connaissait pas – un mélange de peur irraisonnée et de colère contenue.

Qui lui emplissait le cœur et l'esprit.

Lui faisait la langue pâteuse.

Se substituait au désarroi et au détachement dont il témoignait habituellement face à sa vie et au monde qui l'entourait. Puissante, cette émotion avait aussi quelque chose d'âcre. Lui laissait un goût métallique dans la bouche.

Il erra dans le bazar, cherchant à donner libre cours à ce trop-plein. Pour la première fois de sa vie, il était prêt à déclencher une algarade. Dans le même temps, il se sentait des instincts protecteurs à l'égard de tous les êtres sans défense. Débordant d'une force nouvelle.

Un chien galeux, couché, la tête sur les pattes de devant, le regarda comme s'il le comprenait. Les rues semblaient jonchées de détritus tombés des charrettes de légumes.

Ramchand faisait de son mieux pour refouler ses larmes. Il détestait pleurer en public.

Une heure passa. Ramchand continuait de battre le pavé, bouillonnant d'une énergie réprimée. Incapable de diriger ses pas. Ses pieds le portaient là où ils en avaient envie, le ramenant sans cesse aux mêmes rues, aux mêmes temples, aux mêmes boutiques.

Jusqu'au moment où ses yeux tombèrent sur l'enseigne familière de la *dhaba* de Lakhan. Entrée encombrée, clients pressés, odeurs mêlées des *pakoras*, des *rotis* en train de cuire dans le *tandoor* et du thé, chaleureuses, réconfortantes et si attirantes. Les seules personnes à ne jamais paraître heureuses dans l'établissement de Lakhan Singh étaient le propriétaire lui-même et son épouse. Ramchand sentit monter dans son cœur agité un élan de sympathie pour le grand *sardaar* et sa femme neurasthénique.

Il entra dans la *dhaba* sur une impulsion, encore un peu essoufflé, son cerveau menaçant d'exploser dans sa tête.

Il chercha Lakhan des yeux. Deux clients mangeaient des *rotis* trempés dans du *daal*. Leurs assiettes croulaient sous les légumes. Ils étaient servis par un des nouveaux employés. Il n'y avait personne d'autre en vue, à l'exception d'un jeune garçon qui lavait des verres dans un coin tout en sifflotant. Ramchand s'approcha et lui demanda où était son patron. L'autre agita vaguement son bras couvert de mousse et lui dit qu'il était probablement chez lui, derrière la *dhaba*.

Sans prendre le temps de demander la permission, Ramchand franchit la porte de derrière qui menait directement à l'habitation.

Il se retrouva dans une petite pièce où la femme de Lakhan, maigre, le teint basané, les tempes grisonnantes, comptait la recette de la journée, assise sur un *chatai*. Elle était vêtue d'un *salwaar kameez* crème, avec un motif de feuilles vertes minuscules, presque invisibles. Elle avait la tête couverte d'un *chunni* gris dépareillé. À ses oreilles pendaient de grosses boucles en or rondes, sans aucune fioriture. De celles que mettaient toutes les femmes de son âge et de sa condition. Elle devait les porter depuis longtemps, car les trous percés dans ses oreilles présentaient maintenant l'aspect de fentes verticales.

C'était une femme efficace. Elle tentait de ramener l'ordre dans une vie où un sort contraire avait un jour jeté confusion et douleur, et ce en comptant l'argent, en achetant des oignons parfaitement calibrés au marché de gros, en veillant à l'état impeccable de cette maison silencieuse où jamais ne résonnait un rire. Une amoureuse de l'ordre. Lakhan s'irritait parfois de cette redoutable efficacité.

Quand Ramchand entra, Lakhan était assis sur un tabouret bas non loin de là, inscrivant ses comptes dans un épais registre. La pièce était chichement meublée. Une table, quelques tabourets et un divan recouvert d'un couvre-lit bleu brodé. Un portrait du guru Nanak, l'œil bienveillant, la barbe blanche, était accroché à un mur. Sur celui d'en face, les agrandissements en couleurs de deux jeunes gens, presque encore adolescents.

L'un, maigre et dégingandé, le sourire franc, coiffé d'un turban bleu marine et vêtu d'une chemise à carreaux bleus et blancs, regardait l'objectif, appuyé contre un arbre. L'autre avait l'air plus jeune. Son visage maussade était surmonté d'un turban un peu de travers, comme s'il venait tout juste d'apprendre à le nouer. Les deux photos étaient encadrées et festonnées de guirlandes de soucis fraîchement coupés.

Le vieux couple ne laissa pas d'être surpris et légèrement contrarié par l'entrée intempestive de Ramchand. Mais avant que l'un ou l'autre ait eu le temps d'ouvrir la bouche, celui-ci se hâta de déclarer, sans autre préambule : « Je suis venu vous dire que je suis vraiment désolé pour vos fils. Ça n'aurait jamais dû arriver. »

Un silence stupéfait accueillit ses paroles.

Les deux Lakhan le regardaient bouche bée, tandis que lui les contemplait de son côté, l'air égaré. La transpiration lui avait collé les cheveux en petites touffes humides, et des larmes brillaient dans ses yeux. Il aurait dû se sentir ridicule, mais n'éprouvait qu'un étrange soulagement.

Le silence fut brisé par ce qui ressembla d'abord à un gémissement étouffé, puis se transforma en une longue plainte stridente. La femme de Lakhan avait commencé à pleurer. Son mari lui passa un bras autour des épaules et essaya de la calmer. Ramchand regarda à nouveau les photos et sentit la fureur l'envahir. Il grinça des dents. L'injustice, toujours et partout ! Quel épouvantable gâchis ! Tout était à revoir ! Il était prêt à toutes les imprudences, se sentait suffisamment fort pour entreprendre n'importe quoi, combattre n'importe qui afin de faire triompher la justice et la vérité.

« Je ne suis pas venu ici pour vous inquiéter davantage, dit-il, avec dans la voix un accent de sincérité qu'ils ne perçurent pas. Ne vous faites pas de souci, je vais faire quelque chose. Ça ne peut pas continuer comme ça. Un jour, tout changera. Je vais faire quelque chose », répéta-t-il d'un ton qui lui parut convaincu.

La femme de Lakhan se calma un peu, même si elle continua à pleurer tout le temps que dura sa visite. Ni elle ni son mari ne dirent grand-chose, se contentant de le regarder d'un œil triste et las. Elle se leva au bout d'un moment, séchant ses larmes de son *chunni*, et revint avec un verre de lait qu'elle lui tendit. Dans l'intervalle, Lakhan et Ramchand étaient restés silencieux. Après avoir bu son verre, le visiteur partit, l'air aussi égaré qu'à son arrivée.

Lakhan et sa femme gardèrent un silence perplexe longtemps après son départ. Puis Lakhan, après avoir poussé un grand soupir, se remit au travail. Mais sa femme, incapable de compter à nouveau son argent, resta sans rien faire toute la soirée, les mains croisées sur le ventre.

*
*   *

C'est en cherchant à sauver quelques affaires de la maison calcinée que Chander tomba sur la malle en fer-blanc de Kamla, restée intacte. Il l'ouvrit pour trouver deux petites robes, une rose et une autre à carreaux rouges et bleus, un collier de perles rouges en verre bon marché, soigneusement enveloppé dans un foulard en soie de Chine, et une épingle de nourrice d'importation. Chander fut très surpris. Il n'avait jamais su que Kamla possédait ces objets. Ils lui parurent sans intérêt, et il se demanda ce qui l'avait poussée à les garder.

8

Le cauchemar refusait de se dissiper, et semblait s'être installé pour de bon. C'était toujours bien lui, Ramchand, qui rentrait retrouver sa chambre aux murs écaillés, c'étaient les mêmes rues, les mêmes passants. Et pourtant tout s'était fait soudain terriblement menaçant. Les gens qu'il croisait avaient pris un air malveillant. Ils rejetaient la tête en arrière et éclataient de rire à tout propos. Il était le seul à être encore normal. Mais l'était-il vraiment ? Ou bien était-ce lui qui était fou ?

Il eut soudain la sensation qu'il était suivi. Mais quand il fit brutalement volte-face, il vit un inconnu. Qui donc pouvait-il être ? Ramchand lui jeta un regard soupçonneux. L'homme eut l'air mal à l'aise et se hâta de le dépasser. Ramchand pressa le pas, lui aussi, partagé entre la rage et la peur.

Pour la première fois de sa vie, il avait l'impression d'avoir l'esprit clair. Et le sentiment d'avoir enfin aperçu ce qu'il avait toujours espéré voir. Sans en tirer le moindre réconfort. Il se souvint à nouveau de Kamla. Le moindre détail lui revenait du long moment qu'il avait passé accroupi à côté d'elle dans la maison – les murs noircis, le poêle à pétrole, le plafond bas, la malle en fer-blanc, le sari violet, les fleurs blanches…

Et les yeux de cette femme. Qu'il n'oublierait jamais. Il se mit à courir. Les gens se retournaient sur son passage, mais il s'en moquait. Le rire de Hari résonnait encore à ses oreilles, et il courait toujours, poursuivi, talonné par ce rire. Il arriva chez lui et gravit quatre à quatre l'escalier obscur. Dès qu'il fut dans sa chambre, il mit le verrou, puis le cadenas qu'il utilisait tous les matins pour fermer derrière lui en partant.

Ramchand savait pourquoi il éprouvait le besoin de s'enfermer à double tour. Pour la première fois de sa vie, il comprenait que la faiblesse était signe de force. La force, en fait, vous affaiblissait. Et c'est pourquoi, dans ces premiers moments où il se découvrait une grande force et une clarté d'esprit totale, il se sentait en même temps démuni, impuissant, sans défense.

Il était en train de se débattre avec le cadenas et la grosse clé en fer quand il y eut une coupure de courant. Qui plongea la pièce dans l'obscurité. Ramchand en éprouva une peur plus grande que n'avaient pu lui inspirer ses terreurs d'enfant quand il se retrouvait seul dans le noir. Il s'approcha à tâtons de la fenêtre qui donnait sur la rue et l'ouvrit. Même obscurité au-dehors. La panne n'était pas circonscrite au quartier. Si loin que portait son regard, il n'apercevait aucune lumière. Il vit bientôt des lueurs apparaître à certains endroits, là où les gens, confortablement installés chez eux, entourés de leur famille, respectueux de la tradition et de leurs ancêtres, allumaient calmement des bougies qui brillaient faiblement derrière les fenêtres. On voyait çà et là des ombres fugitives passer derrière les rideaux. Quelque part, un chien aboya.

Il alla ouvrir l'autre fenêtre et vit que Sudha avait allumé deux bougies – une dans la cuisine, l'autre dans le séjour.

Mais avant qu'il ait seulement songé à en faire autant, il fut pris d'un nouvel accès de panique et dut s'asseoir au bord de son lit.

Les ténèbres l'étouffaient. Il avait du mal à respirer. Il n'avait plus de nom, plus de langage. Ne savait plus ni où ni pourquoi il vivait. Il se mit à trembler de fureur rentrée. La terreur emplissait la pièce. Il avait perdu toute notion du temps. Ne savait plus rien. Savait tout. Ces pensées ne se bousculaient pas seulement dans sa tête, mais lui parcouraient le corps, comme autant de frissons. « On ne peut pas empêcher les démons d'entrer. Ils ont tous un pied dans la porte », songea-t-il de manière totalement incohérente.

Il y eut un bruit à l'extérieur, quelqu'un qui poussait un vélo, des pas légers. Bruits faibles qui pourtant l'agressèrent, le terrorisèrent. Il n'arrivait pas à réprimer ses tremblements. Il était fou, fou à lier. Il n'y avait pas d'autre explication.

Il se précipita dans la salle d'eau et vomit, une première fois, puis une deuxième, cinq minutes plus tard. Il n'avait presque rien mangé, mais les litres de thé qu'il avait absorbés jaillissaient de sa bouche, bile amère et brunâtre qui coulait dans le trou des toilettes à l'indienne. Il se passa le visage sous l'eau, puis revint dans l'obscurité. Il ne chercha ni les bougies, ni les allumettes. En marchant vers son lit, il trébucha sur le sol inégal et tomba, dans un craquement sonore de tout son corps maigre. Il ne se releva pas. Resta là replié sur lui-même, et vomit à nouveau. Un peu de thé aigre s'écoula sur le sol. Le visage maintenant inondé de larmes, il avait envie de hurler, à pleins poumons. Sans pouvoir le faire. Parce qu'on ne peut tout bonnement pas crier. Pas vraiment, pas comme ça, dans l'obscurité, dans sa chambre, et sans raison valable. Pas plus qu'on ne peut pleurer.

Ses livres, son carnet et son dictionnaire d'Oxford étaient juchés là-haut sur leur rayon. Et le mendiant indien, l'agent de police, Phyllis, Peggy, les pingouins et le Pandit Jawaharlal Nehru (notre leader bien-aimé) le regardaient à l'unisson, l'œil goguenard.

Il resta allongé sur le sol à pleurer. Il faisait presque jour quand il s'endormit, totalement épuisé. Dans son sommeil agité, il fit un rêve. Un rêve aux contours très nets : ombres, lumières, obscurité, couleurs, toutes parfaitement en place.

Il était seul dans le magasin de saris. C'était le crépuscule, et il était seul. Au milieu des saris et du silence. Mais il y avait des ombres derrière lui – des ombres mouvantes, qui disparaissaient dès qu'il se retournait pour tenter de les voir. Il avait beau pivoter très vite sur lui-même, elles étaient plus rapides que lui. Des espèces d'insectes minuscules, invisibles et vaguement velus, dont il ignorait tout, sortaient des matelas par terre et lui grimpaient sur le corps. Ils ne piquaient pas, ne le blessaient pas, se contentaient de se nicher confortablement contre lui.

Puis les saris commencèrent à s'agiter, à se dérouler, tous ensemble. Ceux qui étaient roulés aussi bien que ceux qui étaient empaquetés sous cellophane. La pièce fut bientôt pleine de bruissements et de claquements de tissu. Quelques saris s'allongèrent démesurément, pour atteindre des dimensions jamais vues dans la réalité, dépassant de beaucoup les neuf mètres des imposants vêtements à l'ancienne. Ils se jetèrent sur lui, fouettant son visage, s'enroulant autour de son cou, le faisant suffoquer. Un sari bleu marine alla flotter devant la fenêtre, à la manière d'un rideau. Sans bordure, sans broderie, sans motif. Parfaitement uni, comme un turban tout neuf, fraîchement repassé, bleu marine.

Pour finir, un sari vert perroquet (semblable à celui qu'il avait essayé sans succès de vendre un jour à Mrs Bhandari) quitta son rayon et descendit vers lui. Il le regarda approcher.

Il atterrit sur sa tête, l'enveloppa comme un linceul, l'étouffant sous sa bordure noire.

Tout au long du rêve, il avait été suivi par les yeux d'une morte.

*
* *

Le lendemain, il se réveilla dans une violente colère. Qui ne monta pas peu à peu, mais était déjà bien installée quand il sortit du sommeil, allongé par terre, avec l'envie de frapper. C'était une sensation si étrange, si nouvelle pour Ramchand, qu'il lui fallut un moment pour s'y habituer. Comme quand on enfile une chemise en coton neuve et raide d'amidon.

Il n'alla pas travailler. Il arpenta sa chambre de long en large, la tête à l'envers, envoyant de temps à autre un coup de pied dans les murs.

Un coup particulièrement violent fit tomber des morceaux de plâtre dans la pièce en dessous. Le propriétaire sortit en hurlant : « RAAAMCHAND ! »

Celui-ci ouvrit la fenêtre, jeta un coup d'œil en bas et, pour la première fois de sa vie, cria : « LA FEEERME ! » Avant de cracher, histoire de faire bonne mesure.

Il eut le temps d'entrevoir le visage renversé et stupéfait de Sudha. Elle était dans la cour, une assiette de petits pois écossés dans les mains, vêtue d'un joli sari à fleurs multicolores.

Il reclaqua la fenêtre. Ne mangea rien de toute la journée. Ne but même pas une tasse de thé. Mais avala de grandes gorgées d'eau, incapable de se calmer.

*
* *

À cinq heures du soir, il s'habilla lentement et sortit. Il prit le chemin du magasin, marchant lentement, à pas feutrés, comme un félin traquant sa proie.

Quand il arriva à la boutique, le premier à l'apercevoir fut Mahajan.

« Alors, te voilà enfin ! Qu'est-ce qui t'est arrivé ? Tu es complètement fou, Ramchand, ou quoi ? Laisse-moi te dire une chose, si ça continue comme ça...

— Tu te crois tellement malin, pas vrai, Mahajan ? l'interrompit Ramchand d'une voix égale.

— Quoi ? Comment oses-tu me parler sur ce ton ? » finit par bafouiller l'autre, qui n'en revenait pas.

Ce n'est que grâce à un suprême effort de volonté que Ramchand réussit à garder ses poings serrés.

« J'ose parce que j'ose, c'est tout, répondit-il. Faudrait pas te prendre pour le Bon Dieu, mon vieux. »

Mahajan s'apprêtait à l'incendier, mais il se ravisa. Voilà qui était très inhabituel. L'homme s'était toujours montré si timide, si obéissant. Le patron recula un peu, le visage soudain circonspect. Quelque chose clochait. L'autre avait l'air bizarre. Il avait intérêt, afin d'éviter les ennuis, à aller chercher Gokul qui, connaissant Ramchand, saurait quoi faire. Mais il y avait des clientes à l'étage. Il faudrait jouer la discrétion. On ne sait jamais avec les jeunes gens. Ils peuvent devenir tellement violents.

Quand il reprit la parole, pourtant, son ton était toujours aussi autoritaire et ne trahissait en rien son appréhension : « Attends-moi ici. Je reviens dans une minute. »

Mahajan se précipita dans l'escalier. Mais, bon sang, qu'est-ce qu'il lui prenait, à Ramchand ? Il se dirigea vers Gokul. Et il était en train de chuchoter à l'oreille de ce dernier quand il vit l'autre pousser la porte vitrée. Il émit un petit gémissement.

Ramchand vint se planter au milieu de la pièce, un œil noir sur Mahajan, et se mit à faire craquer ses jointures, lentement, délibérément, comme s'il le mettait au défi de l'en empêcher.

Mahajan était pétrifié. Gokul avait l'air inquiet. Les autres n'avaient encore rien remarqué. Ramchand jeta un regard autour de lui, faisant toujours craquer ses jointures. Ses yeux tombèrent sur le coin occupé par Chander. Lequel était libre pour l'instant. Il était assis à côté d'Hari. Tous deux bavardaient et riaient. Il les fixa un instant, l'œil mauvais. Voyant qu'ils ne le remarquaient même pas, il se tourna vers l'unique chaise de la pièce. C'était un petit siège réservé aux dames âgées que les rhumatismes empêchaient de s'asseoir par terre comme tout le monde et qui était inoccupé à ce moment-là. Ramchand s'en empara, le leva au-dessus de sa tête et le lança de toutes ses forces sur Hari et Chander.

Qui se levèrent précipitamment en hurlant. Les bavardages cessèrent aussitôt dans la boutique, et toutes les têtes se tournèrent vers Ramchand. La plupart des clientes se levèrent, effrayées, prêtes à quitter les lieux.

« Ramchand, mon garçon, calme-toi », dit Mahajan d'un ton presque affectueux.

Ramchand ne supportait plus cette voix mielleuse. Il n'avait qu'une envie à cet instant : frapper. Frapper, saccager, détruire. Ses yeux étaient injectés de sang.

« Il est soûl, murmura Gokul à Mahajan.

— Tu crois peut-être que je t'entends pas, Gokul ! » cria Ramchand, hors de lui.

Plus les minutes passaient et plus son ton montait. Quelques femmes commencèrent à partir en silence. Les autres, partagées entre la crainte de ce forcené et l'envie d'acquérir un sari, restèrent. Quand Mahajan s'aperçut que certaines clientes s'en allaient, il commença à s'énerver. Laisser échapper des clientes ? Que dirait Bhimsen Seth ?

« Ramchand, dit-il d'un ton redevenu sévère, sors d'ici immédiatement ou bien je vais devoir prendre des mesures vraiment... »

C'est alors que Ramchand commit un acte digne de figurer dans les annales. Il se précipita sur Mahajan, le saisit par le col et se mit à le secouer comme un prunier, si fort que les yeux terrorisés de l'autre semblèrent bientôt lui sortir de la tête.

« Tu la fermes ! hurla Ramchand, le sang bouillonnant dans ses veines. Tu fermes ta gueule ou je te hache la langue menu et je te l'emballe dans ton mouchoir avant de te la rendre ! »

À ces mots, toutes les clientes prirent leurs jambes à leur cou, abandonnant derrière elles les saris qu'elles avaient appelés de leurs vœux. En moins d'une minute, le magasin était vide, à l'exception des vendeurs. Ramchand tenait toujours fermement Mahajan par le col.

Gokul et Hari se précipitèrent pour intervenir, le visage grave mais les yeux brillants d'excitation. Hari passa un bras autour des épaules de Ramchand pour tenter de le calmer. Ce dernier se retourna vers lui et voulut l'attraper à la gorge, se débattant comme un beau diable pour se débarrasser du bras qui lui encerclait l'épaule.

« Et toi, Hari, hurla Ramchand, ne ris pas, ne t'avise plus jamais de rire ! Tu m'as compris ? Si jamais je te surprends à rire, par tous les dieux que je connais, je jure de casser toutes les dents de ta bouche éternellement béante ! »

Ramchand tenta de repousser le bras de Gokul, mais Chander vint à la rescousse, essayant de lui clouer les bras le long du corps.

« Ah, voilà notre Chander, voilà notre brave ! persifla Ramchand. Si tu avais un peu de cœur, un peu de courage, un peu de dignité, Chander, tu ne serais pas resté là à bavarder comme une vieille pie. »

Et Ramchand cracha. Le crachat atterrit sur un superbe sari turquoise, rebrodé de fils d'argent, qu'une cliente, avant de s'enfuir avec les autres, avait été sur le point d'acheter. La grosse boule de salive irisée brilla, tremblante, sur le délicat motif argenté.

Puis Ramchand dégagea son bras et se précipita dehors, sans un regard derrière lui.

9

Quand Ramchand arriva chez lui, légèrement calmé après son esclandre, il commençait à pleuvoir. La mousson semblait être enfin arrivée. Les gens regardaient le ciel, pleins d'une heureuse attente. Ramchand gravit l'escalier, complètement abattu, et pénétra dans sa chambre. Il alla droit à la fenêtre de derrière et l'ouvrit. Dans la cour, Sudha se dépêchait de rentrer sa lessive. Elle portait un seyant *salwaar kameez* bleu, bordé de dentelle. Les gouttes creusaient de petits trous sombres dans le tissu bleu, pareils à des impacts de balles. Ses cheveux étaient mouillés, et son *chunni* s'agitait dans le vent. En la voyant, Ramchand se détendit un peu.

Mais ces quelques gouttes n'étaient qu'un signe trompeur. Ramchand était encore à sa fenêtre que déjà le ciel se dégageait et que le soleil se remettait à briller, plus cruel et brûlant que jamais. Les pluies de mousson n'étaient toujours pas là. Sudha réapparut, avec une brassée de linge qu'elle étendit à nouveau, l'air morose.

Ramchand sentait son cerveau cogner dans son crâne. Il se passa un peu de pommade sur le front et s'allongea sur son lit. Les émanations de la pommade lui picotaient les paupières.

*
* *

C'est ainsi que Ramchand passa les douze jours qui suivirent, enfermé à double tour dans sa chambre. Douze jours étranges. Dans un état de vacuité totale, toute sa rage envolée. Ni fureur, ni tourments, ni bonheur, ni ambition, ni doute, ni douleur. Rien, rien que le blanc, le vide total.

Il ne sortit pas une seule fois, n'eut aucun contact avec l'extérieur et fut bientôt incapable de distinguer le jour de la nuit. Il restait couché sur son lit ou assis devant la fenêtre, sans même prendre la peine de l'ouvrir, sans penser à rien.

Il sautait la plupart des repas, ne mangeant que quand son estomac criait famine. Même alors, il se contentait de peu. Il faisait cuire du riz, sans se soucier de faire du *daal* pour l'accompagner, puis en absorbait de grandes quantités, avec des morceaux de mangue en conserve qu'il prélevait directement dans le bocal. Il lui arrivait, après un repas de ce genre, d'aller jusqu'au poêle dans un état proche de l'hébétude pour se préparer un thé très fort, sans lait, qui faisait passer le riz mais lui déclenchait des brûlures d'estomac.

Il perdit le compte des jours. Il ne se brossait plus les dents ni ne se rasait, se contentant d'un bain froid de temps à autre, quand l'envie l'en prenait. Il se laissa pousser une espèce de barbe hirsute ; ses cheveux, plaqués sur le crâne, se graissèrent et lui donnèrent des démangeaisons. Les ongles de ses orteils poussèrent et se firent rugueux. Il ne toucha pas une fois à ses livres ni à son carnet. Personne ne vint le voir.

La poussière se déposa sur toutes les surfaces planes de la pièce – plancher, bureau, rayons, couvercles des bocaux, glace, malle, pile de livres bien rangés.

Il observa une araignée qui tissait sa toile entre la table et le mur. Totalement détaché, il la regardait faire, assidue, diligente, sans la moindre trace d'intérêt. Un lézard sur le mur l'observait sans ciller une grande partie de la journée, sauf dans les intervalles où il s'animait soudain pour donner la chasse à un insecte.

Il se mit à faire si chaud que même le sol de sa chambre réfractait la chaleur. Les pannes de courant étaient fréquentes, mais Ramchand ne prenait pas la peine de se lever pour aller ouvrir la fenêtre ou allumer une bougie. Il ne bougeait pas davantage une fois le courant revenu. La plupart du temps, la tension était très basse et le ventilateur tournait au ralenti. La nuit tombée, il lui arrivait d'allumer l'ampoule nue, qui n'éclairait que faiblement. Quand il s'en abstenait, il faisait aussi sombre dans la pièce que dans une grotte. Dans le silence de la nuit, il entendait parfois les souris détaler dans les coins.

Dans l'atmosphère confinée de cette chambre toujours fermée, la chaleur et la poussière écrasaient tout, et Ramchand restait inerte sous ce poids. Le treizième jour, quand le froid le fit frissonner au réveil, il eut sa première pensée cohérente depuis longtemps : Je me demande si je n'ai pas la fièvre. C'était la première phrase complète et sensée à avoir pris forme dans sa tête ces douze derniers jours.

Comment pouvait-il avoir froid en plein mois de juillet ? On était bien en juillet, au moins ? Ramchand fut pris d'un accès de panique et sortit de son lit. Quelle heure était-il ? Quel mois ? Où était-il allé ? Qu'avait-il donc fait ? Pendant combien de temps ? Et pourquoi avait-il aussi froid ? Il faisait encore très chaud hier. Il était complètement désorienté.

Il s'approcha de la fenêtre à pas comptés, comme un vieillard malade. Manœuvra la poignée de ses doigts gourds. Il lui semblait n'avoir pas regardé par une fenêtre depuis une éternité.

Dehors, le ciel matinal était couvert de nuages bas, sombres et frais. La lumière, une sorte de bleu ardoise, était inhabituelle ; elle donnait un air étrange à ce paysage ordinaire, faisant de l'objet le plus banal une petite merveille. Un vent violent et froid, comme il n'en avait jamais vu, balayait la vieille ville, fouettait furieusement les arbres, emportait les vieux journaux abandonnés sur les terrasses, arrachait les lessives laissées là par les ménagères imprévoyantes. L'atmosphère avait quelque chose d'irréel, de magique. La température avait chuté de manière spectaculaire. Dans la rue, sacs en plastique, pelures de fruits séchées, tortillons de cheveux enlevés de leurs peignes par les femmes après leur toilette et négligemment jetés par la fenêtre, morceaux de papier voltigeaient dans une folle sarabande au gré des bourrasques. Dans cette fureur ambiante, un jeune chien poursuivait en gambadant une chose, puis une autre, pour finalement jeter son dévolu sur un sac en plastique bleu que le vent agitait devant son museau avant de l'emporter un peu plus loin. Le chien pourchassait joyeusement le sac en plastique, les enfants, au milieu des rires et des cris, poursuivaient le chien. Les immeubles de la vieille ville étaient nimbés de cette lumière bleuâtre évoquant un décor de vieux film. Le visage sale et hirsute de Ramchand esquissa un sourire fugace. Incapable de résister au charme de cette belle tempête, il s'attarda longtemps devant la fenêtre.

Puis il se retourna et regarda sa chambre, stupéfait. La pièce était dans un état indescriptible. Il y régnait le désordre le plus complet, et une épaisse couche de poussière recouvrait toutes les surfaces. Que lui était-il donc arrivé ? Comment lui et sa chambre pouvaient-ils être dans un état pareil ? Certes, il avait été secoué, mais tout de même…

Puis, comme un somnambule, il s'approcha de la porte et constata avec surprise qu'elle était fermée à clé de l'intérieur. Il ne se souvenait pas de l'avoir verrouillée. Il chercha la clé des yeux. Elle était sur la table. Il déverrouilla la porte et l'ouvrit. En s'engouffrant dans la pièce, le vent l'anima, soulevant la poussière du sol, froissant les vêtements, brassant l'air confiné. Dans une course folle, l'araignée détala pour aller se mettre à l'abri.

Ramchand se dirigea vers la fenêtre de derrière, la débloqua et poussa le battant. Maintenant que les deux fenêtres et la porte étaient ouvertes, la pièce bruissait et frémissait, s'abandonnant avec reconnaissance au courant d'air qui la traversait.

Dans la cour, Sudha était assise dans un coin abrité, occupée à raccommoder des vêtements d'été avec une aiguille et un morceau de fil noir. Elle retenait serrée contre elle la chemise sur laquelle elle travaillait pour l'empêcher de claquer au vent. Des mèches folles échappées de son chignon voletaient autour de son visage rebondi. Elle portait un *salwaar kameez* rouge et blanc. Son *chunni* rouge voletait, comme ses cheveux, autour d'elle, tandis qu'elle se penchait sur son ouvrage.

Les enfants couraient autour de la cour, essayant de faire voler un cerf-volant. Le vent frais les avait incités à descendre leur vieux jouet du haut du placard où Sudha l'avait remisé pour l'été. Il était rouge, décoré de motifs bleus et jaunes. C'était Manoj qui l'avait en main, tandis que le plus jeune des garçons, Vishnu, tenait la grosse pelote de ficelle. Alka, leur sœur, sautait et dansait autour d'eux, sa robe verte battant ses mollets cuivrés. Leurs visages étaient rouges d'excitation. Mais le vent était trop violent, et ils avaient renoncé : ils se contentaient de courir dans tous les sens en tenant le cerf-volant à bout de bras et en poussant de temps à autre des cris de joie. Ramchand appela Manoj. Le garçon s'arrêta dans sa course et leva les yeux, étonné.

« Quel jour sommes-nous ? » lui demanda Ramchand.

Le gamin eut l'air perplexe. Puis il engagea une longue conversation à voix basse avec son frère et sa sœur. Ramchand comprit qu'ils discutaient ferme. Apparemment, ils n'étaient pas d'accord, car soudain Alka donna un coup de poing dans le dos de Vishnu, qui répondit en lui pinçant l'avant-bras.

Puis Ramchand se souvint qu'ils devaient être au milieu de leurs vacances d'été. On ne pouvait guère s'attendre à ce qu'ils aient fait le compte des jours. Manoj fit signe à Ramchand de ne pas bouger et s'engouffra à l'intérieur avant de réapparaître, un calendrier de poche à la main. Il le consulta d'un air important, très professionnel, ressemblant étonnamment à son père l'espace d'un instant, puis cria, en anglais : « Le 27 juillet ! » Sa mère, à l'autre bout de la cour, lui adressa un sourire rayonnant de fierté. Elle-même ne connaissait pas un mot d'anglais. Mais, contrairement à son habitude, elle s'abstint de sourire à Ramchand. Sans doute se souvenait-elle de la manière dont, sans la moindre provocation, il avait craché dans la cour.

Le 27 juillet ! Abasourdi, Ramchand dut s'appuyer contre le mur, les jambes molles. La dernière date qu'il conservât en mémoire était celle du 14 ou du 15. Et le magasin ! Il se souvint avec horreur de sa conduite le dernier jour où il s'y était rendu. Il avait fait un esclandre, s'en était pris à tout le monde, avait lancé une chaise sur quelqu'un, sans plus savoir qui. Ce qu'il se rappelait en revanche fort bien, c'est qu'il avait empoigné Mahajan par le col et l'avait secoué comme un prunier en l'insultant, qui plus est. Il sentit ses jambes se dérober sous lui. Le patron devait être furieux, sinon il aurait déjà envoyé quelqu'un aux nouvelles. Il avait perdu son emploi, c'était sûr ! Et on était le 27 ! Pratiquement la fin du mois ! Il était censé payer son loyer d'août le 1ᵉʳ ! Personne ne lui pardonnerait jamais ! Tout lui revenait d'un coup, maintenant.

Mais qu'avait-il donc fait ! Les gens étaient prêts à mourir pour un travail stable. Ils allaient de ville en ville à la recherche d'un emploi, avec armes et bagages, familles, literie et ustensiles de cuisine. Trimaient comme des malheureux sur les chantiers de construction, pour mourir de faim une fois le bâtiment achevé. S'éreintaient au fil des jours dans des usines dont on les renvoyait dès qu'ils étaient trop vieux. Ou travaillaient dans l'artisanat, le tissage ou la joaillerie, pour se retrouver à demi aveugles à peine passé la quarantaine.

Et voilà que lui avait perdu par sa seule faute un emploi honorable. Comment s'en sortir maintenant ? Que faire ?

Il se rendit dans la salle d'eau, nettoya le tube de Colgate et la brosse à dents couverts de poussière, puis se brossa soigneusement les dents, à grand renfort de mousse. Ensuite, il alla se placer devant la petite glace accrochée au mur. Pour y découvrir un visage hâve et défait, couvert d'une barbe hirsute. Il étala du savon à barbe avec son blaireau avant de se raser méticuleusement, sans toucher à sa moustache, dont la forme lui parut pourtant changée. Elle ferait tout de même l'affaire. Il chercha des yeux des vêtements propres. N'en trouvant pas, il fouilla dans sa malle jusqu'à ce qu'il ait déniché une vieille chemise marron et un pyjama blanc.

Il se lava, s'étrillant vigoureusement, passant la pierre ponce sur ses talons rugueux, nettoyant l'espace entre ses orteils avec une vieille brosse à dents et se frottant avec énergie sous les bras pour chasser les odeurs de transpiration.

Puis il se sécha et s'habilla. Il s'apprêtait à poser sa serviette de bain humide sur le dossier de la chaise comme à son habitude quand il s'aperçut que celui-ci était couvert de poussière. Il s'empara d'un chiffon et le passa sous le robinet de la salle d'eau. Puis il nettoya soigneusement la chaise avant de draper sa serviette sur le dossier pour la faire sécher.

Il chercha sa montre des yeux. Elle était sur la table et affichait dix heures.

Il n'avait plus un instant à perdre. Il était sans doute déjà trop tard. Il nettoierait sa chambre ce soir, en rentrant.

Il se frictionna les cheveux à l'huile de noix de coco Parachute, les coiffa avec soin, refaisant sa raie sur le côté. Le vent les lui ébouriffa doucement, tandis qu'il se hâtait vers le magasin à travers les rues familières.

*
* *

« De l'ingratitude, oui ! Ça n'a pas d'autre nom. Au bout de tant d'années. De l'ingratitude pure et simple ! » La moustache de Mahajan frémissait de colère et d'indignation. Ramchand se tenait devant lui, tête basse, mains croisées. Mahajan avait commencé par refuser même de l'écouter. Puis il s'était déchaîné pendant une vingtaine de minutes, criant, tempêtant, fulminant contre son employé. Qui restait planté là, sans souffler mot, espérant qu'il avait l'air suffisamment honteux.

La première explosion de colère passée, Mahajan s'était un peu calmé, se contentant de reprendre la liste des griefs déjà exposés. Ramchand observait un air déférent et contrit. Dehors, c'était la première grosse averse de la mousson et il pleuvait à seaux. Un vrai déluge ! Les dômes noirs des parapluies dansaient un peu partout. La rue avait beau être inondée, les caniveaux avaient beau déborder et la moindre ornière se transformer en mare, les gens avaient l'air heureux, libérés de la chaleur implacable qui les avait si longtemps accablés. La plupart des boutiquiers étaient assis devant leur porte, à boire du thé. Ramchand se dit que Manoj, Vishnu et Alka devaient être en train de faire voguer des bateaux en papier dans les flaques de la cour. C'était là leur habitude quand il pleuvait.

Mahajan n'en avait toujours pas fini de son sermon et de ses récriminations.

Pour conclure, il regarda Ramchand d'un œil qui se voulait perspicace et demanda : « Sois franc avec moi, Ramchand. Tu avais bu ? »

L'autre le regarda, ébahi. Mahajan se trompa sur la nature de ce regard et s'exclama : « C'était donc ça ? Et tu pensais peut-être que je ne le remarquerais pas ? »

Ramchand réfléchit. De sa vie il n'avait bu une goutte d'alcool. Mais s'il disait la vérité, comment parviendrait-il à expliquer son comportement ? L'autre ne se montrerait-il pas moins offensé s'il croyait avoir été secoué par un Ramchand en état d'ébriété ? Sinon, comment expliquer la fureur qui s'était emparée de lui ?

Ramchand se garda donc de le dissuader et se contenta de baisser à nouveau la tête.

« Ah, c'était donc bien ça ! » dit Mahajan, l'air satisfait.

Alors seulement, Ramchand estima pouvoir parler sans crainte : « Bauji, je vous en prie, pardonnez-moi. Je ne sais pas comment j'ai pu vous… » Il eut la décence de s'interrompre au bon moment. Mahajan lui posa la main sur l'épaule. « Bon, c'était la première fois. Et la dernière, j'espère. On fait tous des bêtises quand on est jeune. Tu peux reprendre ton travail dès maintenant, si tu veux. »

Ramchand tomba aux pieds de son patron.

La scène combla tout un chacun de plaisir. Gokul écrasa même une larme. Ramchand était de retour.

*
* *

Ils durent se disperser parce que des clientes arrivaient. Ramchand reprit sa place et s'assit, les jambes encore tremblantes. La boutique s'emplit bientôt des bavardages et du froissement des étoffes habituels. Ramchand s'occupa de trois clientes dans les heures qui suivirent et vendit deux saris. Il sortit déjeuner et mangea des *puris* au kiosque le plus proche. Les autres vendeurs s'étaient d'abord montrés un peu gênés en sa présence, mais, le soir venu, il acheta des *samosas* pour tout le monde, en offrant deux sur une assiette à Mahajan, qui accepta avec le sourire.

Et tout rentra dans l'ordre. Plus personne ne fit allusion au jour où Ramchand avait fait irruption dans la boutique et s'en était pris à tout le monde. Comme l'avait souligné Mahajan, on fait tous des bêtises quand on est jeune.

Le soir, Hari leur proposa d'aller manger chez Lakhan. Chander était déjà parti, Shyam et Rajesh devaient dîner ensemble chez le second.

« Allez, Ramchand, tu viens avec nous, d'accord ? » dit Gokul, le visage éclairé d'un grand sourire.

Ramchand lui sourit en retour et acquiesça. Hari bondit sur ses pieds. « Dépêchons-nous. J'ai une faim de loup. »

Ils se rendirent tous les trois à la *dhaba*. Hari s'assit à côté de Ramchand, lequel évita le regard de Lakhan quand celui-ci vint prendre leur commande.

Ils mangèrent des *sabzis* et des *rotis* au *tandoor*, puis commandèrent du thé. Au contact familier du verre chaud entre ses mains, Ramchand sentit les larmes lui monter aux yeux.

Ses deux compagnons plaisantaient entre eux, lui se contentait de sourire, sans trop participer à la conversation.

Le repas terminé, Hari et Gokul lui souhaitèrent le bonsoir. Le premier lui fit un clin d'œil, le second lui tapota amicalement l'épaule. Puis ils partirent, chacun de son côté.

Ramchand reprit le chemin de sa chambre, grimpa l'escalier obscur et déverrouilla sa porte. La pièce était couverte de poussière. Il chercha son chiffon des yeux et se mit au travail, essuyant lentement toutes les surfaces, l'une après l'autre, à l'exception du rayon sur lequel se trouvaient ses livres, qu'il évita soigneusement.

Une heure plus tard, la chambre était époussetée et balayée, et Ramchand allongé sur son lit, fixant d'un œil vide une tache d'humidité au plafond.

Remerciements

Je tiens à remercier ici ma famille, mes amis et tous ceux qui, dans le monde de l'édition et ailleurs, m'ont aidée à donner le jour à ce livre.

8339

Composition Nord Compo
Achevé d'imprimer en France (La Flèche)
par Brodard et Taupin
le 8 août 2007. 43238
Dépôt légal août 2007. EAN 9782290003299
1er dépôt légal dans la collection : avril 2007

Éditions J'ai lu
87, quai Panhard-et-Levassor, 75013 Paris

Diffusion France et étranger : Flammarion